Kusursuz Piknik

CİHAN AKTAŞ

© İz Yayıncılık Limited Şirketi, 2009
Sertifika no: 0207-34-007609

İZ YAYINCILIK: 589
Sanat edebiyat dizisi: 98
ISBN 978-975-355-746-7
İstanbul, 2009

Çatalçeşme Sokağı No: 27/2 Cağaloğlu 34110 İstanbul
telefon: (212) 5207210
faks: (212) 5115791
www.iz.com.tr
e-posta: bilgi@iz.com.tr

editör: Ali Akyurt

kapak: Medine Efe

Basıldığı yer: Şenyıldız Matbaası; Gümüşsuyu Caddesi No:3 Topkapı-İstanbul

CİHAN AKTAŞ

Kusursuz Piknik

hikâye

İZ YAYINCILIK

CİHAN AKTAŞ; 1960 Refahiye-Erzincan doğumlu. Beşikdüzü Öğretmen Lisesi'ni (1978) ve İstanbul DGSA Mimarlık Fakültesi'ni (1982) bitirdi. Mimar, basın danışmanı ve gazeteci olarak çalıştı. *Yeni Devir*'de köşe yazıları yazdı. Edebi ve fikri çalışmalarını çeşitli dergilerde yayımlamayı sürdürmektedir. 1995'te TYB (Türkiye Yazarlar Birliği), 1997'de *Gençlik Dergisi* tarafından "Yılın Hikayecisi", 2002'de TYB tarafından "Yılın Romancısı" ödülüne layık bulundu. Evli ve iki çocuk annesidir.

Eserleri:

İnceleme-Araştırma: *Hz. Fatıma* (1984), *Hz. Zeynep* (1985), *Sömürü Odağında Kadın* (1985), *Veda Hutbesi* (1985, 1992), *Sistem İçinde Kadın* (1988), *Tanzimat'tan Günümüze Kılık Kıyafet ve İktidar I* (1989, 1990, 2006), *Tesettür ve Toplum/Başörtülü Öğrencilerin Toplumsal Kökeni* (1991, 1993, 1995, 1997), *Modernizmin Evsizliği ve Ailenin Gerekliliği* (1992), *Mahremiyetin Tükenişi* (1995), *Şark'ın Şiiri –İran Sineması–* (1998, 2005), *Bacı'dan Bayan'a –İslamcı Kadınların Kamusal Alan Tecrübesi–* (2001, 2003, 2005), *Dünün Devrimcileri Bugünün Reformistleri –İran'da Siyasal, Sosyal ve Kültürel Değişim–* (2004, 2005), *Türban'ın Yeniden İcadı* (2006), *Bir Hayat Tarzı Eleştirisi İslamcılık* (2007), *Yakın Yabancı* (2008)

Hikaye: *Üç İhtilal Çocuğu* (1991), *Son Büyülü Günler* (1995), *Acı Çekmiş Yüzünde* (1996), *Azizenin Son Günü –Azerbaycan Hikayeleri–* (1997, 2006), *Suya Düşen Dantel* (1999), *Ağzı Var Dili Yok Şehrazat* (2001, 2005), *Halama Benzediğim 'çin* (2003), *Duvarsız Odalar* (2005), *Kusursuz Piknik* (2009).

Roman: *Bana Uzun Mektuplar Yaz* (2002, 2003, 2005), *Seni Dinleyen Biri* (2007).

İçindekiler

Kusursuz Piknik

I

Su böreği tepsileri kızartılmak için fırına gönderilecekti, fakat karısının piknik için hazırlamaya çalıştığı böreği çöreği çok da önemsediği yoktu Başkâtip'in; kuzu dolması dışında! Börek çörek gibi yiyeceklerin daha ziyade kadınlara özgü olduğunu düşünürdü. Diğer taraftan, Hakim Bey balık severdi; bu nedenle İstanbul'a gittiği zaman tek isteği birkaç çiroz getirmesi olmuştu. Yaz başından bu yana Hakim Bey konusunda hassasiyet gösteriyordu Başkâtip. Teselliye ihtiyacı vardı adamın çünkü; karısı okullar kapanır kapanmaz on gün veya iki haftalığına ailesinin yaşadığı Manisa'ya gitmiş, ama geri dönmemişti. Üstelik daha okullar tatil olmadan eski dostu Vali Muavini'ni ve şehir merkezinden birkaç üst düzey memuru daha ailece pikniğe davet etmişti Hakim Bey. Ne var ki ailesinin yanına giden karısı dönmek bilmeyince, daveti erteleyip durmuştu. Hakim Bey'in içine düştüğü zor durumun tanığı olarak Başkâtip, ister istemez piknik davetini üzerine almıştı. Israrlarına karşılık Hakim Bey, Vali Muavini ve ailesi dışında kimseyi davet etmek istememişti. Mevsimin son pikniği olacaktı bu, havalar serinlemişti biraz ve malûm, pek keyfi yoktu. Biraz değil epeyce kederliydi, bu yüzden herhalde içki içmek isteyecekti piknikte. Başkâtip'in içki meclisleriyle başı hoş olmayan bacanağı günler önce pikniğe gelmeyeceğini bildirmiş, fakat çirozların başına gelen –Başkâtip'in henüz bilmediği? hadiseden sonra paniğe kapılmış gözüken baldızını yalnız bırakmaya gönlü el vermemişti. Başkâtip'in dağınıklığıyla ünlü karısı, kız kardeşiyle eniştesi olmaksızın üstesinden gelemezdi bu pikniğin. Bir bakıma Vali Muavini ve ailesi için düzenleniyor gibi görünse de aslında Hakim Bey'i teselli pikniğiydi bu; karısı ta yaz başında çocuklarını da alarak ailesinin yanına gitmişti ya, mektepler açıldığında geri dönecekti belki, belki de dönmeyecekti.

Başkâtip içki içmezdi, fakat düzenlediği pikniklerde içmek isteyen olursa da karışmazdı. Buna karşılık sigarayı artırmıştı son zamanlarda, hakkındaki kimi söylentiler nedeniyle. Kasabanın herhangi bir köşesinde karşısına çıkan laflardan sözlerden bir süreliğine uzak durmak için, geçen yıl olduğu gibi bu yıl da iznini İstanbul'da geçirmişti. İmlâ kurallarını bilmediği, bu yüzden mahkeme tutanaklarında sayısız hataya göz yumduğu şeklindeki dedikodu yüzünden epeydir rahatsızdı. Bu dedikodunun kaynağının kasaba lisesinin yeni edebiyat öğretmeni, dedikoduyu yayan kişinin ise kaç yıl önce orman arazisinde tarla açmak için yangın çıkarmış eski bir mahkûmun şiir yazma sevdası yüzünden bir baltaya sap olamamış oğlu olduğuna dair haberler ulaşıyordu kulağına. Uzun meslek hayatında edindiği itibarın garazkâr bir yeni yetmenin dolduruşuna gelen tecrübesiz bir lise öğretmeninin şahsi yorumlarıyla zedelenmesine doğrusu ya katlanamıyordu. Ortaokul mezunu bile olmadığı doğruydu, evet, ama kelimeler onun işiydi, neredeyse yirmi beş yıldır bir şair gibi kelimelerle düşüp kalkıyordu. Sözlük ve imlâ kılavuzuyla doluydu kütüphanesinin rafları, eski-yeni diye ayırt etmeden, yazımı tartışmalı kelimeler nasıl yer alıyor içinde, diye bir merakla birçoğunu okumaya, incelemeye çalışırdı; işinin gereği sayarak. Her gün mutlaka iki gazeteyi başından sonuna kadar okurdu, yıllardır kasabanın en titiz gazete okuyucusuydu. İstanbul'dan dönerken bir kısmı kızının siparişi olan bir kutu dolusu kitap getirmişti; getirdiği kutu içinde yeni basım imlâ ve dilbilgisi kitapları çoğunluğu oluşturuyordu.

Onu sevip kolladığını her daim belli eden Hakim Bey'e, yakın arkadaşı olan Vali Muavini için bir piknik düzenleyerek destek olmayı, İstanbul'a gitmeden önceki günlerde tasarlamıştı. Yola çıkmadan önce de karısına piknikle ilgili ön hazırlıklar için gerekli talimatları vermişti.

Bu pikniğin Hakim Bey'in daveti olarak gerçekleşmesini karısı pek yadırgamamıştı; mutfak işlerinde o kadar da usta biri sayılmadığı halde, daha ziyade kocasının bu konulardaki hevesli tutumu nedeniyle dışarlıklı memur kesimiyle ortaklaşa düzenlenen pikniklerde malzemelerin tedariki, kuzunun doldurulması gibi konularda sorumlu tutulan kişi olmaya alışkındı. Hakim Bey'in kendisinden bir hayli genç olan ikinci karısıyla, ailesini ziyaret etmek üzere yola çıkmadan birkaç gün önce görüşmüşlerdi. Kısa süreliğine gidip dönecekmiş gibi konuşmuştu kadın, hatta, piknik için hazırlanacak sarmada kullanılacak asma yapraklarını Manisa'dan getireceğini bile söylemişti; fakat hâlâ dönmemişti işte! Bazen babasının hastalığı oluyordu dönemeyişinin nedeni, bazen ailenin sahibi olduğu üzüm bağıyla ilgili meseleler. Hakim Bey bir kereliğine Manisa'ya gitmişse de yalnız başına geri gelmiş ve karşılaştıklarında da karısının yokluğu konusunda bir açıklama yapmaktan kaçınmıştı. İstanbul'a gitmeden önceki haftalarda biraz da onu meşgul etmek için üst üste piknikler düzenlemişti Başkâtip, Kızıl Kayalar mevkiinde. Hakim Bey'i pek memnun eden bir dinlenme olurdu, bir zamanlar Köroğlu'nun Bolu Beyi'nin kızıyla birlikte sığındığı öne sürülen derin mağaranın önünde, akşam güneşinin gökyüzünü Kızıl Kayalar'ın rengiyle bütünleştirdiği saatlere kadar, arada bir şarkı türkü mırıldanarak, şiir okuyarak, bazen siyasetle, bazen mahkemede sürüp giden davalarla ilgili, pek de derinlere dalınmayan konuşmalar sürdürerek oturup kalmak.

Bu, mevsimin sonuncu pikniğiydi; yağmurlarla, rüzgarlarla sonbahar gelişini hatırlatıyordu. Çocuklar okula başla-

madan önce bir kez daha dağ havası almış olacaklardı. Baş-
kâtip İstanbul dönüşü yanında gramer ve imlâ kılavuzu ağır-
lıklı kitap ciltlerinin yanı sıra, mevsimin bu sonuncu pikniği-
ni zenginleştirecek kasetler, Hakim Bey'in siparişi olan çiroz-
lar, gençlerin piknikte hoşça vakit geçirmesine yardımcı ola-
cak çerez ve çikolatalar da getirmişti.

II

Fakat çirozlar bulunmayacaktı sofrada işte; arayıp tarama-
ların ardından sadece bir kısmını kurtarmayı başarmışsa da
Başkâtip'in Karısı, sofraya çıkarmayı yediremezdi kendine:
Herhalde kediler tarafından dahi pek beğenilmeyerek didik-
lenmiş halde bırakılmıştı, bir şeye benzetemediği kuru, bir tu-
haf kokan balıklar. Aceleyle eniştesine bir miktar kıyma ısmar-
layarak köfte harcına ilavede bulundu. Eniştesi akıllılık etmiş,
biraz da sucuk ve pastırma almıştı. Vakit daralmıştı: Köfte mi
yapsın, sarma mı sarsın bu saatten sonra? Kız kardeşi, başına
buyruk davranma konusunda kızına fazla yüz veriyor olmak-
la suçluyordu onu. Ayrıca, piknik hazırlıkları sırasında Hakim
Bey'in ev işlerine bakan –kocasının uzaktan akrabası olan? ka-
dını yardımcı olması için çağırabilirdi, bunu da hatırlattı. El at-
tığı her işi yarım yamalak yapsa da şu dar zamanda bir işe ya-
rardı kadın, en azından tezlikle biriken bulaşık kapları yıkardı.
Kızı sarma sarmayı sevmediğini, öğrenmeyi de hiç istemediği-
ni söyledi annesine; hayatı boyunca ne sarma saracaktı ne de
yiyecekti, onca zamanını ayıramazdı bir tencere yemek için.
Önce tehditler savurdu kadın, bir daha sokağa oyuna yolla-
mam seni, şeklinde tehditler; baktı ki olmayacak vaatlerde bu-
lundu, iki kilerden küçük olanı boşaltarak ona ait bir odaya çe-
virme vaadi. Bu vaadin ardından erkek kardeşleriyle aynı oda-
yı paylaşmaktan hoşlanmayan ortaokul öğrencisi kızı yaprak
sarma işini kabullenebildi. Yine de, sokaktaki oyundan kopa-
rıldığı için hevessizce ve gevşek hazırlıyordu sarmaları. Senin
yaşındayken baklava açmayı bile öğrenmiştim ben, şeklinde,
annesinden ve teyzesinden yönelen kınamalı cümleler karşı-

sında sessiz de kalmıyordu: Ben okuyacağım, bir mesleğim olacak, ilerideki hayatımda yemek yapmak için saatler harcamayı hiç düşünmüyorum, hem dünyada o kadar çok yemek çeşidi var ki insan pekala sarma yemeden de yapabilir. Ukala, ukala. Kadın her şekilde kadındır; mesela Hakim Bey'in karısı tahsilli bir kadındı, yapamasa bile bir mesleği vardı, sanki arkeologdu ve lakin yemek işini evin temizliğini yapan kadına bırakmaz, ille de kendi elleriyle yapmak isterdi. Yine de yürümüyor gibiydi evlilikleri, sanki daha çok kadından kaynaklanan nedenlerle. Bilemeyiz ki kardeşim, dedi Başkâtip'in Karısı. Hakim Bey de enişten gibi geceleri kulübe takılıp kalır oldum olası. Hakim Bey'in bir açıklaması ötekini tutmuyordu bu konuda, bu nedenle karşılaştıklarında karısının dönüşü üzerine sorular sormaya çekiniyordu artık. Piknik için gerekli kap kacağı hazırlarken de Hakim Bey'in yolladığı tabaklara bardaklara el sürmek istememişti. Kırılır, çatlar, kaybolur; kadın geri dönerse tatsızlık yaşanmasın. Kendisi nasılsa alışkındı kalabalık misafirler için piknik sofraları kurmaya. Sabahın erken saatlerinde tamamen hazır gibiydi piknik için gerekli denkler, malzemeler. Tencereler, semaver, gazoz kasası, gazete kağıdına sarılmış bardaklar, tuzluklar, biberlikler, hatta ekşi ve acı seven Hakim Bey için pul biber, sumak... Bir şey unutulmasın diye dönüp dönüp bakmamış mıydı mutfağa, sofaya, kilere? Bakmıştı aslında, meyveleri, salata malzemelerini, sucuk pastırma paketini, köfte harcını ve daha nice malzemeyi yerleştirdiği sepetleri sırayla gözden geçirmişti.

Çirozlar ise kedilerin önüne atıldığından söz açılmadan, evde unutulmuş gibi yapılacaktı. Kız kardeşi ve eniştesiyle birlikte Başkâtip'i olabildiği kadar idare edeceklerdi, çirozların yokluğu konusunda.

Gerçi unutulmayı hak ediyorlardı çirozlar, tatsız tuzsuz ve çirkindiler, pis kokuyorlardı, kokuları bavuldaki bütün giysilere sinmişti; kız kardeşi eve girmeden almıştı o kokuyu işte! Bavulu açtığında, bir naylon torba içindeki ipe dizilmiş kuru balıkları görünce, çok iğrenç kokuyor bunlar, herhalde yolda böyle kokmuş olmalılar, belki de namussuz balıkçılar kandırdı bizim herifi, diye düşünerek, kedilere köpeklere öğün olabilir diye, oracıkta açık duran kiler penceresinden fırlatıp atmıştı. Aksilik işte, birden bire bastıran yaz yağmuru kedilerin bile şöyle bir tırtıklamakla yetindikleri çirozları ıslatarak biraz daha uzaklaştırmıştı piknik sofrasından. Öğleye kadar yağmur dinmek bilmeyince, çirozlardan sinen kokuyu gidermek için sandalye koltuk arkalarına asmıştı bavuldaki kimisi çocuklara ve kendisine, kimisi eşe dosta hediye edilmek üzere alınmış giysileri. Eli açık bir adamdı kocası, Allah'tan maaşa bağlı değildi, aileden kalma malları mülkleri vardı da geçinebiliyorlardı. Kocası için ele güne karşı bir itibar meselesiydi kusursuz bir piknik düzenlemek; fakat kusursuz piknik de olmuyordu ki... Dağların tepelerinde evlerde olduğu gibi kurulamıyordu ki sofralar! Yağmur dinmezse eğer, bu piknik iptal edilebilirdi, öyle bir ihtimal de yok değildi; fakat kara bulutlar bir serpiştirip geçmişti gidecekleri mevkiden; bunu öğrenmişti Başkâtip. Öğle tatilinde eve uğradığında bu bilgiyi aktarmış, hemen ardından çirozları sormuştu. Lafı bavuldan çıkan hediyelere getirerek konuyu değiştirmiş, kocası evden çıkar çıkmaz da çocuklarını ve yeğenlerini evin çevresini araştırmaya yollamıştı. Ah, nereden bilecekti ki, özel kurutulmuş balıklarmış pencereden kaldırıp attığı, içki sofralarının en pahalı mezelerinden sayılırlarmış. Hakim Bey, İstanbul'a giderken sipariş vermiş üstelik, eski kaşarın ve zeytin ezmesinin yanı sıra.

Bir saat kadar sonra çirozların bir kısmı ıslanmış ve didik didik edilmiş bir durumda bahçeyi çevreleyen murdar ağaçlarının derinliklerinde bulunup temizlenmiş, küçük bir tabakla da olsa piknik sofrasına konulabilecek bir biçimde düzene sokulmuştu.

Fakat bir türlü içine yatmıyordu kadının, kedilerin tırtıkladığı balıkları piknik sofrasına çıkartmak. Bu balıklar pikniğe götürülmeyip, evde unutulacaklardı. Dönüşlerinde ise aralık bir pencereden eve dalan kediler tarafından yenilmeye çalışılmış oldukları kanaatini uyandıracaklardı Başkâtip'te.

Niçin dürüst olmuyorsun babama karşı, diye bağırdığında kızı, bana akıl verecek yerde git kardeşini çağır sokaktan, demişti. Çok çabuk öfkelenen, öfkeliyken de acımasız konuşmalar yapan, fakat hemen ardından dolaylı yollarla pişmanlığını bildirmekten geri durmayan kocasına karşı ufak tefek numaralar yapmayı, aile içinde iyi geçimin olmazsa olmaz yolu sayıyordu.

Piknik hazırlıklarıyla yeteri kadar yorgun düşmüşken, bir de kocasının sinirlendiğinde acılaşan sözlerini çekemezdi şimdi.

Akşamüstü elinde piknik hazırlıklarını tamamlayacak malzemelerle dolu filelerle, erkence eve dönmüş ve hazırlıkların nasıl gittiğini sormuştu kocası: Her şey kusursuz olmalı, neyin ne olacağı belli olmaz, sonuçta Vali Muavini bir bakıma Vali demektir; yani koskoca Devlet'e açılan kapıdır. Hakim Bey'in haline acımasam kaldıramazdım bu piknik hazırlıklarını, dedi kadın kız kardeşine, çiroz kokusu sinmiş giysiler arasında hediyelik olanları ayırmaya çalışırken. Oğlanlara kışlık pantolonlar, botlar, kıza bir bluz bir çanta, bana ise kadınların partilere giderken kullandığı türde bir el çantasıyla üç beş kutu krem. Söyler misin, ben böyle bir çantayı nerede kullanacağım; sanmıyorum kullanacağımı. Al, senin olsun...

Yeniden dışarı çıkmak üzere hazırlanan kocası, İstanbul'da kaldığı günleri denize girerek geçirdiğini belli eden yanık teni, açık renk tişörtü ve montuyla hiç yaşını göstermiyordu. Kendisi ise mahalledeki bütün kadınlar gibiydi; ne eksik ne de fazla. Değişik oyalarla süslü yemenilerle örtülü başı, ayak bileklerine kadar uzanan kırmalı kloş eteği ve yeleğiyle, kasabanın yerlisi kadınlardan farklı görünmüyordu. İstiyorsan kremleri de al, dedi kız kardeşine. Nasılsa bir iki kez sürdükten sonra kullanmaya üşenecekti, bilmiyor değildi ya kendini.

İşte bir kutu da kitap; fakat pek az roman var içinde, çoğu sözlük yine! Yeni kelimeler öğrenmeye düşkündü kocası, bunu işinin bir gereği sayardı. Çok kelime bilirdi zaten, televizyondaki bilgi yarışmalarına çıksa, derece alırdı mutlaka. Fakat şu geçen bir yılı, mesleğinin inceliklerine vakıf olmadığına dair çıkartılan söylentiler yüzünden bir hayli huzursuz geçirmişti. Türkçeyi bütün incelikleriyle bilmediğini öne süren söylentilerdi bunlar. Yazarken ne denli özense de kurduğu cümlelere, kullandığı kelimelere, konuşurken 'h'ları ya da 'k'ları İstanbul Türkçesinde olduğu gibi çıkaramazdı Başkâtip kocası; kendisinden pek farklı değildi bu konuda. Dalgınlığına geldiğinde 'geliyorum' diyecek yerde, 'geliyrim', 'gidiyorum' diyecek yerde de 'gediyrim' deyiverdiği, Şehir Kulübü'nde bir grup memurla hasbihal ederken 'tembih' gibi kelimelerin yerine 'yumuş' gibi mahalli bir kullanımı olan kelimeleri sarf ettiği olurdu. Gelgelelim yazım alanında büyük hataları olduğunu kabullenemezdi hiç. Bunca yıllık başkâtipliği süresince yanında çalıştığı hakimlerden, savcılardan, avukatlardan hep takdir cümleleri işitmişti.

Fakat öğretmenim de kendine göre haklı, diye lafa karıştı, babasının bir gece önce "hoş geldin" ziyareti için gelmiş olan akrabalar arasında sürüp giden konuşmalara karışmalarından duyduğu hoşnutsuzluğu kaş göz işaretleriyle bildiren tavrına duyduğu öfkeyi henüz üzerinden atmamış olan kızı. Öğretmeni haklıydı, yanından hiç ayırmadığı eski bir mahkûmun oğlu olduğunu sonradan öğrendiği o şair genç de. Bir başkâtip, kullandığı dilin inceliklerine vakıf olmalıdır. Çünkü, bazen bir imlâ hatası yüzünden azalır veya eksilirdi suçlar. Basit gibi görünen bir imlâ hatasının suçsuz bir adamın değilse de onun evlatlarından birinin bütün hayatına mal olacak bir lekeye dönüşmeyeceğine nasıl emin olabilirdik ki?..

Kızının, topluluk içinde kendisini kaş göz işaretleriyle bozması nedeniyle tepki duyduğu babasına yönelik eleştirileri abartılı geliyordu annesine, çok da önemsemeden dinliyordu onu. Yine de bir ara kocasından sıklıkla duyduğu şu açıklamayı yaptı: İmlâ kılavuzlarının bunca sıklıkla değiştirildiği bir ülkede, imlâ hataları konusunda nereye kadar suçlanabilirdi ki bir başkâtip? Hani bir kelime vardı, bulmaca çözerken işin içinden çıkamamıştı kocası, neydi? Naif, naiv, nahif, dedi kızı. Neyse işte, dedi kadın. Her bir imlâ kılavuzunda başka türlü bir yazım; peki, hangisini kullanmayı öncelemeli gerektiğinde... Bir de nahiv var, dedi kız. Bu apayrı bir kelime, fakat çokları karıştırıyor. Nahiv bir bakıma gramer demektir.

Her kelimeyi bilmesi gerekmiyor ki babanın, dedi teyzesi. Mahkemede kullanmaya alıştığı kelimeler nasıl yazılıyor, bunu bilsin yeter. Naif ya da işte nahif gibi bir kelime çok zorlukla yer tutardı bir mahkeme tutanağında. Kız bu konuda hemfikirdi teyzesiyle. Kelimelerin türlü manaları, yazılış biçimleri, yeni kelimeler icat etmek olsa olsa şairlerin ilgi alanına girer. O şair genç bilirdi herhalde, doğru olan naif midir nahif midir... İyi de o çocuğun sözlerine niye itibar edecekti ki kızı, okumuş muydu herhangi bir şiirini, bunu sordu annesi; biraz tedirgin bir sesle. *Eski bir mahkumun oğlu, cin fikirli bir oğlan, bu kız da yarım akıllı sayılır...* Okumuştum, evet, dedi kız ve öğretmenler odasında eline tutuşturulmuş bir fotokopiden aklında kalan mısraları hatırlamaya çalıştı. Düzgün tek bir mısra gelmedi aklına. Yine de iyi bir şiirdi okuduğu, böyle düşünmüştü okurken, bu düşüncesinin nedeninin genç şairin etrafına yaydığı yeteneğiyle ilgili güven olduğunu da bilerek. Okurken onca beğendiği şiirden tek bir mısra olsun aktaramayınca, konuyu değiştirdi: Babamı niye savunuyorsun ki bu kadar, diye sordu. Bütün yaz memur takımını pikniklere davet ettiği yetmiyormuş gibi, seni yanına almayı hiç aklına getirmeden tek başına gitti İstanbul'lara; okulların açılmasına iki gün kala da piknik işini çıkardı başımıza. Bu piknikler seni ne kadar yoruyor, görüyorum. Bence de bu piknik biraz yersiz oldu, dedi kadın. Fakat Hakim Bey'e de pek acıyorum doğrusu. Söz vermiş işte, tek başına altından kalkamazdı bu işlerin. Karısı bir haftalığına gitti, dönmek bilmedi. Okullu çocukları var. Dönmeye niyeti olsa, dönmüş olmaz mıydı, şu güne kadar...

Dönmez o kadın, dedi kız kardeşi. Hakim Bey'in evine temizliğe giden, kocasının akrabası bir kadının anlattıklarına dayanarak varıyordu bu yargıya. Kadın yola çıkmadan önceki günlerde zırıl zırıl ağlayarak dolaşıyormuş evde. Aralarında yaş farkı var ya, Hakim Bey aşırı kıskançlığıyla bunaltıyormuş kadını. O gittikten sonra ise her gece içer olmuş kulüpte. İçip içip kusuyormuş sağa sola. Usandım kusmuk temizlemekten, karısı dönüp gelse, belki bırakır içmeyi, diyormuş, evlerine temizliğe giden akraba kadın.

Dönüp gelir sonunda, dedi Başkâtip'in Karısı. Dönmeyip de ne yapacak? Yuva yıkmak kolay değil, hele arada çocuklar varken.

İçine kapalı bir kadındı, sevmezdi konuşmayı pek.

Hakim Bey de geceleri geç dönüyormuş eve. Her gece her gece kulüp, bazen de Savcı Bey'le keşfe gidiyoruz diye yollara düşmeler...

Çağırırdım, gelmezdi misafirliklere.

Geçen yazki pikniklere de bir kez katıldı galiba.

Geçen yaz pek az piknik düzenlemişlerdi aslında, iki parmakla daktilo kullanan Başkâtip izin günlerini İstanbul'da, on parmakla daktilo klavyesi kullanabileceği bir kursa devam ederek geçirmişti. İzin günlerinin tamamı yetmemişti on parmak daktilo kullanmaya geçmesine gerçi. Yıllardır iki parmakla yazıyordu, bu alışkanlığından kurtulması kolay olmayacaktı, karısına göre.

Bir taraftan da yakın gelecekte zabıtların daktilo yerine bilgisayarla tutulmasının kaçınılmazlığı üzerine yorumlar yapılıyordu, adliye binasında; bunları duyuyordu kadın. Daktilodan bilgisayara geçilmesi bugün yarın olacak iş değildi kasaba adliyesinde. Yine de gelecek yazın bir kısmını bilgisayar kursuna gitmek için İstanbul'da geçirmeyi düşündüğü oluyordu kocasının. Olabildiğince yetiştireceksin kendini. Yaptığın iş alanında en iyisi olmaya gayret edeceksin.

Fakat bilgisayar kullanmayı öğrenmek korkutucu geliyordu Başkâtip'e, bunun için ciddi adımlar atmaya hazır saymıyordu kendini. Bir yıllık iznini daha kursta geçirmek istemiyordu hem. Bu yaz boyunca, önceki yazın kursta geçen günlerini telafi etmek ister gibi hemen her hafta sonunda bir vesileyle piknik düzenlemişti. Kimisi büyük şehirlerden gelen akrabaların, kimisi rutubetli kıyı şehirlerinin bunaltıcı sıcaklarından uzaklaşmak isterken yeşil dağlarla çevrili bu kasabaya davet edilmiş olan memur ailelerinin yakınlarının hatırına verilen pikniklerdi bunlar. Hava artık sonbahar serinliğine çevrilmeye başlamıştı; yağmur serpiştiriyordu zaman zaman. Bir vazife duygusuyla hazırlıklarını sürdürse de kadın, kusursuz, eksiksiz bir piknik gerçekleşsin diye uğraşıyor değildi. Bir piknik kolay kolay kusursuz olmazdı; bir şey unutulurdu, bir şeyler az gelir, yetersiz kalırdı. Yağmur yağardı, fırtına çıkardı, bir çocuk gizlendiği yerde uyuyakaldığı için etrafı telaşa verirdi.

İşin aslı kadınlardır sofra hazırlıklarının inceliklerini fark edenler. Çok fazla yetişkin bulunmayacaktı piknikte, yabancı kadın olarak da yalnızca Vali Muavini'nin karısı bulunacaktı. Bu kadın da pek kalender ruhlu biriymiş, öyle söylemişti Hakim Bey.

III

Teşrifata hiç gerek yok, demişti Hakim Bey. Kızıl Kayalar'ı o kadar övdüm ki Muavin Bey'e, ailece sonbahar yağmurları bastırmadan havasını alıp suyunu içmek istediler. Yerler hafifçe ıslaktı gerçi, yeteri kadar yaygı da yoktu, salıncak kurmak için sicim aranıp bulunamadı, bir ağaca yaslanmış oturan Vali Muavini'nin Karısı'nın arkasına konulacak bir yastık da çıkmadı, eşyaların arasından. Bütün bu yokluklar asabını bozuyordu Başkâtip'in; karısına kaş göz işaretleri ederek, sorumlu tuttuğu sorunların üstesinden gelmesini bekliyordu. Kuzu dolması üzümsüz olur muydu? İşte, üzümler de unutulmuş. Ben piknikte teferruattan, zamanı yemek hazırlamaya ayırmaktan hoşlanmıyorum, yufka ekmeğiyle peynir yeterdi, semaver de var ayrıca, dedi Muavin Bey'in Karısı. Ayrıca bel ağrısı çektiği için her gittiği yere götürürmüş özel minderini, sırt yastığını; cipten alır gelirdi bir ara. Gitgide bir ayrışma oluşmuş, kadınlar gözeye yakın bir yerde oturmayı yeğlerken, erkekler Hakim Bey'in gelir gelmez yerleştiği mağara ağzına serilen ve üzerine minderlerle yastıklar yerleştirilen kalın kilime yönelmişlerdi. Yanında getirdiği ev yapımı poğaça ve kurabiyeleri tabaklara paylaştıran Muavin Bey'in Karısı'nın yanından geçerken, kasabadaki gazete okurlarının sayısının ne denli düşük olduğunu anlatan bir açıklama yapmaktan kendini alamadı Başkâtip. *Ne yazık ki şehrimizi temsilen meclise gönderilen şahsiyetlerin çoğu, günde tek bir gazete olsun okumayan kişiliklerdir Hanımefendi.*

Muavin Bey'in Karısı konuşmanın süreğinde, yanında imlâ kılavuzu taşıyan bir Başkâtip'le ilk kez karşılaştığını söyleyerek, takdirini bildirdi. Meslektaşlarından pek farklı, gelecek vaat eden bir Başkâtip bu.

Fakat bir Başkâtip'in, hele ki emeklilik çağı yaklaşmış bir Başkâtip'in geleceği ona neler vaat edebilir ki...

Muavin Bey'in Karısı, kocasının uzun yıllar Anadolu'nun farklı yörelerindeki kasabalarda sürdürdüğü kaymakamlık görevi sırasında, küçük kasabaların siyasal ikbâl peşinde koşturan küçük memurlarla dolu olduğunu öğrenmişti. Ancak neden olmasın, pekâlâ milletvekili olmayı hayal edebilirdi bu adamcağız da; cebinde imlâ kılavuzu taşıyor, günde beş altı gazete okuyor, bir ayağı İstanbul'da Ankara'da, aileden varlıklıymış da... Hem çevre koruma bilincine açık. Sobalarda odun yakılmasına karşı. Köylerde oluşan çöp yığınları karşısında tepkili. Bilgi sayar kursuna gitmeyi tasarlıyor. Ayrıca, haftada bir gün Pazar alışverişi için köylerden kasabaya gelen kadınların dinlenebileceği bir kadın konukevi yapılması için belediye nezdinde girişimlerde bulunduğunu da söylemişti Hakim Bey'in Karısı, yanlış hatırlamıyorsa.

IV

Piknik sepetlerinden birine koyduğu çay kutusunu arayan Başkâtip'in Karısı'nın bakışları, kalın bir ağacın gövdesine sırtını yaslamış oturan Muavin Bey'in Karısı ile konuşmakta olan kocasına kaydı: Yaşlandıkça ayak uydurulmakta zorluk çekilecek bir adama dönüşüyor; elli yaşına merdiven dayadığı söylenemez görünüşüne bakılarak. Güneş gözlüğünü de yenilemiş sanki. Kremler, kremler. Kocası büyük şehirlere gittiğinde, her seferinde cildi gençleştirme konusunda yeni yeni iddialar içeren krem kutuları getiriyor; isimlerine televizyon reklamlarından aşina olduğu, kırk yaşın üzerindeki kadınların yüzündeki inceli kalınlı kırışıklıkları ortadan kaldıracağı söylenen kremler. Kimisi tüpte, kimisi kutuda; kimisini sabah, kimisini akşam sürmek gerek. Çoğu zaman unutuyor zamanında kullanmayı; bazen abdest alacağı için, bazen de girişeceği herhangi bir iş yüzünden üşenerek vazgeçiyor sürmekten.

Uzun bir aradan sonra kocasının sitemleri nedeniyle yeniden sürmeye başlasa da, çok geçmiyor, yeniden savsaklıyor düzenli kullanmayı. Kremler, eğer kız kardeşine vermeyi de ihmal etmişse, gitgide arka plana itildikleri bir rafta son kullanma tarihini aşmaya terk ediliyorlar.

Pikniğe bir katkı olmak üzere getirdiği kurabiyeleri tabaklara taksim eden Muavin Bey'in Karısı, tabaklardan birini mağara önünde kurulan sofraya götürmesi için Başkâtip'e ricada bulunduktan sonra, iki elinde iki tabakla kadınların bulunduğu tarafa yöneldi. Doğrusu ya kuzu doldurma işinde başarılı olacağını sanmıyordu, çay tepsisini hazırlama işini üzerine alabilirdi ama... Gazete kağıtlarından sıyırdığı bardakları bir leğene doldurdu, sudan geçirmek üzere gözenin yakınlarında bulunan çeşmeye yöneldi. Bu arada abisi tarafından sürekli hırpalandığı için derdini ağlayarak anlatmaya alışmış olan küçük kızını da yanına çağırdı. Salıncak kurulamadığı için çocukların, girintisi çıkıntısı bol kayaların bayır yönüne açılmayan tarafında saklambaç oynamasına izin vermişlerdi. Küçük oğlu elinde bir gazoz şişesiyle koşturuyordu, kayalarla çeşme arasında.

Küpe taşı toplamaya niyetlenmişti Muavin Bey'in Karısı. Cipte gelirken Hakim Bey söylemişti, Kızıl Kayalar etrafında, daha çok da meteor çukurunun oralarda bolca bulunurmuş küpe taşı, bir de filik çiçeği. Bardakları tertemiz yıkadıktan sonra, piknik alanına döndü. Çocukları da yanına alıp meteor çukuru olduğu söylenen kırmızı çukura kadar uzanmak istediğini söyledi. İleride filik çiçeklerinden oluşan pamuksu bir tarlayla karşılaşmayı umuyordu; öyle söylemişti Hakim Bey. *Tiftik gibi, Ankara keçisinin yünü gibi. Büyük bakır kazanların içinde salonun bir köşesine koyarsın.* Hakim Bey'in evinin salonu, filik çiçekleriyle, kurutulmuş ayı gülü demetleriyle süslüydü; sadece bir kez gittiği halde, iyi hatırlıyordu kadın.

Filik çiçekleri bu aya kalmaz ki, dedi Başkâtip'in Karısı. Çukura kadar gitmeyin bence, diye de uyardı. Ayı çıkabilirdi karşılarına.

Başkâtip uzaktan seslendi: Sen de git hanım, yalnız bırakma hanımefendiyi!

Nasıl gidebilirim ki? Kuzuyu dolduruyoruz daha.

Elinde bıçakla maydanoz nane gibi bir şeyler doğrayan kızını gözleriyle aradı buldu Başkâtip ve yaptığı işi bir kenara koyarak, Hanımefendi'ye refakat etmesi gerektiğini bildirdi.

Salıncak ipi unutulmuştu, okey tahtaları da; mahcup oluyordu misafirlerine.

Canım bu defalık da okey oynamayız, dedi Hakim Bey. Üzerine gitme Yenge Hanım'ın.

Eski pikniklerdeki canlılık yoktu üstünde; yine de arada bir ayağa kalkıp iki üç adım atarak kollarını havaya kaldırıyor, temiz havayı derin nefeslerle içine çekiyordu. Bir ara, 'Dereotu ile çiroz salatası yapardı bizim hanım' dediğini duydu Başkâtip ve hemen kadınların çalıştığı tarafa yöneldi. Karısı hâlâ kuzuyla uğraşıyordu. Ağır hareketlerle iş yapardı genellikle, şimdi sanki daha da ağırlaşmıştı hareketleri. Üzümleri unutmuştu üstelik ki kuzunun içine doldurduğu malzemeyi bir gün önce evde hazırlamayı yeğlerdi hep, piknik yerinde rahat etmek için. Pikniklerdeki eksiklerin ayırdına varacak olanlar kadın konuklardır. Muavin'in Karısı'nın ise, kebapla köfteyle iyi değilmiş arası. "Çirozları hazırla da götüreyim," diye yaklaştığında, "Biraz kekik topla salata için, bir avuç olsa yeter,? diye karşıladı onu karısı. Çünkü Muavin Bey'in Karısı, bu kalendermeşrep hanımefendi, salatayla başlarmış yemeğe. Bu mevsimde kekik bulunmaz ki, dedi Başkâtip. Kekiksiz olsun salata. Sen teybe güzel bir kaset koy da gel hele, dedi karısı. *Tanrıdan diledim bu kadar dilek*'le başlayan kaset var ya, işte onu koy. Hakim Bey kasetler ısmarlamıştı İstanbul'dan; onlardan birini koymak daha uygun göründü Başkâtip'e. *Efkarlıyım efkarlıyım, elini ver nerde elin.* Efkarlı olurdu tabii; karısı çocuklarıyla memleketine gitmişti, aylardır yalnızdı. Arada bir ağzına bir zeytin tanesi ya da bir dilim kaşar atarak şarkıya eşlik ediyordu ve işte, içmeye başlamıştı. Başkâtip, çirozları unuttuğunu hatırlayarak döndü karısının yanına, ne var ki baldızı hemen eline beş kiloluk su şişesini tutuşturup, çeşmeden su getirmesini rica etti. Semavere acilen su eklenmesi gerekiyordu ve çocukların birisi olsun ortalıkta görünmüyordu.

Başkâtip çeşmeye giderken, kuzu dolmasıyla uğraşan karısının, bir pikniğe pek uygun düşecek şekilde spor bir takım giyinmiş olan Muavin Bey'in Karısı'na nazaran pek bir kılıksız göründüğünü düşünmeden edemedi. Eteği ıslanmasın diye önüne bağladığı doğru dürüst bir önlük bile değil, paçavrayı andıran bir kumaştı. İki kardeş birlikte uğraştıkları halde niye bir türlü tamama ermiyordu ki altı üstü bir tanecik olan kuzuyu doldurma işi...

Islak mendiller ayrıca, İstanbul'dan getirdiği kutu kutu, kimisi sabunlu kimisi kolonyalı ıslak mendil kutularından biri bile, niye yoktu ki ortalıkta?..

Başkâtip, Muavini Beylerin yanlarında komşu çocuklarını da getirdiğini görünce kaygılanmıştı bir an. Gazozlar yeterli gelmeyebilirdi. Siz bu defalık gazoz içmeyiverin, demişti bir ara çocuklarına; pikniğe gelen çocuk sayısı hesapladığının çok üzerindeydi çünkü.

Semavere su eklerken, baldızının karısına merkezi İstanbul'da olan Kasaba Derneği'nin işte bu havalide önceki hafta verdiği piknikte çıkan kavgayı anlattığını duydu. Dernek Başkanı'nın yeğeni içki içenlerin göze yakınlarına yerleşmesine itiraz etmişti. Oradan kadınlar kızlar su almayacak mı? Bunun üzerine sarhoşun biri adamın yüzüne su dolu bir bardak fırlatmış, böylelikle de kavga çıkmıştı. Biraz sonra bu hadiseyi farklı bir içerikle anlattı eniştesi. Dernek üyelerinden biri, ne bu böyle, niye önünüze geleni davet ettiniz pikniğe, düzenli aidat ödeyenler içindi bu piknik, bu beleşçi heriflerin ne işi var burada, diye itiraz etmişti de o yüzden çıkmıştı kavga. Derneğin pikniği sırasında İstanbul'daydı Başkâtip. O kadar mı kalabalıkmış piknik, diye sorduğu sırada, Hakim Bey'in, gel sen de dinle kâtibim, bu nasıl iştir, diye seslendiğini duydu. Konu, son günlerde kapısına dayanmayı alışkanlık haline getiren sansarlardı. Gece yarısından sonra geliyorlardı. Şeker sevdikleri belliydi; bir gece nasılsa sızdıkları bodrumda şeker çuvalını darmadağınık etmişlerdi. Deriye de düşkün görünüyorlardı. Deri olan her şeyi, ayakkabıyı çizmeyi alıp sürüklüyor, güçlerinin yettiği yere kadar götürüyorlardı.

Hakim Bey konuşurken yiyip içmeyi sürdürüyordu. Bir zeytin ezmeli lokma, bir eski kaşar, biraz pastırma... Fakat, çiroz tabağı niye yoktu ki sofrada?

Bir kez daha çiroz tabağını getirmek üzere kadınların çalıştığı tarafa yöneldi Başkâtip. Karısı, küpe taşı toplamaktan dönmüş olan Muavin Bey'in Karısı'na, yaz başında meteor çukuru civarında görünen ayıdan söz ediyordu. Hoş ayılar çoktandır kasabanın yanında yöresinde de görünür olmuşlardı. Değirmendeki büklerin civarında pikniğe giden bir ailenin oğlu ırmakta yüzeyim derken oracıkta uyuyan bir ayının üzerine düşünce, gazaba gelen hayvan acımasızca dövmüştü delikanlıyı, parçalamak ister gibi dövmüştü. Delikanlının feryatları üzerine ahali başlarına üşüşmüştü de ancak kaçmıştı ayı.

Artık kimse pikniğe gitmiyordu oralara.

Ayıların köy eteklerine kadar inmesinin nedeni şu efendim, dedi Başkâtip. Yaylalarda her köşe başında bir piknik. Ee, ayılar da ürküyorlar.

Biz onları ürkütüyoruz, onlar da bizi, dedi Muavin Bey'in Karısı.

Ayıyla karşı karşıya gelince kaçmayacaksın, dedi Başkâtip. Ayı seni uzaktan görünce zaten geçip gider. Cüsseleri iri olsa da korkaktır bu hayvanlar.

Bizim hanım tandır ekmeği istiyordu, diye seslendi Muavin Bey, mağara ağzı önünde oturduğu sofranın başından. Dönüş yolunda tandır ekmeği alabileceğimiz bir köye uğrar mıyız?

Olur efendim, niye olmasın; dönüş yolundaki köylerin ilkinde mola verir, tandır ekmeği ararız, dedi Başkâtip, bacanağının, eline tutuşturduğu ızgara köfte tabağını sofraya yerleştirmeye çalışırken.

Muavin Bey, yakınlarda ziyaret ettiği 45 hanelik bir köyle ilgili izlenimlerini anlatıyordu Hakim Bey'e. Tüketici bir toplum olduk Beyefendi! Bir köy düşünün ki 45 haneden 6 haneyi çıkardığınızda, gerisi Bağ-Kur emeklisi olarak hayatını sürüyor. Toprağa dokunmaya üşenen köylülerimiz var, yeni tarım politikaları sayesinde. Nisanda yaşadığı büyük şehirden gelip ekimde geri dönüyor, vatandaş; devlet üç beş kuruş maaş veriyor ya, bununla yetiniyor, toprakla uğraşma lüzumu duymuyor. Adamlar şu açıdan haklı gerçi, bu topraklar ekime biçime o kadar da müsait değildir. Fiğ eker köylü oldum olası, bezelye gibi bir ottur fiğ, bilirsiniz. Bir de başka türlü bir hayvan yemi; adını şimdi çıkaramadım.

Biliyordu bu yaygın olarak kullanılan hayvan yeminin adını Başkâtip, fakat öyle karışıktı ki kafası, ne kadar düşündüyse de aklına getiremedi kelimeyi.

Yerinden kalktı Muavin Bey, mağara ağzında oturmak için bir çıkıntı aradı. Biraz ıslaktı toprak, eski kilimin üzerindeki minder bile nemlenmişti sanki. Başkâtip, bir kenarda duran gazete tomarını uzattı Muavin Bey'e. Kayalar da nemli görünüyordu. Hakim Bey ızgara köfteleri pek beğenmişti ve elbette hazır olduğunda kuzu dolması da yiyecekti; mevsimin sonuncu pikniğiydi bu. Ne yazık ki karısı memleketinde bulunduğu için kaçırmıştı bu güzelliği. *Ben ordan geçerken biri, Amca dese gir içeri...* Malûm, Manisa'da bağ bozumu mevsimi yaklaşmıştı. Karısı pekmez pişirme ayinini kaçırmak istemezdi; ayin evet, antik çağlardan kalma bir ayin gibi gerçekleştirirdi karısının ailesi üzüm derme, serme, pekmez pişirme gibi işleri ve bu günlerde bütün aile bir araya gelsin, bunu isterlerdi. Bağ bozumu bir şenlik havasında geçerdi oralarda. Geçen yıl bu zamanlarda birlikte dönmüşlerdi Manisa'dan, yanlarında kasalarla üzüm. Yakında kar basardı bu tepeleri, köy yolları kapanırdı tamamen. Karlı kayın ormanında yürür gibi yol almaya çalışmışlardı bir keresinde Savcı Bey'le birlikte, bu havalide; bir keşif yolculuğu sırasında. Belki de atalarından biri Sibiryalıydı ya da bir Sibirya sürgünüydü; rüyalarına girerdi hep, diz boyu karın içinde yürümeye çalışan papaklı kızaklı adamlar. O adamlardan biri de kendisi olurdu, karlı kayın ormanında yol almaya çalışan çizmeli, papaklı adamların arasında en çok üşüyeni, yürümekte en fazla zorlananı hatta. Belki de atalarından biri Kafkasyalı bir dağlıydı; Sibirya soğuğunu aratmayan kış günlerinde, köyüne dönerken yolunu yitirmiş, donma tehlikesiyle yüz yüze gelmişti ve bu ölümcül hikaye genlerinde kaydolmuştu. Kar kalktığında yine kısmet olur muydu ki buralara, çoluk çocuk, ailece gelmek?.. Vali Bey şehir civarındaki piknikleri yasaklamayı düşünüyormuş, öyle mi?.. Sanırım, dedi Muavin Bey, ihtiyatlı. Sular çekilince barajdan tonlarca çöp çıkmış; o yüzden. Nasıl yasaklanır ki piknik, çoluğuyla çocuğuyla semaveriyle çıkınıyla çıkar gelir adam, oturur bir ağacın altına. İnsanımıza çevreyi koruma bilincini kazandırıncaya kadar bu konuda önlemler almak bizlerin görevi, diyerek Muavin Bey, valisini savunmaya çalıştı:

Bir kere hiç onaylamıyordu orman içinde ateş yakılmasını, herhangi bir nedenle. Doğru, katıldıkları bu piknikte de ateş yakılmıştı, fakat pek yangın çıkmazdı bu ormanlarda, toprak yazın bile ıslak olurdu; fakat piknikçilerin ormanları kirletmesi rahatsız ediyordu Beyefendi'yi. Maalesef efendim, köylülerimiz de artık market alışverişine bağımlı yaşadıkları için, köylerimizin etrafında çöp yığınları oluşuyor. Çöplerin köylerde belli merkezlere toplanmasını sağlamak amacıyla bu ülkede daha önce hiç denenmemiş bir proje üretti Beyefendi, ne yazık ki çöp poşetlerini insanlar zahmet edip de o konteynırlara kadar dahi taşımak istemediler.

Konteynır. Türkçesi nedir bu kelimenin acaba, diye düşündü Başkâtip. Çöp kutusu. Çöp bidonu.Yok, metal çöp kutusu. Niye konteynır?

Piknik yerine mesire denirdi eskiden, dedi yüksek sesle, çayları doldururken. Mesire yerlerinin kendine özgü kuralları vardı. Her yerde ateş yakılmazdı mesela ve herkese de bırakılmazdı ateşi yakma ve söndürme görevi. Semaverin ateşi cansızdı; ıslak odunlar yüzünden. Ortanca oğlu ilişti gözüne, seslendi, kuru çalı çırpı toplamaya yolladı. Piknik nasıl yasaklanır yahu, diye geçirdi içinden. Şu Kızıl Kayalar mevkiine gelinceye kadar her çamın dibinde bir hatırası vardı, albümlere iliştirilmiş fotoğrafların da tanıklık edeceği gibi. Gençliğinde, evli olduğu yıllarda bile, ellerinde bir piknik sepeti, bekarlar gibi dolaşırdı bu havalide, kafa dengi arkadaşlarıyla?

Muavin Bey'in Karısı mesire bahsini kadınların bulunduğu tarafa taşımış, şehir içinde pek gözde olan bir mesire yerinden söz ediyordu. *Kendin pişir kendin ye* usulü servis veren bir yer. *Babanın Evi* diye bir çardak altı vardı, girip oturmuşlardı. Dışarıdan kümbet görüntüsüyle ilgisini çekmişti mekân, fakat içerisini her şeyden önce apaçık görünen eternit çatısıyla itici bulmuştu. Sentetik sehpalar kilimler... Dondurma istediklerinde de hazır dondurma getirmişlerdi. Sözde geleneksel, şehrin el sanatlarının hiç olmazsa bazılarının sergilenmeye çalışıldığı belli olan bir mekân! Duvarda eski bir heybe, iri taneli ahşap bir tespih, bir asa... Nasılsa bir yerlerden bulunup getirilmiş eski rokoko koltuğun yanı başında bir yanı kırık bir hamur tahtası. Bir de yapma çiçekler sarkıyordu sağdan soldan. Tek güzellik, çardağın hemen altından akan suyun sesiydi. Esasında şelâleye gitmek için çıkmışlardı evden, fakat şoför şelâle tarafına rasgele bir saatte gidilemeyeceğini, dönüşte karanlığa kalmamaları gerektiğini söylemişti; terörist korkusu nedeniyle.

Bir gün hep birlikte şelâleye gidelim, dedi. Fakat erkenden gelin ki karanlığa kalmasın dönüşümüz. Ben sizin gibi ayrıntılı hazırlık yapamam yalnız, önceden söyleyeyim bunu.

Sonra Hakim Bey'e seslendi: Siz de gelin mutlaka. Eşiniz de dönmüş olur o zamana kadar.

Karısının bahsi geçince yeniden efkâr bastı Hakim Bey'i, içki şişesine uzandı.

Başkâtip, Hakim Bey'in meze tabaklarına el sürmediğini görünce, karısının kokusundan hoşlanmadığı için ortaya çıkarmaktan kaçındığını sandığı çirozları getirmek için, yerinden kalktı. Çiroz tabağını istediğinde karısı, serinlemeye yüz tutan havadan söz etti fakat: Çocukları çağırsan da üzerlerine bir şeyler giyseler. Hem kuzu da kızardı gibi, baksana, kızarmamış mı...

Çirozları götüreyim de gelir bakarım, dedi Başkâtip. Karısının yerinden kımıldamadığını görünce, malzemelerin bulunduğu sepetlere yöneldi.

Boşuna arama, dedi kadın. Mutfak tezgahının üzerindeydi, unutmayayım diye göz önüne koymuştum, ama sen acele ettirince...

Ne diyorsun sen yahu, diye bağırdı Başkâtip. O balıkları ta İstanbul'dan getirdim ben. Hakim Bey'in siparişiydi hem! Ne kafasız kadınsın, kaç kez tembih ettim sana!

Evlerinin içinde olduğu kadar sakınımsızdı bağırırken; Muavin Bey'in Karısı biraz ötede oturduğu ağacın altında çayını yudumlarken duydu tartışmayı ve şaşkınlığa kapıldı. Kibar, sözü sohbeti yerinde, cebinde imlâ kılavuzu taşıyacak kadar Türk dilinin incelikleriyle ilgili, kasabaya pazar için köylerden gelen kadınların dinlenmesi için bir kadın konukevi açılmasını düşünecek kadar kadınlar konusunda duyarlı Başkâtip, karısını çirozları, okey tahtalarını, salıncak için kullanılacak sicimleri ve daha nice önemli malzemeyi evde unuttuğu için salak ve beceriksiz olmakla suçluyordu.

Sözlerinin şiddetini giderek artırıyordu. Kılıksız, savurgan, paspal, geri zekalı!

Muavin Bey'in Karısı usulca kaydı yerinden, mağaranın arkasından dolanarak Kızıl Kayalar?a doğru yürüdü.

V

Kayaların çocukların oynamasına izin verilmeyen tarafı dikenli çalılarla, meyveleri kurumuş kuşburnu ağaçlarıyla kaplı ve dik sayılabilecek bir bayıra açılıyordu. Hakim Bey bir keresinde karısı için bu bayırın ortalarına kadar inerek bir ayı gülü kopardığını iyi hatırlıyordu. Ayı güllerinin rengine bayılırdı karısı, kurumaya yüz tuttuğu durumuyla bile. Muavin Bey'in Karısı zaman zaman çocukların yanına giderek, özellikle küçük kızını bayır tarafından uzak durması için uyarıyordu. Bir yanında kızı, öteki yanında oğluyla bayırın önünde durmuş meteor çukurunu izlerken, kocasıyla Hakim Bey'in bulunduğu tarafa doğru geldiklerini gördü.

Hakim Bey, Başkâtip'le karısı arasındaki tartışmayı yatıştırmaya çalışmış, bunu biraz da olsa başardığını görerek sevinmiş ve Muavin Bey'in yürüyüşe çıkma teklifini kabul etmişti.

Bayırın biraz aşağısındaki diken yığınlarının yanında elini uzattığında ulaşabileceği solgun bir gül gördü Hakim Bey; bir ayı gülü. Almak için uzandı. Uzanırken de, "Ayı güllerini çok sever kimi kadınlar, siz de sever misiniz bu gülleri hanımefendi?" diye sordu. Kadın bu soruya cevap vermeye çalışırken, aynı anda biraz önce kendisine anlayamadığı bir soru yöneltmiş olan küçük kızının kolunu çekiştirmesiyle, başını çevirmek zorunda kaldı. Kızı, sözü dinlenmediğinde yüzünü kaplayan hırçın bir ifadeyle sorduğu soruyu tekrarladı. Kadın, kızının sorusunu anlamaya çalışıyordu bir yanıyla, fakat tamamen kendini veremiyordu bu soruya; çünkü Hakim Bey, ihtiyatsızca bir adımla uzanmıştı diken yığınlarının yanı başındaki ayı gülüne ve bir adım daha attığı takdirde bayırdan yuvarlanma tehlikesiyle karşı karşıya kalacakmış gibi görünüyordu. Kayıyordu işte, düşecekti, dikenlerle kaplı bayırdan yuvarlanırken de her tarafını yaralayacaktı. *Bizim için geldi bu pikniğe, zavallı adam, ne kadar da mutsuz,* diye düşünerek, kocasına iletti kaygısını. Muavin Bey uzandı, kolundan yapışarak geri çekmeye çalıştı Hakim Bey'i, fakat başaramadı; ille de ayı gülünü koparmak istiyordu adam. Yapmayın Beyefendi, vazgeçin şu gülü koparmaktan, diye seslendi kadın, hatta, bir diken kümesini aşarak yaklaşmaya çalıştı Hakim Bey'in yanına; ne var ki, sorduğu soruya cevap alamadığı için olanca sesiyle ağlamaya başlayan kızına döndü, ister istemez. Hakim Bey kaymaya devam ederken, kızı bir yandan ağlayarak sorusunu tekrarlıyor, annesi sorusunu anlayamadığını söylediği için de 'Bennnmkaççabaşşsstımmm" şeklinde kulağa gelen, yine de Hakim Bey'in kritik kayma pozisyonu nedeniyle anlaşılmayan sorusunu, ağlayışının boğuklaştırdığı sesiyle biraz daha anlaşılmaz kılarak tekrar etmeyi sürdürüyordu.

Sonunda Hakim Bey'i ayı gülünü koparmaktan vazgeçirme sorumluluğunu kocasına devrederek kızına döndü kadın. Yere yatmış, tozun toprağın içinde ağlamayı sürdürerek sorusunu tekrarlıyordu kızı; fakat ne soruyordu ki, gerçekten anlayamıyordu. Sonunda çoğu kez yaptığı gibi oğluna başvurdu.

Ben kaç yaşına bastım, diye soruyor ya, dedi abisi, bir bilirkişi edasıyla.

Dört, dedi annesi, dört yaşına bastın.

İçini çekerek onayladı kız: Dört, dört yaşına bastım. Dört

yaşındayım. Abim yedi yaşına basacak. Okula gidecek. Ben de bir iki üç sene sonra okula gideceğim. Daha çok var, çook.

Gözyaşlarını akıtmadan, ağlar gibi sesler çıkarmaya devam etti bir süre.

Hakim Bey, ayı gülünü koparamadığı için hayıflanmaya devam ediyordu, dönüş yolunda.

VI

Bir açıklama yapmak gerekmez miydi Hakim Bey'e çirozlar konusunda... Bu konuyu hiç açma, diye uyardı bacanağı Başkâtip'i. Görmüyor musun, adam kendinde değil, çirozları umursadığı yok, geceyi burada, mağara içinde geçirmekten söz ediyor. *Kızıl Kayalar'da günün doğuşunu izlesek fena mı olur? Ya da yürüyerek dönsek kasabaya, yokuş aşağı, o kadar mı imkansız? Ruhlarınız ölmüş sizin yahu!* Bir ara yola çıkmaya niyetlenerek ayağa kalktı, ters istikamete, meteor çukurunun bulunduğu tarafa gitmeye başladı. Muavin Bey ardından koştu, kolundan tutup geri getirdi, yerine oturmasına yardım etti, teybi açtı. Bir fincan acı kahve ikramının tam sırası, fakat soda istiyor Hakim Bey. Soda olmalıydı, vardı, diye düşündü Başkâtip. Gözeye soda götürdüğünü hatırlamıyordu fakat. Cipten indirilmiş bir sürü sele sepetin kimisi hâlâ dolu görünüyordu. Başkâtip karısına tek kelime etmeksizin özensizce karıştırdı seleleri sepetleri, her şeyi birbirine katarak soda şişelerine ulaşmaya çalıştı.

Karısı yardım etmek ister gibi belirdi yanında. Önündeki paçavrayı çıkarmış, üzerine İstanbul'dan getirdiği yün ceketi giymiş. Eteğiyle uydurmuş. İsteyince yapabiliyor. Fakat çirozlar konusunda yine de kızgındı ona.

Bırak, diye bağırdı, yeteri kadar mahcup oldum zaten senin yüzünden...

Unutmuşum işte; ne yapayım, sen acele ettirdin evden çıkarken.

Hep böyle yaparsın, mutlaka bir şey yapar, misafirlerimin karşısında zor duruma düşürürsün beni!

Bütün pikniklerde ufak tefek eksiklikler olurdu, ama hiçbirinde bu denli pikniği yüzüne gözüne bulaştırdığı duygusuna kapılmamıştı. Öfkesine yenilip Hanımefendi'nin yanında ağzına geleni saymıştı karısına! Fakat, bu pikniği çok önemsediğini karısı da biliyordu. İnsanlar sıkılmaya başlamışlardı, görüyordu işte! Okey tahtalarını unutmuş olmasaydı, Hakim Bey bu kadar içmeyebilirdi hem. Böylece söylendi bir süre, sonra, baldızının araya girmesi üzerine soda şişelerini gözeye götürdü, buz gibi olmuş karpuzlarla geri döndü. Baldızı sepetten çıkarttığı sucukları şişe geçiriyordu. Sucuk severdi Hakim Bey, midesini rahatsız ettiği halde, az miktarda da olsa yemek isteyebilirdi. Hükümetin tarım politikaları üzerine bir konuşma geçiyordu, İlçe Tarım İdaresi'nde çalışan bacanağıyla Muavin Bey arasında. Karpuzları keserken, Hakim Bey ile birlikte Karadeniz tarafına düşen bir köye gittikleri sırada duyduğu o kelime kulaklarına erişti Başkâtip'in: görüngü. "Görüngüleri biçme zamanı geldi geçiyor," demişti yaşlı bir köylü. Görüngü, hayvanlar için ekilen bir otun adıdır. İlk bakışta uydurma bir kelime gibi duruyor; bir zamanlar Türk Dil Kurumu böyle kelimeler uydururdu. "Fakat ben bu kelimeyi hiç okuma yazma bilmeyen köylülerden duydum Hanımefendi," dedi, çocuklara ızgara köfteyle dürüm hazırlayan Muavin'in Karısı'na.

Nasıl da utanıyordu, kalendermeşrep olduğu ölçüde naif bir kişiliği olduğundan kuşku duyulamayacak bir Hanımefendi'nin yanında karısına ağzına geleni saydığı için; içi içini yiyordu. Ne de olsa, kadın konukevi projesinden söz ettikleri sırada takdir duygularını bildirmişti Hanımefendi, kadın meseleleri konusunda gösterdiği duyarlılık nedeniyle.

Karısının gönlünü almayı –ve bu konudaki yatkınlığına Hanımefendi'yi de tanık tutmayı? istediği için, çay bardaklarını sudan geçirmek üzere çeşmeye gitmeye gönüllü oldu. Lise öğretmeninin çıkardığı söylentiler karşısında duyduğu utançtan daha ağır basan bir utançla ezildiğini duyarak, ağır ağır yıkadı bardakları. Buz gibi su parmaklarında bir sızıya yol açıyordu, özellikle yıllardır daktilo klavyesinin tuşlarına hızlı hızlı vurma alışkanlığı nedeniyle bir tür hassasiyet kazanmış olan işaret parmaklarında. Gittiği kursta on parmakla klavye yazmayı öğrenmişti kısmen, yine de iki parmağı mahkeme sırasında zabıtları tutarken hâlâ asıl yükü üstlenmeye devam ediyorlardı sanki. Fakat, bilgisayar öğrenmesine gerek kalmayacaktı belki de; bu kasaba adliyesinde böylesine köktenci geçişlerin gerçekleşmesi yıllar alırdı. Gözedeki gazozlara bir göz attı, neredeyse tükenmişlerdi, üç beş şişe kalmıştı geriye. Kırmızı kayaların arkasından gelmek bilmeyen çocuklara ilişti gözü. Çocukluğu düştü aklına: İmlâsı, lehçesi düzgün olmasa da iyi bir öğrenci, yetenekli bir hatip sayılabildiği yıllarda, havaların biraz da olsa ısındığı günlerde arkadaşlarıyla fırsat buldukça Kızıl Kayalar'a gelirlerdi, kalabalıklar halinde. O zamanlar pikniğe gidiyoruz denilmezdi de, mesire yerine çıkacağız diye konuşulurdu aile arasında, eş dost çevresinde.

Kızıl Kayalar, bütün ülke sathına açılan bir kürsü gibi görünürdü gözüne, o yaştaki bakışıyla, duyuşuyla. En yüksek kayanın üzerine çıkar ve bayram törenlerindeki öğretmen nutuklarını andıran bir konuşma yapmaya çalışırdı. Türkiye'yi içinde bulunduğu kardeş kavgasından kurtaracak, dünyayı ise cennete çevirecek sihirli kelimelerle örülmüş nutuklar... Yıkadığı bardakları oracıkta bırakıp Kızıl Kayalar'a koşmak istedi, çocukluktan delikanlılığa geçtiği dönemin kelimeleri ve lehçesi konusunda yeteri kadar güvenli olmasa da bildirisine güven duyduğu konuşmalarının sahnesine.

Sözlüklerde bile güçlükle bulunan kelimelerden kurulu bir dili olur mahkeme yazışmalarının; nereden bilirdi ki bunu toy bir edebiyat öğretmeni...

"Üşüyecek çocuklar, gelip bir şeyler giyinsinler!" Böyle seslenmişti karısı arkasından. Ona duyduğu öfke bütünüyle geçmiş değildi. Yine de Kızıl Kayalar'a kadar gitti ve çocuklara, üzerlerine bir şeyler giymek üzere kendisiyle gelmelerini söyledi. Muavin Bey'in beş altı yaşlarında görünen oğlu, komşularının oğluyla bir kayanın dibinde oynuyordu. Su dolu gazoz şişeleri. Çamurdan tepeler.

Hayır, bunlar tepe değil mezar, dedi çocuk. Karıncaları gömüyoruz.

Niye öldürüyorsunuz ki zavallıları... Hem onlar karınca değil. Karınca da olsa öldürmeyin, yazıktır.

Beğenmedim ben bu karıncaları, o yüzden gömüyorum, dedi çocuk, boş bir şişeyle gözeye doğru giderken. Biraz ötede yaşça daha büyük olanlar, korkutucu ayı hikayeleri anlatıyorlardı birbirlerine. Ebenin birini kaçırıp kendine hanım etmiş ayının biri, yıllar sonra avcılar ebeyi kurtarmışlar, fakat bu arada iki palak doğurmuş kaçırılan ebe kadın. Palaklardan birini hastanede doğurmuş hatta, gözleriyle görenler varmış.

İnanmayın bu saçmalıklara, dedi Başkâtip. İnsandan palak doğmaz. Gelin üzerinize bir şey giyin, hava soğudu.

Çok acıktım ben, dedi küçük oğlu. Midemde karıncalar geziniyor sanki.

Kızarmakta olan kuzunun kokusu bütün ormanı kuşatmış gibiydi.

Biliyor musun baba, diye fısıldadı elinden tuttuğu oğlu, gözenin yanından geçerken. Hiç gazoz içmedim ben. Ağabeyim de içmedi.

Ovırdoz

İki tansiyon ilacı aldım, o yüzden uykum geliyor, uyuyacak gibiyim; yanımdan ayrılma sen, burada otur.

Uyumak istiyorsan engel olma kendine, uyu hadi. Ben yanındayım.

Ya bir daha gözümü açmazsam...

Böyle şeyler söyleme...

Ben ovırdoz aldım kızım. Sen kaale almıyorsun, ama doğru söylüyorum. Titriyorum, görmüyor musun? Beni hastaneye götürün.

"Ovırdoz"u üstüne basa basa söylüyor: İlaç kullanımı konusundaki malumatının geri çevrilemez göstergesi olarak bu terimin ifade ettiği anlamlara kayıtsız kalmamalıyım. İyi de birkaç gece önce aynı şikayetlerle hastaneye götürüldüğünü, ama bir şeyinin olmadığının anlaşıldığını söylemişti Zeynep.

Hastaneye zaten gideceğiz. Bir iki gün daha dayan.

Güçleri azalıyor. Unutkan ve alıngan. En çok da Zeynep'e kızgın. Aramıyor. Oysa aradığını görüyorum. Her gün arıyor, her gün uğruyor; o gelmese, uğramasa da annem arıyor, annem uğruyor. Bu kışta kıyamette Zeynep'e acıdığım için kalktım geldim. Raflarda yağlı bardaklar. Kopmuş kapağı ipliklerle seloteyplerle tutturulmuş televizyon kumandası.

Buzdolabının sebze gözünde pelteleşmiş sebze suları. Sahici çiçeklerin yerini alan yapma veya kuru çiçekler. Yeni ilaçlarla gelen yeni hastalık belirtileri. Gündelik hayat ilaçlar etrafında dönüyor; alınan, alınmayan, unutulan, bulunamayan, yenilenmesi gereken, sırasını şaşıran, ölümcül sayılabilecek bir yan etkisi nedeniyle tedavülden kaldırıldığı için yerine bir yenisinin konulması icap eden ilaçlar... Yan etkileri bilindiği halde yıllardır alınanlar da var aralarında, farklı hastalıklar için verilen ilaçların karşılıklı etkileşimleri sanki hiç ilgilendirmiyor doktorları. Yine de ayaktalar, eskisi gibi sabah erkenden kalkıyor, yatmaya devam edeni kaldırmaya dönük gürültülerle güne başlıyorlar. Yıkanan porselen çaydanlığın sesiyle uyandım; kahvaltı hazırlamaya çalışıyorlar. Sonra bir tartışma ve ardından dış kapının hızla çarpılması. Annem modeli ve kumaşı hiç değişmeyen erguvan renginde pazen geceliğiyle kapıyı açarak içeriye süzüldü. Yanıma uzanarak beni kenara çekilmeye zorladı, babam fırından dönünceye kadar birlikte yatacağız. İkimizin kanepeye sığması imkansız, ama annem sığabilirmişiz gibi yerleşmeye devam ediyor. Duvara yapışarak onun rahatça uzanmasını sağlıyorum. Yüzü kül gibi, iyi uyuyamamış ve yataktan kalkar kalkmaz da kendi tabiriyle "hamur gibi" yere yığılmış; şimdi daha iyi. Babam fırına gitmeseydi sabah sabah, dedim. Gitsin ne olacak, dedi. Taze ekmekle kahvaltı yapalım bir gün de.

Telefon etmiş Zeynep'e, ekmek alıp da kahvaltıya gelsin diye; şimdi çıkamam, yemek yapıyorum, demiş.

Her sabah telefon edip çağırıyor ve her sabah geri çevriliyor. Bunu söylüyor ve kollarıyla sıkı sıkı sarıyor beni. Gözlerinde bir ıslaklık var; ilaçlardan.

Senede iki üç kez ani bir kararla ilaçları kullanmayı kesiyor. Bununla gelen özgürlüğü birkaç gün bile sürmüyor; hiç bilmediği türde ağrılarla, baş dönmeleri ve halsizliklerle, kalp çarpmaları ve üşümelerle, ilaçlara geri dönüş yapıyor. İlaçlarını kesintisiz kullanmasını sağlamak için birilerinin denetimi gerek. Bu konuyla sürekli ilgilenen kişi, kız kardeşim Zeynep. Beni aradı geçen hafta ve yorgun düştüğünü söyledi. İlaçlarla ilgili düzenlemeleri işe yaramıyor; bir ilaç eksik bir ilaç fazla oluyor, sepetlerde. Babamın bir ilacı öteki sepette veya anneminki babamın sepetindeki ilaçlara karışmış. Kasten karıştırıyor annem ilaçları kız kardeşime kalırsa, onu her gün bu eve gelmeye zorlamak için.

Hangi ilaç bana iyi geliyor, hangisi gelmiyor, anladığım yok, dedi annem, kahvaltı sofrasını hazırlarken.

İnsan kendinin doktoru olmalı, dedi babam.

İlaç içmeden de yaşayabiliriz, içince de değişen bir şey olmuyor, dedi annem. Yine de sağlammışım, bunca yıldır her gün, her gün bir avuç ilaç.

İki sepet ilaç, birindeki daha fazla. Aklıma takılıyor: Annem babama göre iki kat ilaç kullanıyor. Nasıl bir karaciğeri var? Aç karnına tansiyon ilacı. E vitaminleri, sinir hapları... Vücudu nasıl dayandı? Bütün bu ilaçları çöpe atsam, hayata yeni bir enerjiyle başlaması mümkün olur mu...

Sakın onun söylediklerine bakma, demişti Zeynep. İlaçları bıraktığında yerinden kalkamaz olmuştu.

Size bir ilaç kutusu alayım, dedim. Haftalık olarak ilaçları yerleştiririz kutudaki bölmeciklere. Hangi ilaçları içtiniz hangisi kaldı, bilirsiniz.

Nasıl bir şey o, diye, merakla sordu annem. Anlattığımda ise ilgi göstermedi. Sepetlerin düzenini korumaya kararlı görünüyor.

Elimde bir tomar rapor: Hangi ilacın bittiğini, hangisinin yeniden alınacağı ya da bitenin yerine bu kez hangi ilacın alınması gerektiğini, kız kardeşimin yazdığı listedeki ilaçları, tomardaki en yeni tarihli raporlarla karşılaştırarak anlamaya çalıştım. İlaç kutularının bulunduğu iki sepeti önüme koydu annem, isteksizce. Mavi sepettekiler babamın, kırmızıdaki onun. Babamın ilaç sepetinde çok az ilaç var, ama ilaçları alma konusunda daha ihmalkar davranan, ayda bir iki kez gece yarılarında "ovırdoz aldığı" için hastaneye gitmek için tutturan, annem.

Çarşıya inerek hangi ilaçların hangi saatte alınacağını gösteren akıllı kutudan aradım, hiçbir eczanede bulamadım; eczacılar ya da kalfaları, böyle bir kutunun mevcut olmadığını söylüyorlardı, ama ben emindim, buralarda bir eczanede görmüştüm. Duraktaki iki katlı boş otobüsü görünce, ani bir kararla atlayarak Şişli'ye gittim; büyük bir eczane vardı caminin arkasındaki pasajlardan birinde, kutuyu orada elimle koymuş gibi bulacağımı biliyordum ve buldum da. Akşam evde ilaçları yerleştirdikten sonra kutuyu mutfağa astım. Annem pek hoşlanmadı yaptığım düzenlemeden, kız kardeşimin genel gözetimi altında kendince oluşturduğu düzeni korumak istediğini söyledi. Babamın ilaç düzeni daha az karmaşık, annem kendi ilaçlarıyla birlikte onunkileri de her sabah elden geçirip, hangi ilaç ne zaman içilecek, hangisinden ne kadar kaldı ve ne zaman yenisi alınmalı, gibi konularda tespitlerde bulunarak kız kardeşime bildiriyor. Babam ilaçlarını sabah ve akşam olmak üzere günde iki kez içiyor, yine de annemin bu konudaki kendine has düzen anlayışı nedeniyle ilaçlar konusunda karışıklık yaşayan daha çok o. Annemi göz doktoruna da götürmeliyim, sağ gözünde bir görüş bulanıklığı var. Bu yüzden elişi yapamıyor ve canı daha çok sıkılıyor. Bana engel olmaya çalışsa da bulaşıkları yıkamakta ısrar etmeyi sürdürdüm, su içmek için raftan aldığım temiz bardağın dibindeki süt izi nedeniyle. Yukarı raflara el attığımda, bir zamanlar bana banyoyu temizletirken kapıda dikilip de bir noktayı en az üç kez ovduran kadının kap kacağının elime yağlı bir temasla geçmesine alışacak kadar uzun süre kalmıyorum bu evde hiçbir zaman; bu nedenle de ondaki yaşlanmaya bağlı değişmeleri, vazgeçme ve bırakmaları daha sarsıcı bir etkiyle fark ediyorum. Bayramlarda bile el öptürmeyi sevmeyen, kucaklaşmalara gelemeyen babamın öpülme, kucaklanma isteğini yadırgıyorum. Annem ise ıssızlığından şikayet ettiği evinin küçük çocuğu kılmak istiyor beni, saçlarımdaki akları umursamadan; birbiri ardı sıra kuruyemiş, meyve taşıyor odada otururken, sabahları bal veya reçel yemediğim, bir dilim ekmek daha istemediğim için içerliyor.

Sulu öpücüklerle öpüyor bir de, eskiden hiç yapmadığı bir şekilde. Buna katlanıyorsam da o yanımdan ayrılır ayrılmaz, küçük bir çocuk telaşıyla yüzümdeki öpücüğün bıraktığı ıslaklığı silmeye çalışıyorum.

Babam ise terminal konusunu aklından çıkaramıyor. Niye geliyorum diye aramadım, neden beni karşılayamadı? Neden bu kara kışta bir de gece yarısı geldim ki...

Gece yarısı burada olmamın nedeni, bir gün daha kazanmak; bunu anlatmaya çalışırken annem bir büyük kase meyveyle geri döndü ve babamın yanına oturdu. Elmaları soyuyor ve dilim dilim uzatıyordu ikimize sırayla ve bu sırada Zeynep'in bu eve en son ne zaman geldiğini hatırlamaya çalışıyordu. Geçen Kurban Bayramı'nda geldi, diye karar verdi sonunda, yani neredeyse üç ay olmuş. Nasıl oluyor bu, diye sordum, haftada iki üç kez ilaçları düzenlemek için gelmiyor mu? O gelişler ayrı, dedi annem. Demek istediği Zeynep'in özel olarak sabah kahvaltısı için ya da öğleden sonra oturmak üzere gelmediği... İlaçlar için de öyle özel olarak geldiği yok aslında, bir yere giderken uğruyor ve diken üstündeymiş gibi, birazdan kalkacağını, buna zorunlu olduğunu gösteren bir tedirginlikle oturuyor. Babam bir kanaldaki reklama dalıp gitmişti annem konuşurken; tencere reklamı: Tencerede aradığınız ne varsa hepsi... Reklamdaki tencerenin öteki tencerelerden farkı, geleneksel soframıza has tatlar vaat etmesi olabilirdi ki işte, bir zamanlar mutfakta, yukarı rafları dolduran, daha sonra yer kıtlığı yüzünden tavan arasına kaldırılan bakır kap kacağı hatırlatmıştı babama. Sokak aralarında dolaşan kalaycı çingenelere hiç rastlanmıyordu artık, peki o çingeneler şimdi geçimlerini hangi yolla kazanıyor olabilirlerdi ki... Büyük bakır sini vardı ya, kayınvalidesinin ev hediyesi; haytalığından hiç vazgeçmemiş olan erkek kardeşim onu ve bütün bakır kapları, kir is içinde bekletildikleri çatı katından alıp yok pahasına hurdacıya satmıştı, yoksul öğrenciler yararına bir kampanya için. Ben de hatırlıyordum o kampanyayı; tavan arasındaki geçmişinizi satarak bir öğrencinin geleceğini kurtarın, şeklindeki cümlesiyle. Annem de kusurluydu bu konuda babama göre, o bakır sininin diğer kap kacakla birlikte çatı katına hiç çıkarılmaması gerekirdi. Siniyi, kayınvalidesinin onu ne kadar çok sevdiğinin bir göstergesi olarak hatırlıyordu şimdi, tarihsel gerçeklere uymasına hiç aldırmadan. Bana geldiğinde on yedi yaşındaydı, diyerek annemi gösterdi. Annesi onu bana emanet etti, ben de o emanete hiç hıyanet etmedim.

Kayınvalideni bayramlarda bile ziyaret etmezdin ki sen, dedi annem, elma soymaya ara vermeden. Elma dilimini bana uzatırken zorluk çekiyordu, dilimi alabilmek için uzanmaya çalıştım oturduğum yerden. En sevdiği damadıydım, saygıda kusur etmiyordum, niye sevmeyecekti ki beni, diye konuşmasına devam etti babam. Bayramlar seyranlar geçerdi, ben çocuklarla giderdim ziyaretlerine, sen, bayram ziyaretlerini sevmediğini söyleyerek evde kalırdın veya başını alır giderdin bir yere, diye devam etti annem. Babam televizyon programına dalmış görünüyordu, cevap vermedi. Uzattığı portakal dilimini almaya çalışırken zorlandığımı görünce, gel buraya otur, diye yanına çağırdı annem. Yanında yer yoktu, biraz ilerisinde babam her zamanki gibi geniş bir yer kaplayacak şekilde uzanmıştı. İkisi bir olup aralarındaki daracık yere oturmam için ısrar ettiler, iki yandan bana sarılacak, beni seveceklerdi. "Bu da işte bizim biricik küçük kızımız, babası," dedi annem, canlı, sevecen sesiyle. Ne biricik kızlarıydım ne de en küçük, ama itiraz etmedim. Biricik olan hayta erkek kardeşimdi, küçük olan ise kız kardeşim; ben ise küçüklerin yaramazlıklarından, sorumsuzluklarından, ağlama seslerinden sorumlu tutulan "abla"ydım. Çocukken annem tarafından sevildiğimi hatırlamıyorum, anne kucağında oturduğum tek bir sahne bile canlanmıyor gözlerimin önünde; bu konuda bir alışkanlığım olmadığı için de kararsız kaldım o daracık yere yerleşme konusunda bir an, sonra oturmama eğilimim baskın çıktı. Daralırım ben orada, dedim. Bana çekmişsin, dedi annem. O da daracık yerlere gelemiyordu. Sahi, tomografi çekimine gitmiş olmalıydı çoktan, fakat hep savsaklıyordu. Ne zaman tomografi çekimi, diye sordu babam. Sonra, yanı başındaki büyük sehpanın köşesindeki kitap ve gazete yığının üzerinde duran sağlık raporu ve hastane tetkikleriyle ilgili evrakların bulunduğu dosyayı almak için uzandı. Yarın gideceğiz, dedim, rapor ve reçeteden oluşan tomarı rasgele karıştırmaya devam eden babama. Zeynep niye götürmüyor ki, diye sordu annem. Kocasının arabasıyla götürsün işte! Oğlunun sınavları var ya, diye cevap verdim. Hayır, ondan değil, diye yakınmaya başladı annem. Hiç gelmek istemiyor bize, bütün gün evinde oturuyor da bir anneme gideyim, anne-kız oturup sohbet edelim, demiyor. Herkese gidiyor, günde kaç kez evden çıkıyor bir bahaneyle, bize uğramaya üşeniyor.

Ama kaç aydır ilaçlarınızla ilgilenen de o, dedim.

İlaçlar bittiğinde yenisini almak için doktora reçete yazdırıyor, o kadar. Hangi ilaç bitti, hangisi artık içilmeyecek, o ne bilir!

İlaçların düzeni konusunda bildiğinden şaşmayacak bir otorite gibi davranıyor annem: İşte, babamın kalbinin atışını düzenleyen ilaç bitmek üzere. Kendi ilaçları konusunda ise rahat davranıyor; o mavi kutudaki ilacı içse de bir içmese de, bunu tecrübeleriyle biliyor, E vitaminini ise kaşındırdığı için içmek istemiyor. Bıkkınlığı yersiz değil, otuz yıldır almaya mecbur tutulduğu ilaçlar var; üstüne üstlük kaç ay da geçirdiği kısmi felç yüzünden ilaç kullandı. Önceki gece bu konuda onca direttiği halde şimdi hastaneye gitmemek için bahaneler arıyor; hiç sevmediği tomografi çekimi yüzünden. İyi de yapacak bir şey yok, benim zamanım kısıtlı ve zaten randevular alınmış. Eniştemin arabasıyla yola çıktık. Dikkat et, aman dikkat et, yollar buzlu gibi, dedi annem. Zincirli araba, görmedin mi, dedi babam. Annemin yeni tansiyon ilacıyla ilgili açıklamasını anlamaya çalışırken, hastane yolunu karıştırdım. Bu yolu eskiden de karıştırırdım ben; çevre yolundan geri dönmeye mecbur kaldım. Annem gecikme nedeniyle randevuların iptal olacağı endişesine kapılınca, babam ona çıkıştı: Konuştun, kızın kafasını karıştırdın!

Hastane önünde babam tutturdu:

Park edeceğim diye uğraşma şimdi, sen git, biz ne gerekiyorsa yaparız.

Yapamayız, dedi annem. Çok işimiz var bugün. Tomografi çekimi de var.

Bir o; başka ne işimiz var ki, diye sordu babam, şaşırmış.

Sana kan tahlili yaptıracağız ya...

Park yeri aramak için gittim, döndüğümde orada, sudan çıkmış balık gibi, ellerindeki sağlık karnelerini ve reçete demetlerini karıştırarak veznenin önünde duruyorlardı. Koridorun sonunda Neşe Hanım varmış, hostes; belgeleri ona vermemiz gerekiyormuş. Ben Neşe Hanım'ı ararken babam peşimden koştu:

Peki, biz muayene olmayacak mıyız?

Olacaksınız, Neşe Hanım'ı arıyorum.

Neşe Hanım bugün gelmemiş mi, diye sordu annem. Neşe'nin doktoru olduğunu sanıyordu.

Neşe Hanım'ı bulamadım bana gösterilen yerlerde, ama doktorun izini buldum. Doktor viziteye çıktı, gelince sizi görecek, dedi sekreteri. Muayene odasının önündeki sandalyelerde bir yarım saat kadar bekledik. Babam doktora niçin geldiğimize karar veremiyormuş gibi düşünceler içindeydi. Baştan alarak anlatırken beni dinlemediğini fark edip sustum. Doktor uzaktan göründüğünde annemi hatırladı, ama hastalığı nedir, emin olamadı.

Neyin vardı senin teyzeciğim, kolesterolün mü yüksekti?

Tansiyonum çok düzensiz, dedi annem.

Araya girmek zorunda kaldım:

Koraspirin alıyormuş Doktor Hanım, bir önceki doktoru

ilacı kesince beynine pıhtı gitmiş, felç gelmiş. Şimdi düzeldi, ama siz daha önce yazmışsınız; kan tahlili yapılacak, tomografi çekilecek...

İyi ya yapılsın, Neşe Hanım'ı çağıralım.

Veznenin önünde, gerekli işlemleri yaptırırken beyaz önlüklü genç bir kız koşarak geldi. Annem onu görür görmez, işte bizim Neşe, diyerek sevincini belli etti. Babam Neşe'nin gelişinin her şeye yeteceğini sanıyor olmalıydı ki, bak Neşe geldi, senin işin vardır, git artık, diye ısrar etti. Biz kendi işimizi kendimiz yaparız.

İşim yok, dedim, bugün işim yok, yarın da yok.

Bin zorlukla tomografiye soktuk annemi. Beklerken babamı kan tahlili için laboratuara götürdüm. Ardından annemin göz muayenesi için randevu almaya çalıştım. Bir sonraki salıya gün verebileceğini söyledi, gişedeki görevli.

Biz şimdi yine mi geleceğiz hastaneye, diye sordu babam. Niye randevuları aynı güne almadınız ki... Bu kışta kıyamette, kolay mı...

Kaç kez söyledim, ama karıştırmaya devam ediyor: Her doktor her gün gelmiyor bu hastaneye. Annem tomografiden çıktıktan sonra bankta biraz oturup kendine gelmek istedi. Yan yana otururken, iki koca çocuk gibi göründüler gözüme, biraz da gece aralarında oturmaktan kaçınmış olmanın getirdiği suçluluk duygusuyla aralarına oturarak ellerinden tutmak istedim, ama sıkışmak hoşlarına gitmedi bu kez. Salıya sen gelme, dedi babam, senin işin vardır. Ne işi olacak, dedi annem. Benzini harcanıyor boşu boşuna, dedi babam. Araba onun değil ki damadın, dedi annem. Canım damadın benzini harcanmış olmuyor mu yani, diye sesini yükseltti babam. Arabayla işe gitmiyor o, servisi var, dedi annem. Mantığı olmayan bir konuşma seninkisi, dedi babam. Boş yere benzin harcamaya gerek var mı, vızır vızır geçiyor minibüsler caddeden, atlar geliriz. Herkesin içinde bana bağırıyor bak, dedi annem. Tomografide bayılacak gibi oldum zaten; dar yerlere gelemiyorum. Şekerinin düştüğünü hissediyor; bir şeyler yemeli. Babamın suratı asıldı; dışarıda yemeyi parayı sokağa atmak sayar, yediklerine de güvenmez. Ne lüzum var canım, dedi, evimizde yeriz. Evde yemek yok ki, dedi annem. Mutluydu. Hamsi buğulama, karalahana ezmesi ve mısır ekmeği, ayrıca fasulye turşusu; memleketinin sofrası. Ben bunu yemem, ne bu ya, dedi babam, karalahana ezmesini göstererek. Suratını asıp geriye çekildi. Su içmez, çay içmez... Kızımız büyümüş de bize yemek yediriyor, dedi annem. Haydi çabuk olun, gecikiyoruz, dedi babam. Geciktiğimiz bir yer yok, dedi annem. Öğle yemeği sırasında içeceğin ilacın da yok senin, benimkiler de çantamda. Hesabı ödeyeceğim sırada elimi tuttu annem; kendisi ödemek istiyordu.

İlaçların düzeni gibi, evdeki paranın düzenini de ele almıştı annem. Üç ayda bir emekli maaşını çektiğinde babama biraz harçlık veriyor, geri kalan parayı kendi bildiğince harcıyordu. Evde çay içerken, yaşlıları avlayan şefkatli hırsızlardan söz etti. Amca nasılsın, diye yanaşmış genç adamın teki babamın kahve arkadaşına; bir hayli inandırıcıymış, tanıdık biri izlenimi verme konusunda. Tanımamış adamı babamın arkadaşı, fakat bunu söylemeye çekinmiş, giderek unutkanlaştığına dair korkusu nedeniyle. Genç adam ayrılırken sıkı sıkı sarılmış yaşlı adama, güya askere gidecek de veda ediyor. Babamın arkadaşının maaşının bir kısmı böylece gitmiş. İkinci hadise de bankamatik kuyruğunda, Zeynep'in kayınvalidesinin başına gelmiş. Bir delikanlı yanına ilişmiş. Bir on dakika geçmeden, sen otur teyze, kartını bana ver, ben o memuru tanıyorum, alırım maaşını hemen demiş. Sonra da ortalıktan kaybolmuş. "Düzgün yüzlü bir delikanlı, iyi giyimli; hiç aklıma gelmedi dolandırıcı olacağı," diyormuş Zeynep'e, kayınvalidesi.

Damat yüzünden mi uğramaz oldu Zeynep bize, olabilir mi bu, diye sorarak konuyu değiştirdi babam. Kötü çocuk değil damat, fakat sık iş değiştiriyor. Peki bu büyük bir sorun değil mi? Yumuşak huylu sanırsın, ama iş yerinde lafa söze gelemiyor, dedi annem. Gençliğimde ben epeyce yumuşak huyluydum, dedi babam. Kayınvalidem bütün damatları arasında en çok beni severdi.

Sevmesine izin vermezdin, dedi annem. Bayramlar seyranlar geçerdi, ziyaretine gitmezdin. Bayramlarda ben bir başına giderdim ziyaretlerine. Yani çocukların ellerinden tutar giderdim, sen bizimle olmazdın.

Ben öyle hatırlamıyorum, dedi babam, içinden çıkamayacağı bu konuşmaya kendini kapattığını gösteren bir durgunlukla. Annem ise babamın saflığına çevirdi sözü: Karakovan balı diye adı bal alıp getiriyorsun ikidir. Saflıktan konu açılırsa, dedi babam, seni geçmem imkansız. Adamın biri kapıyı çalıyor onun yokluğunda ve annem gözetleme deliğinden bakıp da tanımadığı halde, adama kapıyı açıyor. Adam sağlık taraması için geldiğini öne sürerek bir sürü soru soruyor ve annem de bu soruları kuzu kuzu cevaplarken, bir yandan da ona sütlü kahve ikram etmeye çalışıyor. İyi de kapıyı çalan bir yabancıya inanması için bir sebep mi var ve kim bilir, bütün o kişisel bilgileri hangi amaçla kullanacak, sağlık taramasından söz eden adam. Canım ne yapacak o bilgileri adam, ne işine yarar ki... Kapıyı çalan bir adam, kim bilir kim, sağlık taramasıymış, sen nasıl açarsın kapıyı... Elinde bir silah olsaydı ve çekse vursaydı anneni adam, çekilecek üzüntü bir yana, bir de rezil olacaktık el âleme.

Ben ölmüşüm, el âlemden bana ne, dedi annem.

Ölüm var ölüm var, dedi babam.

Doğru, dedi annem uysalca; ölüm var, ölüm var.

Telefon sesini duyunca canlanarak koştu, bense çayları doldurmak için mutfağa gittim. İlaç kutusuna ilişti gözüm: Boş. Yanlış numaraymış, diye göründü annem kapıda ve buzdolabında limon aramaya başladı. Niye ilaç kutusunu kullanmaya direniyordu ki bu kadar... Karıştırıyoruz ilaçları biz öyle, ovırdoz alıp kendimden geçiyorum ikide birde, dedi annem limonu keserken ve buzdolabının üzerindeki sepetleri gösterdi. İlaçlar kırmızı mavi sepetlere geri döndürülmüşlerdi. Sepetlerde de karıştırıyorsun, yine ovırdoz ilaç kullanıyorsun, dedim, gülümsemekten kendimi alamayarak. Görmediğim aylarda diline yerleşen "ovırdoz" terimini, ilaçları konusunda onu biricik otorite kılan bir açıklama olarak kullanıyor gibi geliyor bana.

Ovırdozu bile bile aldıydım o gün ben; tansiyonum yükseliyor gibi geldi, evde de kimse yoktu, paniğe kapıldım. Zeynep'e telefon ettim, evde yoktu.

Ben de sabah uğradım geçerken, evde yoktu, dedi babam, çayını yanındaki sehpaya koyarken ben.

Her yere gidiyor, bizim kapımızı çaldığı yok, dedi annem. Çocukları okula yolladıktan sonra kahvaltıya gelebilir, öğleden sonralarını bizimle geçirebilir. Geçerken uğrayıp, kapıdan sağlık karnesini almayı bize gelmek sayıyor.

Oğlu imtihana hazırlanıyor, diye Zeynep'i savundum. Hem şu son kontroller için bile randevuları alan oydu ve ben geri döndükten sonra da çekimlerin, testlerin sonuçlarını takip edecekti.

Ben varım diye rahat şimdi, gittiğimde yine gelecektir, dedim.

Bize gelmeyi sevmiyor, diye diretti annem.

Sen ne zaman gidiyorsun ki, diye sordu babam.

Pazar günü...

Kaçta yola çıkacaksın?

Akşam terminale gidip bineceğim. Her saat otobüs bulunuyor.

Canım neden, neden böyle yapıyorsun. Doğru dürüst, gündüz saatlerinde çık yola. Nasıl yolculayacağım seni gece yarılarında bu havada...

Yolculaman gerekmiyor ki...

Olur mu hiç, bu havada yalnız gidilir mi terminale...

Gece beni yolculadıktan sonra kaçta eve olacağının hesabını yaparken, uykuya daldı. Üzerini örttükten sonra anneme, birlikte ilaç kutusunu karıştırılmayacak şekilde yeniden düzenlemeyi teklif ettim. Buna gerek olmadığını tekrarladı. Ovırdoz almasının sepetle kutuyla ilgisi yoktu. Günün ortasında, babamın camiye gidip ardından bir iki yere uğramak üzere çıktığı saatlerde, gelen giden yokken tansiyonu yükselir de beynine pıhtı gider felç iner korkusuyla, her ihtimale karşı bir ilaç daha aldığı oluyorsa da, çok sık yaşıyor sayılmaz bu korkuyu.

Ona yardımcı olmak istiyorsam, yatak odasında bulunan dolapların yukarılarda kalan çekmecelerinin gözlerini düzene sokmaya çalışabilirdim. Oralara uzanamıyor artık. Sandalyeye çıkarken de düşme korkusu yaşıyor.

Yatak odasında dolapların içindeki giysi, iç çamaşırı, çarşaf ve havluları elden geçirirken, çekmeceleri açıp kapatırken, kimisi hediye kağıdıyla kaplı, kimisi kutu kimisi naylon poşet içinde bulunan hediye paketinden bir yığın oluştu önümde. Bluzların, kumaşların, çarşaf takımlarının arasında, gözleri nakışları daha iyi seçiyorken örüp de unuttuğu bir fiskos masası örtüsü de var, mavi satenden iç eteğiyle. Havluları ve çarşaf takımlarını uygun bir taksitle kapıya gelen bohçacılardan almış.

Bohçacılara kapıyı mı açıyorsun sen...

Açıyorum. İki çift laf ediyoruz. Taksit almaya geliyor, bir takım daha satmadan çıkmıyor evden; öyle laf cambazı.

Ama anne, kapıya gelen bohçacı kim bilir kim, nasıl açarsın kapıyı.

Bohçacı işte, bildiğimiz konuşkan bohçacı kadınlardan; hiç bohçacı görmemiş değilim ki...

Yine de açma kapıyı tanımadığın insanlara, hiç haber dinlemiyor musun sen!..

İşte bu sarı takım, diye konuyu değiştirdi; alırken seni düşündüm, ama yastık kılıfları yok. Nereye koydum, bulamıyorum da. Çarşaf takımı yastık kılıfsız olur mu?

Yastık kılıfları olmadan da güzel bir takım bu, hem de sarı. Ama bir daha sakın bohçacılardan alışveriş yapma.

Sarıyı seven sensin, Zeynep mor sever.

Doğru, sarıyı severim ben. Bu çarşaf takımı da çok güzel, papatya bahçesi gibi, ucuza da almışsın; ama bak, bohçacılara bir daha kapıyı açmamalısın.

Tamam, sus şimdi, babanın yanında da açma bu bahsi. Bohçacı işte, bildiğimiz bohçacı, hayatında hiç bohçacı görmemiş biri değilsin ya...

Kırmızı Kayaya
Tutunmuş Olarak Suda

I

Çarşafların hepsini değiştirdi, buzdolabını yeniden sildi. Buzdolabının kapağının alt bölümünde yarısı içilmiş bir şişe şarap vardı, söylene söylene çöpe attı. Ardından bütün kap kacağı bir leğene doldurarak küvete koydu, musluğu açtı, suyla dolan leğene bolca çamaşır suyu ilave etti. Devre mülk böyle bir şey. Burada sakince, pratik bir yerleşme çabası, imkansız. Cifle ovduğu küvet hâlâ lekeli gözüküyordu. Tuvaletin kapağı kırılmıştı, yenilemek gerekecekti. Bir önceki gün, çocukların kalacağı yatak odasındaki yataklardan birini düzeltirken küçük siyah bir böcek yakalamıştı; öldürmeye çalışmıştı, ama ezilmeye direnmişti kimliği belirsiz böcek ve sonunda uçup gitmişti. İlk iki gün içinde yoğun bir şekilde çalışarak başkentte sürekli yaşadığı evin rutin işleyişine yakınlaştırmıştı evin düzenini; yine de tam anlamıyla rahat değildi içi. Bir fritöz vardı tezgahın köşesinde, kızı görünce hemen patates kızartması istemişti canı. *Tatilde olsun bizi kızartmadan mahrum bırakmazsın herhalde!* Hayır, patlıcan biber kızartması yapmak istemiyordu; kızartmanın ardından geride kalan yağı ne yapacağını bilemediği için. Çöpe atamaz, lavaboya boşaltamaz. "Çevreci takıntılarıyla kendini dünya nimetlerinden mahrum ediyorsun!" Kızı mayo almadığı için de kınamıştı onu. Penyeden siyah tayt, askılı siyah fanila; neden uygunsuz bir giysi olsundu ki... Sonra kullanılmaktan rengi solmuş bir haşema bulmuşlardı giysi dolaplarından birinde, fakat inat etmiş, giymemişti. Niçin kendi uydurduğu bir kıyafetle giremeyecekmiş ki denize... Kızıyla ayrı ayrı girmişlerdi plaja ve onu daha sonra, çantasına attığı güneş yağını almaya geldiği vakit görebilmişti. Bir paket soyalı abur cubur vardı çantasında kızının arkadaşının, paketin içindekileri bitirinceye kadar oturmuşlardı yanında. Arkasından da yağmur başlamıştı, hiç kesilmeyecekmiş gibi yağan bir yağmur.

Birkaç gün kitap okuyarak, müzik dinleyerek yağmurun dinmesini beklemişlerdi, devre mülk evinin daracık salonunda.

Bu yıl oraya gitmeyelim, köye gidelim, demişti de dinletememişti. Köyde, dededen kalma evde, farklı bir tatil geçirmeyi deneyebilirler. Sorunlar olacaktı tabii. En az birkaç günü elektriksiz geçirmeleri gerekecekti. Ne olurdu sanki, yemekleri ocak ateşinde pişirerek geçiremezler miydi bir ayı bile olsun... Fakat yüzmek istiyorlardı kızı ve oğlu, göbeklenmeye yatkın kocası da yüzerek formunu koruyabildiğini öne sürüyordu. Kızının internet kanalıyla iletişimini sürdürdüğü arkadaşları vardı buralarda sonra, çoktan sözleşmiş oluyorlardı bir araya gelmek için. Aile demokrasisinin kurallarına yenik düşmüştü, herkes deniz ve devre mülk, diyordu. Mademki deniz kenarında geçecekti iki hafta, kendine teselliler bulmalıydı. Kırmızı kayanın etrafına yaydığı sükûneti düşündü. Hep oradaydı kaya nasılsa, girer suya, tutunur, gözlerini kapayarak kendini bırakırdı sudan yatağa.

Başka herhangi bir plaja göre, bu plajda denize gireceğini düşündüğünde, bir boğulma duygusunu daha hafif bir düzeyde yaşıyordu. Su durgun, pek denizanası da bulunmuyor. Yine de kendini yabancı hissediyordu plaj ahalisine. Kabine çarşafla girip bikinili çıkan kızlar görmeye çoktan alışmıştı, fakat plaj için varsayılan su sınırının hemen kıyısından geçen, bazen de sınırı açıkça ihlal eden motorların kadınlar arasında yol açtığı kargaşa sinirlerini bozuyordu. Kötü, yanlış, muhataralı bir durumun içinde boğulmaya başladığını duyuyordu o zaman ve suyun içinde değilken bile, nefes almakta zorlanmaya başlıyordu. Kargaşa, kendini başka bir şeyle meşgul edemediğinde onu da içine alıyor ve paniğinin bilenmesine sebep oluyordu. Söz konusu olan suysa, akan bir su, engin bir denizse, her türlü kötü sürprize açık olmalı insan. Rüyalarında hep bir akarsuda boğuluyordu, yıllardır, her gece olmasa bile, senede birkaç kez en azından yaşıyordu bir boğulma-kurtulma anını. Bir su akıntısının içindeydi. Biliyor musunuz, herhangi bir su azıcıksa bile, sakinse dahi, öyle bir şey yaşanıyor ki çoğalıyor, coşuyor, taşarcasına akarken beni de içine katıp sürüklüyor. Bir kibrit çöpüne dönüştürüyorum kendimi o zaman. Cansız bir nesne olduğumu varsayıyorum. Ciğerlerim yok, bu yüzden nefessiz kalamam, diye düşündüğüm de oluyor.

Çocuklar bu boğulma korkumun üzerine yeterince gitmediğimi savunuyorlar. Uğraşıyorum oysa. Korkumu onlara da bulaştırmamak için bu sayfiye kasabasına gelmeyi göze alıyorum. Yemek konusundaki taleplerine de arada bir razı oluyorum.

Patates-köfte kızarttığım yağı bir şişeye doldurup yanıma alıyor, denize en uzak bir köşedeki bir toprağa sindirmeye çalışıyorum. Bazen o toprağa en yakın ağacın altına atıyorum kendimi ve plaja gidecek yerde, işte oracıkta düşüncelere dalıyorum.

Bir ırmak kıyısı geliyor gözlerimin önüne, plajda; ilkbaharın yaza döndüğü günlerde mesela Kızılırmak misali boz-kızıl dalgalarla kabararak çevresine yayılan bir su. Kilim battaniye yıkamak isteyen kadınları başına topluyor bu aylarda ırmak, yine de gelin katili. Gelin kafilesi yola düşerken söylenen bir türkü vardır: Kızılırmak nettin allı gelini. Kızılırmak yazları durgun, baharda ise coşkun akardı. Gelinler ise ağıtlardan hiç ders almayarak düğünleri baharda olsun diye diretirlerdi. Aslında emin değilim, düğün tarihini kimlerin kararlaştırdığı konusunda. Bildiğim, her seferinde suların coşkun aktığı zamanlarda yapılırdı düğün. Bunun bir nedeni baharın ardından gelecek yaz aylarının güçlüklerle dolu çalışma şartlarının dikkate alınması olabilir. Sular coşkun akardı bahar aylarında oysa ve eski köprü yıkılır, gelin suya düşerdi. Kızılırmak bahar aylarında, üzerindeki köprünün yıkılmasıyla içine düşecek bir geline nazik davranacak ince düşünceli bir su olamazdı, hiç olamazdı. Annem hamileydi, bu nedenle teyzem ilgileniyordu benim temizliğimle, banyomla, saçımın taranmasıyla. Işık, Işığım, diye seviyordu beni gök gözlü Amazon havalı iri yarı kadın. Heybetli de olsa, yumuşacaktı elleri, yani yumuşak gibiydi, cildi pütür pütür olduğu halde. Hep çalışırdı, tarlada ya da ahırda; koyunları sağar, inekleri doğurtur, danalara çorba taşırdı. Bu nedenle de farklı kokular yayılırdı bedeninden, yaptığı işe göre. Onun tarafından yıkanma düşüncesinden hoşlanmamış, elime bir kalıp sabunla yumuşak bir lif alarak kendimi ağaçların arasında kaybetmeye çalışmıştım. Sadece bir kalıp sabunla lif değildi yanımda götürdüğüm, oturduğu yerde ufak tefek çamaşır yıkayan annemin parmağından çıkartıp da yanındaki büyük bir taşın üzerine koyduğu kırmızı taşlı yüzüğü de yanıma almıştım. Bir oyun kuracaktım ya, nasıl bır oyun olacaktı bu, bilmiyordum; gözüme ilişen ilginç malzemeleri toplama aşamasındaydım daha. Öte tarafta, daha açıklık bir yerde ateşler yakılmış, kazanlarda su kaynatılmaya başlanmıştı. Teyzem beni arıyordu, ben ise kendi kendime ırmakta yıkanabilecek kadar büyüdüğümü düşünerek ilerliyordum ırmağın teyzemin görüş alanı dışında kalan taraflarına, bir elimde sabun ve lif, diğer elimde iri kırmızı taşlı yüzükle. Suyun içinde, yumuşak bir dalganın hemen yanı başındaydım, başımı gizleyen bir kızıl kaya vardı, ayrıca biraz ileride de iğde ağaçlarından oluşan bir perde. Lifle yüzüğü kızıl kayanın üzerindeki kuru ve düz yüzeye yerleştirmiş, saçlarımı sabunlamaya çalışıyordum. Saçımda köpükler oluşsun diye uğraşırken, elimden kayıp giden sabun kalıbı yüzünden dengemi yitirerek suya gömüldüm. Çırpınıyordum suyun içinde ve teyzemin sesi hemen yanı başımdan yükselerek bana el uzatıyordu:

Işık, Işık, Işığım! Fazlasıyla çocuk vardı yıkanacak; kirli çamaşırlar, pişecek yemekler vardı; teyzem bir süre sonra sinirlendi: Allah'ın cezası çocuk, Işık, deli etme beni, hangi deliğe girdin yine! Boğulma duygusunun ardından kızıl kayaya tutunarak suyun yüzeyine çıkmayı başarabildim, fakat lif kızıl kayanın üzerinde olsa da yüzük yoktu yerinde. Yaramaz çocuk Işık, kim ister ki öyle bir baş belasının sorumluluğunu üstlenmek... Suyun içinde yavaş yavaş ilerleyerek annemin bulunduğu yere ulaşmayı tasarlıyordum. Çoktan yıkandığımı söyleyecektim ona, kendi kendime ırmakta yıkanabildiğimi söyleyecektim; işte, sabun kokusu yükseliyordu saçlarımdan... Kendi kendime ırmakta yıkanacak yaşa geldiğime göre, annem kasabaya dönerken beni teyzemde bırakma düşüncesinden vazgeçebilirdi.

Hamileliği ağır geçiyordu, orası öyle, ama ona yük olmazdım ki ben...

Fakat yüzük, kırmızı taşlı yüzük yoktu elimde; saçlarımı yıkadığım yere dönüp onu bulmalıydım. Su boz-kırmızı, aradığım yüzük kahverengi kırmızı taşların arasında ha var ha yok. Önce her biri sanki kırmızı taşlı yüzük, sonra değersiz bir taş. Kayanın o tarafında yoktu, bu tarafında da bulamadım yüzüğü. Acele ettiğim için temkinsiz atıyordum adımlarımı, birden bir çukura düştüm, ayaklarım boşluktaydı ve su tarafından yutuluyordum. Çırpınarak yakınlarda bulunan anneme seslendim; boyum yüksekliğinde bir kazanın arkasında kaybolmuştu annem neredeyse, yine de beni gördü. Su beni götürüyordu, fakat hayır, suyun dibine batıyordum. Çırpındıkça batıyordum ve bir taraftan da bir akıntı içine çekmeye çalışıyordu bedenimi. Aynı zamanda bir türküye katıldığımı, bir gelinle bin yüz bin gelinle birlikte boğulduğumu düşünebiliyordum. Kırmızı bir kurdele kalacaktı yüzeyde benden geriye bir tek, yani kırmızı taşlı bir yüzük ve annem, karnı burnunda olduğuna bakmaksızın ağlayarak ismimi sayıklayacaktı; işte böyle saçma sapan düşünceler geçiyordu aklımdan.

Annemin çığlıklarını duyuyor, ırmağın akışının tersinden yükselen o çığlığa yönelmeye çalışıyordum. Bir çift el tarafından çekildim birden; kaba, cildi pütür pütür bir çift el. Teyzem! Işık, Işığım, diye bağrına bastı beni. Amazon havalı gök gözlü kadın. Kirli bir süt kokusu geliyordu göğsünden. Terlemişti. Tiksinmedim. Derin bir nefes aldıktan sonra, ekşimsi süt ve ahır kokusunu içime çekerek ıslak başımı göğsüne dayadım.

II

Plajda rengi dönmüş bir havlunun üzerinde yatmış konuşmaları dinliyordum: Zamanı geçirmenin bir yoluydu bu, yine uzaklara açılamamış, on metre olsun yüzmeyi başaramadan, bir boğulma duygusuyla kıyıya yönelmiştim. *Öğlende ne yedik sanki; ekmek arasında ketçaplı patates kızartması!* Yanımda konuşan iki kızdan biri belediyede memur; diğeri yenilerde İngiltere'den gelmiş. Lale isimli bir kızdan söz ediyorlar: Her şeyine koştum, dedi kız, düğün ölüm doğum nişan, her şeyine. Ama o bana bir hoş geldin telefonu bile açmadı. Böyle arkadaşlık mı olur...

O konuşuyor ve arkadaşı da bazen araya girerek, bence de, diye onaylıyordu. Doğrusu ya, ister istemez dinlediğim kadarıyla içten pazarlıklı görünüyordu bana, belediye memuru. Ötekini konuşmaya kışkırtırken, kendisi üç beş ihtiyatlı, hakkında konuşulan tarafı da gözeten, bunu masumane bir şekilde yapmadığını da açık eden kısa cümleler sarf etmekle kalıyordu.

Bir de çocuk vardı aralarında; hesaplı kitaplı kadının olmalı. Çiş var mı anneciğim, geldi mi çiş, diye sordu.

Yok. Yani var.

Tuvalet de temiz değil ya...

Denize yapıver çişini, koş.

Bunu söyleyen, içini açmaya ara vermek istemeyen, Lale'nin çıkarcı kişiliği üzerine konuşmayı sürdüren kız. Bir de İngiltere görmüş.

Aa olur mu hiç, diye söze karıştım. Kocaman çocuk. Soğuk soğuk baktı bana Lale'nin arkadaşı. Çocuğun annesi ise oğlunun olduğundan büyük göründüğünü söyledi: İri görünüşüne, yürüdüğüne bakmayın, bebek sayılır. Erken yürüdü, daha bir buçuk yaşında. Onun çişinden ne olacak.

Ne olmuş bir buçuk yaşındaysa! Denizi de koruyup gözetmeli. Daha önce yağlı bir tabağı pril sürdüğü süngerle deniz suyunda temizlerken görmüştüm bir başka kadını, uyarmıştım, sana ne, çevre bakanı mısın, diye azarlamıştı beni. Çevre bakanının ne işi olur bu plajda... Laf işte. Hani, kendimi de masum saydığım yok. Akşamları köfte hatta sosis kızartmaları sürüyor. Tavadan sızdırdığım yağları gizli saklı köşelerde toprağa emdiriyorum, yine de içim rahat değil. Kızımla arkadaşı yan yana deniz yataklarında; plaja ait sınıra çok yakın bir yerde görünüyorlar. Onları gözden ayırmamaya çalışırken akşam yemeği üzerine düşünüyorum. Haşlama ya da buğulamayı sevmiyor kızım, arkadaşı da sevmiyor. Sebze kızartmaya yanaşmasam bile, ille de köfte hatta sosis kızartması istenecek ve kızartma yağı bir sorun olarak karşıma çıkmaya devam edecek. İki haftalık tatil, kimse mükellef sofralar kurmuyor; Lale'nin arkadaşıyla onun arkadaşından uzaklaşmak için mecburen bolca taşla kaplı olduğu halde yol kenarından dökülen taşların savrulduğu yüzeye mümkün olduğunca uzak bir yere kendimi sığdırmaya çalışırken kulaklarıma erişen konuşmalarına bakılırsa. Peynirli mi yaptın sandviçi salamlı mı o öldürsen yemez peynirliyi sen versene eline benim ellerim yine yağlanmasın sabunlu peçetelerimiz de tamamen bitmiş al anneciğim sandviçini ayıkladım maydanozları içinden hepsini bitir yemeğini bitirirsen Büşra sizinle oynayacak Büşra gel bana yardım et önce domatesleri olsun doğra deniz bugün çok güzel ha salamlı mıydı o peki ver vişne suyu midemi ekşitiyor o şekilde yatarken yiyebiliyor mu peki evet öyle alıştı sütünü de içiyor boğulmaz mı yok alışık yemek bitince açılırız çok güzel deniz yağmur yağdı ama mavi çarşaf gibi ayaklarıma kramp girdi sabah su soğuktu taşlar

da itiyor insanı çakıllı kayalı plaj mı olur iki kamyon kumu
esirgiyor belediye ben sizi bir yerden çıkarıyorum liseden mi
acaba Kartal İmam Hatip mezunuyum ben gerçi biraz araştı-
rınca herkes tanıdık burada Hande yastığımı niye aldın yav-
rum biliyorsun onsuz oturamıyorum ben Büşra'nın araştır-
malarına bakar mısınız denizanası arıyor yok kızım burada
denizanası bulunmaz boşuna arama köfte harcı sucuk koku-
yordu aşırı yedim hamilelik kilolarım bunlar ama zayıf olsam
da değil bikini mayo da giymem kızartma yapmayın diyor-
sunuz ama çocuklara anlatamıyorsun soğan halkası diye bir
şey çıkmış soğanı halka halka kesiyor köfte harcı gibi bir şe-
ye batırıp kızartıyorlar markette görmüşler getirip kızarttılar
böylesi konularda hiç üşenmiyorlar rejim yapıyorum ağzıma
sürmedim kiloluyum diye otuz beş yaşında sananlar oluyor
özlüyorum okul yıllarını hiçbir etkinlikten geri kalmazdık
imam hatipte okuyoruz diye rahibe mektebine gittiğimizi sa-
nanlar olurdu siz sinemaya gider misiniz aa kot pantolon gi-
yer misiniz aa denize girer misiniz aa şarkı söyler misiniz siz
günah olmaz mı size sanki sadece bizim için ayıp günah olur
olacaksa ayıp günah saydığı sonra da aslında benim dedem
de hocaydı diye bir vaaz niye yalan söyleyeyim sevmezdim
vaaz üslubunu sevenleri de kınamam bir dergi çıkarırdık ya-
zarları davet ederdik ayda bir dergimizi görünce şaşıp kalır-
lardı bu kızda iş var bu kızda istikbal var öylece lafta kaldı iş-
te beklentilere cevap veremedim alınganlığım yüzünden ya-
ni bir dergiye deneme göndermiştim sonra telefon ettim edi-
tör Türkçeyi iyi bilmediğimi söyledi gramer hatalarından ge-
çilmiyormuş yazım vesaire bence bu bir eleştiri değildi ve
inandırmadı beni adam ve dedi ki sizin gibi kaç kişi böyle ya-
zı gönderiyor biliyor musunuz böyle dedi ve ben artık editör-
lere yazı göndermeye korktum o olaydan sonra bir tek inter-
nette amatör sitelere yazılar gönderiyorum çıkıyor ama o si-
telerde benim gibi sayısız yazar var zaten fakat okuyucuyum
yani bu da bir şeydir iyi bir okuyucu olmak o kadar da kolay
sanılmamalı demişti konuşmacı olarak çağırdığımız bir yazar
o tabii öyle diyecek aksi takdirde kim okur ki yazdıklarını si-

telere girip çıkıyorum ama yazıyı basılı dergiden okumak farklı bir şey edebiyat dergilerini izleme alışkanlığım lise yıllarımdan kalmadır.

Bakın ne diyeceğim "kardeşler", konuşmalarınızın bir kısmını duyduğum için size "kardeşler" diyorum; kadınların öyle sizin gibi cıbıldak dolaşmaması gerek, mezhebimize göre bir kadın hemcinsine göbeğinden aşağısını gösteremez.

Ben de örtülüyüm dışarıda teyze, imam-hatip mezunuyum diye anlatıyorum ya iki saattir, ama güneşlenmem gerek, elimde doktor raporu var.

Benden söylemesi. Tebliğ ettim mi, ettim. Hiçbirinize hakkımı helal etmiyorum ben. Ölçü kalmadı, hiç ölçü kalmadı.

Ah teyzeciğim sanki boşuna mı çekiyoruz bu taşlı plajın kahrını kemik erimesi çıktı bende bu yaşta yüzde otuz bugün on birden beri buradayız yağmurlu havalarda eve kapandık diye, erkenden yürüye yürüye gelelim dedik dizlerimde mecal yok bugün de yürüyeceğiz beş kilo vermek istiyorum bu tatil süresince yürüyünceye kadar yüz iyi de yüzemiyorum ki benimkine yüzmek denmez deniz yatağının sırasını bekliyorum kırık plak gibi tekrarlama sürekli yüzersin istersen niye yüzemeyeceksin ne kilolu kadınlar var bak yüzüyorlar işte ben bugün denize girmeden dönmeyeceğim gir sen de haydi kimse iyi yüzücü değil burada taşlı kumlu elimiz mahkum nasılsa gelirler diyorlar nasılsa başka yere gidemeyiz diye düşünüyor bakım yapmıyorlar nereye gidebiliriz ki şu yukarı yoldan taş yuvarlanıyor geçen sene de böyleydi aldırmıyorlar çocuklar topluyor düşen taşları bir düşünsene ben çocuğu sallarken de düştü ve dünya kadar para veriyoruz girerken Büşra çıkma yavrum yüz biraz ama kolluklarını tak sivri taşlardan yatamıyor bile insan elle temizlemek lazım mayo bile giyemem işte çünkü öyle yetişmişim kendi tarafım mutaassıp benim ta dededen İstanbulluyuz ama eşimin ailesi hanları hamamları vardı Eyüp taraflarında gerçekten satıp satıp yediler görümcem altmış beş yaşındadır ya göstermez dekolte giyinir her daim manikürlü ojelidir elleri ve ama dindar olmasa da umumi plajlara gitmez Büşra bakar mısın kollukları tak demiştim ya bana da denize gireceksin dedi doktor ensemde nokta halinde bir ağrı vardı dayanılmaz uyku tutmaz olmuştu öyle yatsan olmuyor böyle yatsan olmuyor neler görüyor insan yani bu yaşta bilmiyorum hastalık geliyorum diyor da biz aldırmıyoruz ne kadar şişman bir kadın değil mi ama hiç aldırmadan giymiş haşemasını ben bunu yapamam işte kadınların arasında da yapamam kızlar da hep selülitli iş yaptıkları yok çünkü bir bardak su isteyemiyorsun havuzlu apartmanlarda oturdum girmezdim havuza haşemayla falan bu kısmeti kaçırmamak gerek demiş babam anneme ben de doğrusu üniversiteye girmek için didişmek gerek bu ülkede öyle bir yapım yok niye olmasın dedim kabul ettim ve inan düğün sırasında hissettim yanlış bir şey diye çok erkendi daha yani zamanı gelmemişti ve ömrümü yani hayallerimi kendi ellerimle suya vermişim gibi ne bileyim kendimi suya atmışım gibi öyle hissettim o sıra ki aşık da değildim sonra sevdim aşk değil sevgi ya da alışkanlık geniş bir alışkanlık güven duygusu ama mutluluk bu mu hiç bilmiyorum omuzlar daha çabuk yanıyor görümcemi anlatıyordum oturuyor balkonda yoldan geçenlere sorular soruyor bir şey duymaz ama her şeyi de öğrenmek ister kızı diksiyona gönderdim geçen yaz bu yaz da bir yere gidecek ama nereye gitsin ne dersiniz uff herkes kızını oğlunu kemana gönderdi bir dönem ama kulağı yok bizimkinin kızım var mı şöyle sinema kursu gibi bir yer bildiğin ama düzgün bir kurs olsun her yer kurs adım başı kurs bir motor daha açıktan geçiyor ama olsun yine de bu yaptıkları hiç masum görünmüyor bana gıcık kaptırmaya mı çalışıyorlar...

Mahsus yapıyorlar. Tavuklar gibi kaçıyoruz ya...

Geçen gün kaçışırken elimden düştü karpuz, taşların üzerine, bir yayıldı kıpkırmızı... Yağmur damlalarıyla yayıldı kırmızı su, sanki cinayet işlenmiş. Fellini olsaydı ne filmler yapardı bizden.

Ürkek tavuklar gibi kaçıştı şu kızlar da, gördün ya!

Ah ah, on yıl erken gelseydim dünyaya, sinema yönetmeni olmak için elimden geleni yapardım. Haneke gibi huzursuz etmek isterdim insanları, öncelikle de kendimi. Bir üçlemesi var, sadece birini seyrettim; Avrupa'daki duygusal donukluğu anlatıyor. Bosna savaşı yılları. Huzurunu kaçırıyor insanın, gerçekten, seyrederken tedirgin oluyorsun. Bir sahne var, unutmuyorum hiç. Tokat attı adam karısına, yemek yerlerken. Adam, seni seviyorum, dedi karısına, ama nasıl, buz gibi bir ortam. Kadın da, nereden çıktı, sen insana durduk yere "seni seviyorum" demezsin, dedi. Adam da yumruğunu indirdi kadının ağzına. Kadın sofrayı terk etmek istedi önce, sonra vazgeçti, yemek de yiyemedi, tuttu adamın elini, okşadı. Etkileyiciydi o sahne. İklim insanları etkiliyor sanırım. Kaçıp kaçıp Akdeniz'e geliyorlar. Ben daha gitmedim Antalya'ya. Ah, niye gitmedim de demiyorum hoş. Her sene buradayken, seneye gelmeyeceğim, desem de yine dönüp dönüp geliyorum. Kadınlar için güvenli bir plaj. Yoldan dökülen taşları hiç bitmeyecekmiş gibi olsa da. Yıllardır dökülüyor, dökülüyor.

Biz eskiden de gelirdik buralara, ıssız olurdu, bu kadar da taş yoktu o zaman. Osman Amca bu arsayı belediyeye satmıştı. Gelip geçen motorlarla kavga ederdi. Şimdi caminin avlusunda yatıyor. Su almak için indiğimde Fatiha okumadan dönmüyorum.

Oğlum, ağlama, niye ağlıyorsun ki bu çocuk hep böyledir her şeye her şeye ağlar her bahaneyle babası işe giderken ağlar tuvalete giderim iki dakikalığına ağlar anneannem el sallıyordu iskeleden ağlıyordu çok seviyor anneannemi çok ölecek mi anneannem ben de onunla ölmek istiyorum onunla birlikte cennete gitmek istiyorum dedi de bir gün anneannem hastalanmıştı aniden o zaman ve ben o sözü üzerine nasıl ağladım nasıl öylesine içli bir çocuk ve hayal gücü de kuvvetli çekilir bir köşeye saatlerce sen aramazsan sormazsan çıkmaz sesi yani kızım istemese de oğlum sinema yönetmeni olabilir diyorum ya kim bilir o da büyüyünce nasıl biri olacak okula gidecek daha kaç sene gidecek okula Allah'ım sınavlara girip çıkacak senelerce kızım için değil de oğlum için düşündükçe kötü oluyorum çünkü kızım dişli arkadaş canlısıdır eğitime ihtiyacımız yok diye bağıra çağıra şarkı söyleyerek gittik okullara o da gidecek okul sıralarını özlüyorum şimdi o ayrı iyi ki bana çekmemiş kızım diyorum hep babasına benziyor kardeşini dengeliyor iyi oluyor abla sonuçta işte yağmur da başladı her zaman böyledir hep böyle bir yer yok altına girecek ve bilirler başka yer yok gideceğimiz parmaklarını kımıldatmıyorlar yolun öteki tarafında serseriler var bir önlem aldıkları yok akıllı hareket edeceksin buraya gelirken önlemini kendin alacaksın şemsiyen olacak altına sereceğin kalın bir kerevetin olacak erken geleceksin bir de çocukla birlikte yer bulamayınca avuç avuç taş dökülen yol kenarına yakın yerlere ilişiyorsun mecburen.

III

Kadim Yunanlılar yüzmeyi yazı yazma yeteneğiyle eş tutarlarmış. İnsan hayatta yüzmeyi ve yazmayı bilmeliymiş. Yazmayı da yüzmeyi de bilmiyorum. Ya da ikisini de yarım yamalak biliyorum. Dinlemeyi seviyorum, dinlerken içine katılıyorum bir sohbetin. Yüzmeye ise hemen yakınlarımda bir kaya, kırmızı bir kaya bulunduğunu biliyorsam, yanaşabiliyorum. Enginlere açılamıyorsa insan, bildiği yüzme değildir, öyle geliyor bana. Fakat, enginlere açılma ihtimalini her aklıma getirdiğimde, nefesim kesiliyor. Koca bir dalga tarafından yutulduğumu, bir kara deliğin görünmez güçlerince karanlıklara çekildiğimi duyuyorum.

Kırmızı kayaya sıkı sıkı tutunarak suya bırakıyorum kendimi; burası kadın plajlarının en bakımsızı ve popüler haftalık dergilerde en çok haber konusu olanı. Yanı başınızdaki mülayim duruşlu genç kız pekâlâ bir dergi gazete haberi için cep telefonuyla fotoğrafınızı çekiyor olabilir. Tedbirli davranmayı öğrendim bunca sene içinde. Üzerimde kendi uydurduğum bir deniz giysisi; dize kadar şortlu: Kadın plajı diye, salamam kendimi. Yaşlı kadınlar sarkık etlerini sıcak kumlara saçarak çözülen eriyen ikide birde çatlayan kırılan kemiklerini güneşin yardımıyla bütünlemeye çalışıyorlar. Kızımı gördüm; açıkta yüzüyordu, seslendim duymadı. Bana biraz yakınlaşır diye bekledim, ama o giderek uzaklara yöneliyor, belediyenin plaj için koyduğu sınırlara yaklaşıyordu. Sınırı aştığını gördüm, emin olmak için baktım bir kez daha; öyle, sınırı aşmış, uzaklaşıyordu. Boğulduğumu duydum yine, nefessiz kaldım, güçsüzleştim yarım karış suyun içinde, son bir hamleyle dağılmaya yüz tutmuş vücutlarını güneşe teslim etmiş yaşlı kadınların arasına attım kendimi. Bayılmış gibiydim. Pekâlâ bayılmıştım. Başka bir alemdeydim. Bir ırmağın kıyısında, iğde ağaçlarının altına serilmiş bir pikeye yatırılmıştım. Işık, Işığım diye sesleniyordu bana, bedeninden ahır ve ekşimiş süt kokusu yayılan mavi gözlü bir kadın. Aslında bir ağız yapışmıştı ağzıma, hayata sıkı sıkı tutunmanın gücünü hissettiren inatçı bir kocakarı ağzı, sarımsak kokulu nefesiyle canlandırmaya çalışıyordu beni. Birden fırladım yerimden. Boğulmuş falan değildim, kalbimde de bir sorun yoktu. Kızım bir kolonya şişesiyle yanı başımdaydı. Ne olmuştu bana, merak ediyordu. Kötü bir rüya gördüm, o kadar yoruluyorum ki akşamları, gündüze kalıyor uykum; hem insan uyanıkken de rüya göremez mi, ve sen neden belediyenin koyduğu sınırın ötesine geçtin yüzerken, diye bağırdım.

Ağırlığı Kaldırmak

I

Bir kapı açılsın önünde, bir sandalye çekilsin, biri elindeki dosyaların ağırlaştırdığı çantayı bir süreliğine de olsa taşımayı teklif etsin! Vakit gece yarısı, bir çekimden dönülmüş, bir yerlerde hafif bir şeyler yenilmiş içilmiş. Eve dönmeye karar verildiğinde, taksiler yollardan çevriliyor. Kimse dolmuşa taksiye bindirmeyi teklif etmiyor, seni eve bırakıp da geçerim, yalnız gitmene seyirci kalamam bu saatte, demiyor.

Sokaklar bu gece ne kadar da sessiz, tuhaf bir şekilde sessiz, ayrıca çok da karanlık; ay neredeyse gözükmüyor, tek bir yıldız da yok, diyorum oysa.

Olaysız yani...

Hayır, ürpertici. Bir şeyler oluyorsa bile çok derinlerde gerçekleşiyor.

Senin için ürpertici değildir herhalde... Ne korkutur ki seni...

Bir şey (mesela gece karanlığı) öyle kolayca korkutmaz beni, bir iş (mesela sabaha kadar çalışmayı gerektiren bir montaj işi) yormaz. Bir şey (30 bıçak darbesiyle eleğe çevrilmiş kanlı bir genç kız bedeni mesela) baygın düşürmez, dehşete sürüklemez, bir yük (ağır; hantal bir kamera diyelim ki) ağır gelmez bana, bir durum (mesela yakalandığım gribin ağırlığı ya da sis yüzünden vapur seferlerinin aksaması) engel olmaz, konu yaptığım iş olunca; o da öyle sanıyor. Geceyarısı Beyoğlu'nun en korkutucu sokaklarına birlikte dalıyorduk, ellerimizde kameralar. Cinayet, kavga, kan peşine düşüyorduk, ihbar telefonlarının ardından. Türünün ilk örneği sayılabilecek cinayet ve benzeri kanlı hadiselerin sıcağı sıcağına gösterildiği bir televizyon programını çeken ekibin kalıcı elemanı olmaya çalışıyordum. Kanlı sahneler korkutmazdı beni, tehlikeli takipler de, karanlık sokakların, ışıksız binaların, neonları yanıp sönse de, önünde bekleyen iri yarı korumalarıyla birlikte ecinnili kör kuyuları andıran eğlence mekanlarının sürprizleri de; öyle sanıyordu insanlar. Başka türlü bir genç kızdım ben, asla yaptığımız programa konu olmayacak bir bilinci, istikameti olan, geleceğine doğru başarılı adımlar atarak ilerleyen şanslı hemcinslerimin tarafındaydım, belirgin olarak. Programımızın kurban ve mağdurları genellikle yoksul kesimlerden gelen, evden kaçmış genç kızlar olurdu. Suçlu babalar, anneler, üvey anne üvey babalar, bıçkın abiler, yoldan çıkmış kız kardeşler, hovarda patronlar ellerinin tersiyle yüzlerini kapatmaya çalışarak, olup bitenleri kötü kadere, kahpe feleğe, bazen de öldürdükleri kadının kahpeliğine veya öldürdükleri adamın namussuzluğuna bağlayacak şekilde, insanın kanını donduran hikayeler anlatırlardı.

Nasıl dayanıyordum bu anlatılanlara? Sinirlerim çok mu sağlamdı? Değildi aslında, her zaman bir çekim için yola çıkmadan önce kendimi göreceğimi tahmin ettiğim sahnelerden daha beterleri için hazırlamış olurdum. Bir yoğunlaşma değil de buzlaşma diyebiliriz buna. Bir süreliğine donduruyordum ruhumu, sinir uçlarımı. İşte o süre boyunca beni iş başında izleyen arkadaşlarım, görünüşüme aldanarak beni kadın cinsi içinde ayrı bir yere koyuyordu. Meslek aşkını başka her türlü tutku ya da amacın üstünde tutacak, bu nitelikleriyle de mesleğinin zirvelerine yükselmesi pek mümkün görünen çelik iradeli bir kızdım ben.

Fakat asla uzun süreli, upuzun süreli bir buzlaşmayı korumayı başaramıyordum. En fazla bir geceliğine buza çeviriyordum kendimi ve sabah, büronun kapısından girdiğimde erimeye başlayacağımı biliyordum. Ben... ben... sandığın-ız gibi biri değilim aslında... diye konuşmaya başladığımda biriyle, kan ve vahşet sahnelerinin yaşandığı odalarda elinde kamerayla dolaşan kıza ilişkin abartılı anlatımlarla kesiliyordu yolum. İşte, kan korkutmuyordu beni, ne de Beyoğlu sokaklarının gece yarısı tuzaklarına aldırdığım vardı. Eve dönüş telaşı, ellerde çantalar rulolar film makineleri... Bir yardım teklifi yok, gidilecek uzun yolla ilgili bir endişe göstergesi de yok. Her şeyi kaldırabilir biri sanılıyordum, işime canla başla sarılışım nedeniyle.

Kanlı bedenlerin ve çırpınarak ağlayan insanların eksik olmadığı o programı kaldıramıyordum aslında. Uykularım cinayet sahneleriyle bölünüyordu ve birkaç saat kesintisiz uyuyabileyim diye ilaçlar alıyordum. İlk fırsatta ayrıldım o ekipten, serbest belgeseller çeken bir ekibe katıldım. Bakü'den Ceyhan'a uzayan petrol boru hattının gelişim seyrini çekiyoruz. Birkaç gün süren yolculukların arasında geniş molalar var. Montaj sırasında vakit yeniden hızlanıyor gerçi. Bazen geceyarısı ayrılıyorum stüdyodan. Yorgunluğun sınırlarını aştığım için uyumakta zorlanacağım; bunu düşünürken dolmuşla alınacak uzun yol gözümde büyüyor.

Patron eli sıkı bir adam. Bütün patronlar öyle değil mi? Başka türlü patron olunamıyor sanırım. Adam üç kuruşun hesabını yapıyor. Eksik bir fatura; iyi de açık ki yapılmış o masraf, yapılmış olmalıydı yani, ben Bakü'de nerede kalacaktım, bir otelde elbet; fakat adamlar faturayı yanlış hazırlamışlar, bir gece kalmışım gibi. Tuhaf, kuşkulu bakışlardan kurtulabildiğim tek yer Sinan'ın yanı. Adaçayı getirip teselli ediyor beni. Bu konudaki tecrübelerini aktarıyor. Taksim'den Bostancı'ya götüren dolmuşlara yalnız başına binmek, tek başına taksi avına çıkmak ya da, günün en katlanılmaz bölümü. Biri olsun düşünmüyor bunu ofistekilerin, bir taksi çağıralım şu kıza, dolmuş durağına kadar götürelim, yüklerini taşımasına da yardım etmiş oluruz, diyen yok. Sinan bile...

Çünkü bunu beklediğini belli etmiyorsun, dedi kuzenim. O, mesela mutfakta, yüksek raflara asla el uzatmaz. Hayatım, bir dakika gelir misin, şurada bir kase var, ben uzanamıyorum da... Hayatım, yarın perdeleri yıkayacağız, ben asamıyorum, başım dönüyor biliyorsun, evde olmaya çalış...

İhtiyat, tedbir, temkin, teyakkuz... şeklinde uzayıp giden, genç kuşağın yabancı olduğu kelimelerle konuşmayı, o kelimelerle açıklanabilecek bir hayat sürdürmeyi seviyor kuzenim. Ahmet Haşim okumayı seviyor, Itri dinlemeyi de. Daha genç bir kızken bebek resimleriyle süslü bir defteri vardı. Ben elimde fotoğraf makinesiyle ilginç objelerin peşinde koştururken, o mutfağa girer, farklı yemek tariflerini denerdi. İşte, mutlu bir evliliği var, görünürde öyle; kocası pazar günü perde yıkanacağını hemen not ediyor küçük not defterine. Bense iki elimde iki ağır dosya, ağır sırt çantası, ayrıca kolumun altında da kamerayla ayrılıyorum iş yerinden. Bu yükler bir şekilde üzerime kaldı, üstelik asansör çalışmıyor. Stüdyodan bu şekilde çıktığımı gördükleri halde, kılları kıpırdamadı iş arkadaşlarımın. Sen yaparsın, sen taşırsın, erkek kızsın sen! Bilmiyor değiliz ki seni, gece yarısı Beyoğlu'nun arka mahallerinde çekimlere gitmiş bir kızsın işte!

Erkek kız, erkek kız! Hayır, ben o tanıdığınız kişi değilim! İstiklal caddesinde, kalabalığın içinde yürüyoruz. Çantamın fermuarı açılmış. Yanı başımda, cep telefonuyla konuşmaya devam ediyor Sinan. Biri çantamın fermuarını açmış, fark ediyorum; arkamda bir adam var, BİR ADAM VAR ARKAMDA SİNAN! Adamı ittim, kaçmaya başladı; Sinan hâlâ cep telefonuyla konuşuyor. Sen nasılsa üstesinden gelirsin, görüşüyle bakıyor. Onun da pek farkı yok diğerlerinden. Daha sonra özür diledi gerçi; önemli bir konuşma olduğu için kaptırmış kendini.

Yine de ismi gitgide ağırlaşıyor içimde. Dünyada bu isimle çağrılan bütün insanları kapsıyor dikkatim. O ise benimle farklı bir şekilde ilgilendiğini gösteren tek şey söylemiyor, sanki kaçınıyor bundan. Gecenin bu saatinde bir elimde ağır kamera, ötekinde dosya dolu bir poşet, yolun karşısındaki taksi durağına gitmeye hazırlanıyorum. Ben bunu nasıl taşıyacağım, bu çok ağır bir kamera ve halsizim bugün biraz, galiba grip oluyorum, birisi taşısa ya bunu taksiye kadar! Öylece duruyorum yerimde, sesim çıkmıyor, anlasın istiyorum bu beklentimi, o ise acele ediyor; gecikti bir yerlere, galiba bir aile yemeğine gidecek ve toparlanması zaman alacak. Dağınık biraz, aslında kafası dağınık, çoğu kez işle ilgili en önemli konuları unutuyor. İşini sevmiyor çünkü, bunu hep söylüyor; yönetmenliğini yöneticiliğe dönüştüreceği sıçramayı yapacağı günün hayalini kuruyor.

İş çıkışlarında benimle ilgilenme gereğini niye duymadığını söyledi bir gün: Petrol boru hattı boyunca aylarca seyahat etmiş olan biri, yolun karşısındaki taksi durağına gitmeyi mesele edecek değil ya...

Düzgün bir duruşu var, laubali değil bir kere, ayrıca yaptığı işe eleştirel bakmayı biliyor. Çay kahve almışsa bana da getiriyor, hemen her zaman. Bazen bir proje için ekip oluşturulurken beni de gözettiğini gösteren konuşmalar yapıyor, açıkça övüyor hatta, bir işi tamama erdirmede gösterdiğim çabayı.

Çok sık düşünür oldum onu son günlerde, özellikle iş çıkışlarında, ondan ayrılıp bir başına yollara düşmek için kendimi zorlamam gerekiyor. Bu dünyada yaşamadığını, aynı havayı solumadığımızı düşünmeyi başarabilsem rahatlayacağım. Oysa işle sınırlı kalmıyor görüşmelerimiz, gittiğim her yerde karşıma çıkıyor; sanırsın evine uğradığı yok. İnsanların onu incitmesine karşı edindiği bir zırhı var, o zırhı evi olmuş sanki. Bazen dalgınlığını aşk acısına yorduğu müphem konuşmalar yapıyor; ara ara kayboluşları belki o yüzden.

İmalı, müphem konuşmalardan hiç hoşlanmam ben ama! Uzun zaman yüzüne bakmadım, bundan bir anlam çıkarsın diye. Küskün gibiydik birlikte Bakü'ye ilk gittiğimizde. Boş bir vakit bulmuş, yanımızda Azeri rehberimiz Gülara ile şehrin merkezindeki eski mahalleleri dolaşıyorduk. Kız Kalesi'ni gezdikten sonra gitmeyi tasarladığımız müze kapalıydı; dinlenmek üzere eski bir kafeye, daha doğrusu geleneksel motiflerin ağırlık kazandığı bir çay evine girdik. Bir âşık elinde sazıyla türkü söylüyordu, köşedeki halı mindere oturmuş.

Ellerini çekip benden
Yarim bugün gider oldu
Can diyer can eşitirdik
Bu ayrılık neden oldu...

Yar aşkıyla yana yana
Ayrı düştüm ellere ben
Ama senden ayrı gezen
Yürek değil beden oldu....

Türküyü dinlerken, âşığın yüreğinden kopuyormuş gibi yükselen sesiyle bana bir mesaj iletmeye çalıştığını düşündüm. Sinan'dı her şeyden önemli olan, kendi belgesellerimi çekebilme şartlarını oluşturmak üzere attığım adımlar değil. Ondan şimdi bulunduğumdan biraz daha uzağa çekilmekle bile işimin teselli edemeyeceği bir boşluğa düşmüş olurdum. Karşılıklı otururken yoğunlaşan bu duyguyu ona da iletmiş olmalıyım ki, rehberimizi rahatsız eden bir sessizliğe gömüldük ikimiz de. Aramızda mevcut ilişki dengesini alt üst etmişti türkünün ezgisi, sözlerini çok iyi anlamadığım halde. İkinci bir türkü dinlemeyi kaldıramayacağımı hissettim. Çay evinden ayrılarak eski mahallelerde dolaşmaya başladık. Bakü'nün merkezindeki evler ve sokakları kendime ait apayrı bir belgeselle anlatma gibi bir tasarım vardı; evlere ve sokaklara bu gözle bakabilmek için zorluyordum kendimi. Bu merkez komünizmin yükselişine ve çöküşüne tanıklık etti. Bütün bu yaşlı ama muhkem duruşlu evlerde zaferlerin, sürgünlerin, ayrılıkların ve kavuşmaların, yıllar süren bekleyişlerin ardından zorunlu kalınan yeni başlangıçların izleri var. Önüme gelen ilk eve girebilir, misafir olma dileğimi iletebilirim. "Ben ordan geçerken biri, abla, dese, gir içeri..." Girerdim. O evde yaşamış insanların geçirdiği hayatı bütün ayrıntılarıyla dinlemek isterdim. Çekime yoğunlaştığımızda etrafımızdaki sesleri dinlemeyi ihmal ettiğimiz bir gerçek. Derin bir tarihi hissettiren yapılar, hatta ağaçlar nedeniyle dinlemeye yönelik bir açlık içinde olduğumu duyuyordum. Hemen köşe başında bulunan sağlam duruşlu taş ev en az yüz yıllık hayatında kimleri barındırdı kucağında?

Gülara'nın hakkında malumat sahibi olduğu evlerin önünde durup, onun anlattıklarını dinliyorduk. Notlar alarak, fotoğraflar çekerek ağır adımlarla ilerlerken, evlerinin güzelliği ve çiçek kokularıyla bizi çağıran bir çıkmaz sokakta dobermanların saldırısına uğradık. Sayısız köpek, korkunç sesler çıkartarak ve hücumları sırasında birer canavara dönüşerek etrafımızı çevirdiler. Gülara ile birlikte korku içinde olduğumuz yerde durmuş; çığlıklar atıyorduk. Sinan köpeklerle aramızda durdu, köpekleri oyalarken oradan uzaklaşmamızı istedi. Gülara ve ben koşarak uzaklaştık o çıkmaz sokaktan. O yolculuktan sonra, çay evinde dinlediğimiz türkünün üzerimdeki etkisi henüz sürüyorken, beni, Gülara ile beni, köpeklerden korurken gösterdiği cesaretiyle, gündelik hayatında gerçek kişiliğini yansıtmaya tenezzül etmeyen bir kahramana dönüştü Sinan gözümde.

II

Durakta üç beş kişi. Hava mevsim normallerine göre fazla soğuk. Bir otobüs geldi, yolcularını boşalttı. Şoför halimize acıyarak otobüse çağırdı bizi. Elimdeki ağır yoğurt kabıyla otobüse çıkmakta zorlanıyordum, o ise boş koltuk bulmak için aceleyle girmişti otobüse. Arka sıralarda çapraz iki boş

sandalye buldu da; oturduk. Bir süreliğine yatışmaya çalış-
tım; olmuyordu. Öfkeliydim, ama niye? Anlaşmamız, sessiz
anlaşmamız böyle değil miydi? Beni gerektiği gibi görmüyor-
du, nelerin beni üzdüğünü ve nelerin de sevindirdiğini anla-
maya çalışmıyordu. Oturduğu sandalyede uykuya dalmıştı
çoktan. Durağa yaklaşırken uyanması için seslendim, paldır
küldür indik otobüsten ve hızlı adımlarla istasyona yürüdük.
Fazla beklemeden geldi tren. Kalabalıktı, neyse ki yer verdi
bir bey. Yaşlıca biri, bir dede. Hamileyim diye yerini bana
verdi. Aşırı duygusallaşmışım. Ağlamaya başladım. Asıl ağ-
lama nedenim ise, elimdeki yoğurt kabıydı. Sinan bu kabı
görmüyordu. Sinan benim elimdeki hiçbir ağır eşyayı görme-
di zaten, göremedi. Karnımı taşımakta nasıl zorlandığımı da
hep hatırlatmak zorunda kalıyorum.

Yoğurt kabı elimde ağırlaşıyor işte, ensemde bir noktada
başlayan ağrı omuzlarıma yayılıyor. Başını ters koymuşsun-
dur gece, dedi. "Efendi delikanlı" görünüşünün arkasındaki
boşluk giderek bir uçuruma dönüşüyor nazarımda. Beş kilo-
luk alıyorum her seferinde, eskiden alışveriş yaptığım süt
ürünleri dükkanından; çünkü, katkı maddesi ta   almadığım
bu yoğurdu çevredeki alışveriş merkezlerinde bulamıyorum,
bunu bir kez daha söyledim. Evlendikten sonra şehrin dışın-
daki bu banliyöye taşındık, bu civarda alıştığım markaları bu-
labileceğim marketlerden yok, bir tane var, ama tren yolunun
aksi istikamette. Bahçeli bir evde oturuyoruz; Sinan'ın ailesi-
ne ait bir ev bu. Doğumdan sonra çalışmama ihtimalim çok
yüksek, bunu düşünerek doğuma en az bir hafta kalıncaya ka-
dar çalışmakta diretiyorum. Sinan bu konularda pek görüş
belirtmiyor, doğumla ilgili bütün kararları ve hazırlıkları ba-
na bırakmış gibi. Bütün kararları bana bırakması canımı sıkı-
yor; hangi hastanede doğum yapacağıma bile daha karar ve-
rebilmiş değiliz, yani değilim. Sigorta hastanesinde doğum
yapabilirim, dediğimde sesini çıkarmadı. Fakat ben sigorta
hastanesinde doğum yapmayı istemiyorum ki, herhangi bir
özel hastane de olmamalı doğum yapacağım yer. Anne adayı-
nı en küçük problemde sezaryen masasına göndermeyen bir

hastane arayışı içindeyim. Özel hastanelerin bazılarında da hastane enfeksiyonu denilen vaka var ki bebeğin ölümüne yol açabiliyor. Sinan bu konudaki kaygılarımı abartılı bulduğunu söylüyor: Medyanın şişirmesi ki bunu en iyi ben bilirim; dikkat çekmek için istisnai vakaları yaygınmış gibi gösteriyorlar. Doğum, hayata kaynaklık eden en tabii hadise. Annesi onu evde doğurmuş, bir ebenin yardımıyla. Bense güçlü, cesaretli bir kızım, köpeklerden korksam bile hâlâ öyleyim.

Az mı kanlı ölümlü olaya koştun sen, az mı hastane acil servislerinde çekim yaptın...

Bezginlikle sustum. Beni olabileceğimden daha güçlü görmek istiyor. İstasyondan eve kadar bir hayli yol var. Bir süre sonra nefes almak için durakladım yerimde. "Yerim" derken, belli bir yeri kastediyorum. Yoğurt kabını koyabileceğim temiz bir yüzeyi olan bir bahçe duvarının köşesi burası. İstasyondan eve yürürken burada mola veriyorum zaman zaman. İki dakika yetti nefesimi toparlamama, kabı alıp yola düştüm. Peşimden koştu.

Yoğurt kabı ağır görünüyor, bana ver, ben taşıyayım.

Biraz ağır, ama taşıyorum işte.

Üstelemedi. Aptalım ben işte, niye vermedim ki yoğurt kabını? O da ısrar etmedi işte. Bir elinde iş çantası, ötekinde alışveriş torbası var; o yüzden. Doğum üzerine konuşmasını kaldığı yerden sürdürdü: Eskiden kadınlar köylerde tarlalarda bağlarda bahçelerde onca ağır iş yaparken doğuruverirlermiş bir köşecikte. Ne doktor, ne ebe, ne antibiyotik, ne de aylar öncesinden başlayan bebek çeyizi alışverişleri... İyi ama, güçlü kadınlarmış onlar ve bir kısmı da lohusa humması sonucu ölürlermiş. Sen de güçlüsün.

Hep güçlü buldu beni; güçlü ve cesur. Köpeklerden korkuyor olmamı özel bir vaka olarak değerlendiriyor. Elimde ağır kameralarla petrol boru hatları ve İpek Yolu boylarınca yolculuk etmiş değil miyim... Bu yoğurt kabını en az bir buçuk saattir taşıyorum, o ise bunu önemsemiyor, taşıma artık, özellikle şimdi taşıma, demiyor. Ha kamera, ha yoğurt kabı. Suskunluğumu koruyarak yürümeye sürdürüyorum. Uzaktan görünen ev yabancılaşıyor gözümde. Bahçesindeki kayısı ve mürdüm eriği ağaçlarını bile artık sevmiyorum. Merdiven rıhtları yüksek, pencereleri rafları dolapları, her şeyi yüksek. Yüksek raflara çıkmak için sandalye tabure kullanmamı normal karşılıyor Sinan. Ben hareketten hoşlanan, sürekli kendine iş arayan bir kadın olmaktan vazgeçmiş olamam, hamile oluşum bir şeyi değiştirmiş olmamalı.

Beş kiloluk yoğurt kabıyla istasyondan eve kadar yürüdüm ve o sesini çıkarmadı. Ofiste de böyle yürüyordu işler çünkü; üç erkeğin yanında dördüncü kızdım, iş öğrenmek, sekreter durumuna düşürülmemek için bütün sorumlulukları onlarla eşit olarak paylaşmakta ısrar etmiştim en başında. Herkes kendi işini kendi yapsın, diye bir yaklaşım vardı. Sinan çay almaya gittiğinde beni düşünürdü ama... Bakü'nün merkezinde bir çıkmaz sokakta beni korkunç köpeklerin saldırısından koruyan adam o; bunu unutmamaya çalışıyorum.

III

İyidir ağırlık kaldırmak, vücuttaki radikal hücreleri zayıflatır. Ana kucağı göründüğünden daha ağır, ya da benim üzerimde ağırlaşıyor. Bir türlü kendimi toparlayamadım doğumdan sonra; ücretsiz izin aldım. Akşam oturmasından dönüyorduk, evlenmelerini tasarladığımız için ikide birde bir yerlerde karşılaştırmaya çalıştığımız bir çiftle. Başarılı sayılmazdık çöpçatanlık konusunda. Biri yeğenini büyütmeye adayacak kendini, diğeri ise kariyerinin peşinde koşturacak. Evlendirmek istediğim lise arkadaşımla geride kalmıştık, benim yavaş yürüyüşüm nedeniyle. Onlar önce Irak'a gidebilmekten söz ediyorlardı; bir gitseler, savaş muhabiri olarak fark atacaklardı meslektaşlarına. Bir senaryo yazdı Sinan, fakat sponsor bulamıyor. Arkadaşı Sinan'ı sponsor olabilecek bir iş adamıyla tanıştıracak ya, daha önce araya iş adamının büyük saygı gösterdiği bir abiyi koymanın yerinde olacağı geliyor aklına.

Taktikler, ince hesaplar, hatırlı abiler... Bense çalışkanlığıma güvendim hep, ağırlık kaldırma yeteneğime, bunun için kendimi zorlamamı sağlayan irademe... İş istiyorsam doğrudan istedim, aracılara başvurmaya gönül indirmeden. Kapılarımı kendim açardım girişlerde çıkışlarda, sandalyelerimi kendim çekerdim lokantalarda kafelerde, yüklerimi kendim taşırdım, iş çıkışlarında eve dönüşlerde...

Fakat işte şimdi ana kucağı içindeki bebeğim, bir bakıma benim doğal yükümken, kollarımdan kayacakmış gibi oluyor. Bir adım bile atamayacağımı duyduğum halde adımlarım bana ait değilmiş gibi kendiliğinden artırıyor süratini. Sinan geriye, bana doğru bir bakış fırlatıyor, "Biraz acele et, hadi ama" bakışı bu. Son vapuru kaçırırsak, ta Taksim'e gitmek zorundayız, otobüse binmek için.

Ana kucağı kollarımda ağırlaşmaya devam ediyor, dizlerimi denetleyemiyorum caddenin karşısına geçerken. Eskiden ağır kameraları, kamera ayaklarını, dosya dolu çantaları hiç yüksünmeden taşıdığım sırada sahip olduğum dinamizmi özleyerek, hızlanmaya çalışıyorum.

Yeteri kadar acele etmiş olamıyorum yine de; beylerin yer tutmak için aceleyle bindiği kompartımana koşarken biz, kapılar kapanıyor. İşte, yanımda çöpçatanlık edeyim derken tatsız bir tecrübe yaşamasına sebep olduğum arkadaşımla, bir sonraki trene kaldık. "Bu adamlar niye böyleler ya!" diyerek, bir sigara yaktı arkadaşım. Sinan, benim bindiğime emin olmadan nasıl trene binebilmişti ki... Ayrıca bebek niye onun kucağında değildi de ben taşıyordum...

Korumak istedim onu:

Bize yer bulmak için acele etti de ondan.

Bu düşüncem tam anlamıyla kurmacadan ibaret değil. Sinan yeri gelince korur beni, gözetir. (Bakü'de dobermanlardan korumuştu ya!)

Cevap vermedi arkadaşım. Taşımakta güçlük çektiğimi belli ettiğim ana kucağı içinde kaybolmuş bebeğime göz attı. Uyumuyor, gar binasından yayılan ışıklara dikmiş gözlerini. Yeni tren gelinceye kadar bir yerde oturalım. Hava soğuk, kış erken gelecek bu sene, Doğu şehirlerine kar yağmış. Oturduğumuz kanepe buzdan yapılmış sanki. En iyisi ayakta beklemek. Ana kucağına sarılıyorum; bir sıcaklık yayılıyor bedenime.

Her Yere Sığabilir Biri

Saten kaplı sünger minderleri kayan üçlü koltuk, yarım yamalak uykumun mekanıydı. Oturma alanı normal bir üçlü koltuğa göre daha dardı; genişliğinin bir kısmı, bir kişinin ilişeceği kadar enli tutulmuş kenar kısımlarına harcanmıştı. Bir on yıl içinde bir elli beşe düştüyse bir altmış üçlük boyum, biraz da o kanepenin sebep olduğu yamulmalar yumulmalar yüzündendir. Boyuma kısa gelen kanepelerde koltuklarda büzülerek yatmaya alışkınım, kendimi derli toplu bir şekilde paketleyerek uyumayı iyi biliyorum. Başka türlü uykum gelmiyor da... Üçlü kanepede geçirdim geceyi, kumaşı saten değil, çarşafım kayıp durmadı, minderleri yer değiştirmedi; yine de mükemmel uyuduğum söylenemez. Uykusunu alamamış yüzüme bakıyorum aynada, işe gitmek üzere evden çıkmadan önce. Solgun yüzümü bir kez daha soğuk suyla uzun uzun yıkıyorum.

Kızım Eminem dinliyor, isimlerini aklımda tutamadığım başka şarkıcılar da dinliyor; kasetleri gizlemenin, kırıp dağıtmanın bir yararı yok.

Niye Eminem dinliyor? Ben Eminem'in kliplerinde görünen sorumsuz, bencil, korkunç anne ile kıyaslanabilir miyim? Üstelik küfür sözcüklerinden hiç mi hiç hoşlanmam ve çok şükür, kişiliğinin alt yapısının oluştuğu yıllar boyunca içinde yetiştiği evde de dedesinin ara sıra sarf ettiği "eşek sıpası" gibi, özünde bir tür sevgi iletisi de taşıyan bir sözün dışında küfre benzeyen kelimeler işitmedi.

Ona her şeyi bir kez daha anlattım. Dayanma gücüm olsaydı dayanırdım; ama görüyordum ki babaannenin benimle ilgili olumsuz yargılarının her birini sorgusuz sualsiz benimsemeye hazırdı baban. Bu yargıların bir kısmında bir doğruluk payı olabilir, bunu kabul ediyorum. Fakat bir adam karısını seviyor ve ona biraz olsun saygı duyuyorsa, onun arada sırada salondaki kanepede uyumasını, evin içinde eşofmanla dolaşmasını, iyi yemek pişirmemesini, pantolonlarını doğru dürüst ütülememesini boşanma nedeni olarak göstermez. Bu açıklama denemelerime karşılık, benim babasına haşhaşlı çörekler hazırlama konusunda hevessizliğim ya da pantolon ütülemedeki beceriksizliğim çok ciddi sorunlarmış gibi, suçlamalarını sürdürüyordu kızım. Kanepede uyuma eğilimimin de babasıyla aramızda dile getirdiğimden daha ileri boyutlarda bir anlaşmazlığın var olduğunu gösterdiğini savunuyordu. Ama bak, dedim, şimdi içeride kocaman bir yatağım varken, çok şükür artık kendimi eğip bükmeden uzanabileceğim bir karyolaya sahip olmuşken, yine de çoğu gecelerde salondaki iki kişilik kanepede bulmuyor muyum sabahı... Bu konuda haklı olsam da, bir eş olarak babasının meslek hayatında ihtiyaç duyduğu yeniliklere uyum gösterememiş olmalıydım. Onu mesleğinde ilerlemesi konusunda desteklediğimi söyleyebilir miydim? Örtük bir şekilde önlemeye çalışmış olmalıydım, babasının bir televizyon kanalında program hazırlamaya dönük girişimlerini... O bir sıçrama anıydı İlhami için ve boşanma sürecinin yol açtığı sadmelerle, başarısız olmuştu.

Nadiren de olsa görüşüyorlar. İlhami başarısızlıklarını, zaaflarını kızımıza, benim ondan desteğimi esirgeyişimle açıklıyor. Kendisi kusursuz muydu sanki kısa süren evlilik hayatımız boyunca ve kızım da görmüyor muydu, babasının bir tek okul taksitini olsun yatırmaktan kaçındığını... Kızım da, biricik evladım olarak, üzerine düşen görevleri yerine getirdiğini söyleyebilir miydi sanki? Babası kadar sorumsuz, kendi merkezli, onun kadar ihmalkar. Alışveriş yapmış, nefes nefese eve dönmüşüm. Asansör çalışmıyor. Beş merdiveni çıkmışım. Misafirler gelmiş. Çay koymayı bile akletmiyor. Sitem ettiğimde ise derslerini öne sürüyor.

Eleştiriye tahammülü yok. Bu şekilde davranıyorum, çünkü boşanmış bir çiftin çocuğuyum. Beni suçlayamazsın bu konuda, doğru dürüst bir aile ortamında yetişmedim sonunda!

Ona büyük bir sevgiyle bakmış olan annemle babama haksızlık ettiğini söylediğimde de cevap vermekten geri kalmıyor: Yıllarca yatak diye bir koltuğu bilmedi mi? Ben koltuklarda kanepelerde kestirmekten hoşnut olabilirim, ama o hep bir karyolaya, bir odaya sahip olmanın özlemini duydu.

Sesini yükseltme, şimdi bu tartışmanın yeri değil; hiç değilse şu keki dilimle, diyerek ayrılıyorum mutfaktan.

Misafirleri yolculadıktan sonra, mutfağı biraz toparlayıp da dinlenmek için kanepeye uzandığımda, bir pike getirir misin kızım lütfen, diye seslenemiyorum bile. Kendime hizmet edilmesine alışık değilim ki... Biri bana çay tuttuğunda bir tepsiyle, mahcubiyet duymadan edemiyorum. Hep ayakta kalmam, koşturmam gerekiyor ki yanlış, eksik bir şey olmasın hayatım-ız-da. Mendil getir anne. Tabak ver. Bu çay açık olmuş. Bu yemeğin içinden yine taş çıktı. Kekikleri iyi ayıklamıyorsun, taşlarıyla doldurmuşsun yemeğin içine!

O zaman kekikleri sen ayıklasan!

Bu her yerde böyledir ama! Babalar para kazanır, anneler ev işi yapar, çocuklar ders çalışır.

Ben hayatın yükünü tek başına taşıyorum yıllardır; görmüyor mu?

Mesafeli bir şekilde durarak yüzüme bir öpücük kondurduğu oluyor, yerli yersiz zamanlarda. Acele, duygudan yoksun bir dokunuş. Babasınınki gibi. Bulaşıkları yıkadıktan sonra seccadeyi bulup açıyorum. Bedenim bazen bir seccade kadar küçülüyor. Selamın ardından büzülüp kalıyorum seccadenin alanında. Alamadığım uykularımın bir bölümünü olsun gideren küçük bir dinlenme anı yaşıyorum.

Dün gece sabaha karşı bir rüya gördüm. Yüksek bir evin, muhtemelen bir apartmanın tepesinde, çatının rengi gitmiş yüzeyini boyuyordum, fakat boyadığım yüzeyin malzemesini ayırt edemiyordum. İyi sonuç alamayacağımı düşünüyordum, malzemeyi gözüm tutmadığı için. Yine de başladığım işi bitirecektim, başka yolu yoktu. Kenarlara yaklaştıkça tedirgin oluyordum düşeceğim diye. Sıkı sıkı yapışarak çatı yüzeyine, sapı birdenbire uzayan bir fırçayla boyamayı sürdürüyordum. Hemen arkasından bir molanın içine çekildim, mükellef bir sofranın hazırlığının içine düştüm. Sabah uyanır uyanmaz internette aradım, rüyamın anlamını. Kesin bir açıklama yok. Anahtar kelimeler şunlar olabilir en fazla: Çatı, çatı kaplaması, boya, boyama, yükseklik, sofra hazırlığı... Genel bir açıklama, sıkıntıdan feraha ulaşacağım anlamına geliyor.

Birkaç gün bu rüyanın verdiği bir hafiflik duygusuyla yaşadım. Damın tepesindeki tutunma çabamı, o yükseklikte malzemesinin ayırdına varamadığım kalitesiz çatı kaplamasını −yükseklik korkuma karşılık? azimle ve ustalıkla boyamaya devam edişimi mutlulukla hatırlamaya devam ettim. En az on kat yüksekliğinde olmalıydı bina ve bana ait ulaşılmış bir yuvayı simgeliyordu, özene bezene (ve ne hikmetse) kiremitlere sürüp durduğum boya kalitesiz bile olsa...

Ardından içine düşülen sofra hazırlığı karmaşasında kısa süren evlilik hayatımı hatırlatan sahneler vardı. Acele edilse bile özenle yıkanan, sirkeyle dezenfekte edilen marullar. Hafta sonlarında küvette yıkanarak tozdan topraktan arındırılan çiçek saksıları. O üşüttüğünde hazırladığım tarçınlı ıhlamur. Annesi gibi hazırlamayı öğrenmiştim. Aynı karanfilli tadı bulmak istiyordu. Ihlamurda bunu başarmıştım. Rüyamda karanfilli ıhlamur bahsi yoktu. Kendimi aşacak kadar çaba sarf ettiğim halde ev kadını olarak, beceriksizliğim söz konusu edilmişti mahkemede. Bense başka türlü hatırlıyorum, neredeyse tamamını hamile olarak geçirdiğim evlilik günlerini. Gün boyu işte koşturup duruyorum. İş dönüşü alışveriş yapıyor, eve girer girmez kaza namazının ardından mutfağa dalıyorum. Bir kitabın sayfalarının açıklamalarına göre İlhami'nin sevdiği yemeği yapmaya saatler harcıyorum. Dağılıyor mutfak, tezgahlarda çekmecelerde ne varsa, dışarıya boşalıyor. Bu dağınıklıktan hiç hoşlanmıyorum. Bir ara uzaklaşıyorum yemekten, tezgah üstündeki dağınıklığı düzeltmeye veriyorum kendimi. Ne oluyorsa işte o arada oluyor. Bir şey eksiliyor, bir şey fazla geliyor. Ben başka bir işle ilgilenirken yanıyor yemek veya kıvamını yitiriyor. Bütün malzeme tamamlanmış olsa ve ben yanmasın diye başında dursam da yemekte bir eksiklik oluyor. Servis tabağına aldığım yemek asla kitap sayfasında resmi görünen yemeğe benzemiyor. Bu başarısız denemelere ilişkin zihnimde kayıtlı sahneler, kayınvalidemin boşanma sürecinde eşine dostuna anlattığı, bir şekilde kulağıma gelen suçlamalar karşısında savunmasız kılmıştır beni: Yemek yapmayı, sofra kurmayı bilmez. Oğluma karılık edemedi. Evladım ütüsüz pantolonlarla, gömleklerle dolaşırdı. Düdüklü tencere aldım hediye, bir kez olsun kullanmadı. Yerine göre giyinmeyi bilmezdi. Bir ipek başörtüsü almıştım dünyanın parasını verip, bir kez olsun örttüğünü görmedim. Oğlumun yanına yakıştıramadı kendini.

O ipek başörtüsü ve düdüklü tencere nerelerdedir şimdi, bilmiyorum. Babamın evine taşınırken pek eşya getirmedim. Getirebildiğim eşyaların bir kısmı da kömürlükte kaldı senelerce. İçinde kömür olmasa da, yıllarca kömürlük olarak kullanılmış işte! Yataklara, yorganlara, giysi dolu hurçlara sinmiş kömür kokusu yüzünden, zaman içinde o eşyaların bir kısmını gözden çıkardım. Kömür kokusu belki de bahane... Bana İlhami ile geçen kısacık ortak hayatı hatırlatan eşyalardan bütünüyle kurtulmak istedim. Bazen kızım büyüdükçe fazlalık gelen bir eşyayı kaldırmak için kömürlüğe indiğimde, kömür kokusundan ziyade haşhaşlı çörek kokusu alırdım, hurçlardan, bohçalardan, kutulardan...

Artık bir mekan sıkıntım yok, çoktandır yok. Kimi odalarının kapılarını hafta içinde açma gereği duymadığım büyüklükte bir evde yaşıyorum birkaç yıldır, istediğim saatte yatıyor istediğim saatte kalkıyorum.

Yine de çoğu geceler salondaki kanepede buluyorum sabahı, o ayrı. Üstelik bazen üçlü koltuk yerine ikili koltuğu tercih ediyorum, daha fazla büzülmeye zorlarken kendi içime kapanmayı kolaylaştırdığı, böylelikle de uykuya daha rahat dalmamı sağladığı zannıyla...

İnsanlar nereden bilecek; ufak tefek görünmemin sebebi, bir yerlere sığabilecek şekilde kendimi eğip bükme konusundaki yeteneğim. Her zaman nasılsa bir yere sığabilir biri olarak görüldüm, kardeşlerime nispeten ufak tefek sayılmamın etkisiyle ve artık ufak tefek sayılamayacağım zamanlarda da yine de bir yerlere sığdırılabilir kişi olmaya rıza gösterdim. Bir yerlere sığabilir kişi olmanın getirdiği uzun yıllara dayalı alışkanlığıma, kanepelerde koltuklarda yatmaya yani, zorunlu değilim bir zamandır; tek başına uyuduğum geniş bir yatağım var, daha doğrusu orada duruyor koca yatak ve ben yine oturma odasındaki kanepede yatmaya devam ediyorum. Neredeyse her gece, bu gece burada uyuyacağım, diye bir kararlılıkla uzanıyorum geniş yatağıma, yastıklarla destekliyorum sağımı solumu bazen, hatta bir tarafımı sandalyelerle kapatmayı da deniyorum, bir kanepede yattığım hissine kapılabilmek için; yine de sınırların belirsizliği nedeniyle uykuya zorlukla dalıyor, dalar dalmaz da sıçrıyor, bu sıçramaları bir kez daha yaşama kaygısıyla yeniden uyumayı deneme konusunda tereddüde düşüyor ve sonunda yastığımı pikemi alıp salondaki kanepeye doğru koşturuyorum.

Aşırı yorgun olduğum zamanlarda bile değişmiyor yattığım yer konusundaki tedirginliğim. Hafta içlerinde çok uzun süre geçirmiyorum evde, neredeyse sadece uyumak, hatta uykuya hazırlanmak için evde bulunuyorum. Akşamın dokuzuna onuna doğru eve vardıktan sonra ne yapıyorsam, bir an önce kendimi kanepeye veya ikili koltuğa atmak üzere, koşturarak yapıyorum.

Gündüzleri iş peşinde koştururken de ne kadar canlı ve tuttuğunu koparan biri görünsem de, gizli bir elin, derin bir sesin beni yarım yamalak uykularımı tamamlamaya çağırmasına engel olamayabilirim. Bu yüzden, çalışmalarımın karşılığını lâyıkıyla aldığım söylenemez. Bir şey mutlaka eksik, bir başka şey mutlaka pürüzlü; olur olmaz anlarda ve mekânlarda uykunun baskınına uğradığım için. Yarım bırakılmış, kesintiler halinde gerçekleşmiş geceler dolusu uykum yüzünden bir yanım hep uykulu, hep yarı sarhoş. Otobüste, dolmuşta uykuya dalıyor, kendimi bıraktığımda ofiste masanın üzerinde sızıp kalıyorum.

Yatılacak yer konusunda her zaman en az güçlük çıkaran çocuk sayılmışımdır, ailenin öteki çocuklarına nispeten ufak tefek bulunuşum nedeniyle. Beş altı yaşlarındaydım, kışın annemle babamla aynı odada yatıyorduk, duvarla soba arasındaki yere serilmiş yan yana iki yatakta. İki ablam sobayla arasında bir masanın bulunduğu yatağı paylaşıyorlardı, benden küçük erkek kardeşlerim ise duvar tarafındaki daha geniş bir alanı kaplayan yatakta uyuyorlardı. Duvar tarafındaki yatak, annemle babamın karyolasının ayak ucundaydı. Örümcek korkum yüzünden tahta sedirde uyuyamaz olunca, bu iki yataktan birinin ayak tarafında yatmayı seçmem gerekti. Pek düşünmeden erkek kardeşleriminkini seçtim. Bu seçimimin ilk nedeni iki ablamın yattığı yatağın daha fazla ayak altında bulunmasıydı. Küçük ablamla günü genellikle küskünlükle tamamlıyorduk; bu nedenle de onunla aynı yatağı paylaşmak istemiyordum. Bunların yanı sıra erkek kardeşlerimin dünyasını ablalarımınkine göre kendime daha yakın bulduğum için, yattığım yeri seçerken, hallerinden memnun gözüken iki ablamın sıkıcı dünyasına bir mesafe koyduğumu sezinliyor olmalıydım. Ben etamin kanaviçe kırlentler işleyerek kısmet bekleyen, gelecek hayallerini kapısını çalacak kısmete bağlayarak çeyizini düzen bir kasaba kızı olmayacaktım. Erkek kardeşlerimin ayaklarının ucunda yattığımda, onların çizgi romanlarla, zeka oyunlarıyla, bisiklet turlarıyla, siyasal yorumlarıyla kadınların dünyasına göre bana daha zengin görünen dünyalarına yaklaşma şansım artacaktı. İki erkek kardeşimin ayaklarının ucundaki kısıtlı alanda hemen hiç rahat edemiyordum, orası ayrı; başım neredeyse karyolanın altına giriyordu, üç Kulhuvallâhu bir Elham'ın ardından hepimizin küçüğü olan erkek kardeşimin gıdıklamalarından kurtarmaya çalıştığım ayaklarımı benden bir yaş küçük erkek kardeşimin, rahat edeyim diye ince bir yastıkla yalıttığı bir alana doğru uzatarak, uykuyu çağırıyordum. Her birimiz sızacak denli yorularak girdiğimiz için yatağa, kısa sürüyordu bu fasıl ve benden bir yaş küçük erkek kardeşimin benim için çizdiği sınırlardan taşmamaya özen göstererek, uykuya dalıyordum. Gece yarısı ise en az iki üç kez uyanıyor ve yataktaki sınırlı alanımdan, yastığımla birlikte annemle babamın karyolasının altındaki tahta döşemeye kaymış buluyordum kendimi.

Havalar ısınır ısınmaz sobası bulunmayan odalardan birine geçinceye kadar sürüyordu yataktan kayarak uyanışlarım.

Neresi olsa sığdırılabilecek biri gibi göründüğüm için sanıyorum, annem bir kaygı duymuyordu, gece nerede yatacağım konusunda. Seçeneklerim yok değildi: Yerde yatmak istemiyorsam, tahta sedire açılan yatağıma geri dönebilirdim. Duvar köşelerinde ağ kurmaya hevesli ince bacaklı örümcekler yüzünden, hâlâ kaçınıyordum tahta sedir üzerinde yatmaktan. Bazen küçük erkek kardeşimin tekmelerinden yıldığımda annemle babamın yattığı karyolaya tırmanır, ikisinin arasında bir yer açardım kendime. Bedenimi küçültebilme yeteneğim, bir yere sıkışmam gerektiğinde hem bir iltifat sebebi hem de yerinde bir özveri gerekçesi olarak hatırlatılırdı bana. Sıkışık arabaların en dar boşluğuna sığabilir kişiydim, eve misafir geldiğinde de zaten belirsiz bir yerde duran yatağımı terk edebilecek seyyarlıkta biri olarak, rahatlatırdım annemi. Her yere sığardım, sığabilirdim, yatılı misafir kalabalığında, ya da yatılı misafir olduğumuz evlerde küçük koltuklara, yan yana getirilmiş sandalyelere büzülerek uykuya dalardım. Kimselerin yerleşemediği küvetlere, kabinlere sığar, kapıda kalmalarda anahtar unutmalarda vasistaslardan geçerdim. Bir yere sığabilmek en önemli özelliğim olarak görülüyordu; işte, kendi ifadesiyle annesinin, yenilirken kaymakla balla takviye edilen haşhaşlı çörekleriyle beslendiği için boyu benimkine göre bir hayli uzun olan İlhami'nin koltuğunun altına da sığabiliyordum ve o beni öyle seviyor, bir kadın erkeğinin koltuğunun altına sığabilmeli canım, diyerek sarılıyordu bana.

İlk günlerden söz ediyorum, belki ilk aylardan.

Evlendiğimizde iki kişilik yatakların en kocamanından almaya çalışmıştım, yıllarca en olmadık uyuma alanlarına sıkıştırılmanın verdiği bir özlemle olsa gerek. Düşündüğümden daha dar bir yatağı olan bir takımla yetinmek zorunda kaldım fakat; babamın çeyizim için ayırdığı paranın elvereceği orta halli bir takım. İyiydi hoştu başlarda İlhami, fakat horluyordu ve bunu da kabule yanaşmıyordu. Annem, alışacağımı söylüyordu; eninde sonunda alışılıyordu kocanın horlamalarına. Şu var ki ben kulaklarım pamuklarla tıkalı olduğu halde bile hiç alışamayacakmışım gibi duyuyordum bu horlamaları ve bir zaman kendimi zorladıktan sonra, sabaha kadar gözüme uyku girmeyeceğine karar vererek, elimde yastığımla yorganımla salona geçiyordum. Üçlü kanepeye gömüldüğümde ise, gözlerimi kapatır kapatmaz uykuya dalıyordum.

Sanki o kanepe –ya da yattığım herhangi bir kanepe? kimseye görünmeyen ninnileriyle sallayarak uyutuyordu beni, uyutuyor ve büyütemese bile, yoğunlaştırarak, genişleterek, yüreğimi de genişleterek güçlendiriyordu. Kanepe bana uyum sağlıyordu, ben kanepeye. Birlikte yumuşuyor, pörsüyor, kayıyor ve parlıyorduk. Işıl ışıl yanıyordu tenim, elma gibi kızarıyordu yanaklarım. Hamileydim, iştahım olağanüstü açıktı. Şaşılacak şey; kırk dört bedene kadar çıkmıştım. Sabah bulantıları ve kusmaları devam ettiği halde kilo alıyordum, ağzımdaki acılığı gidermek, midemdeki yanmayı bastırmak için sürekli bir şeyler atıştırmam gerekiyordu. İş yerindeki sayısını artırdığım çay molalarında tatlıyı tuzluyla bastırıyordum, tuzluyu tatlıyla. Ballı kaymaklı haşhaşlı çöreklerin ardından, peynirli haşhaşlı çöreklere geliyordu sıra. Hamilelik bütünüyle kuşatmıştı varlığımı, sanki bütün ömrümü hamile geçirecektim, öyle duyuyordum. Bir zaman sonra ise haşhaşlı her yiyecek beni rahatsız etmeye başladı. Üstelik sadece mutfaktan değil, evin her köşesinden alıyordum haşhaş kokusunu. Ve haşhaş kokusu yüzünden, İlhami'nin annesiyle babasının evine gitmekten kaçınıyordum. Koku tatlı esnek bir top halinde birikiyordu küçük dilimin aşağısında bir yere ve beni kusmaya, sürekli kusmaya zorluyordu. Hamilelik bedenine yönlendiriyor insanı, kendi bedenini yeniden, başka bir açıdan tanıyorsun ve bu sırada fazla fiziki, hatta zahiren hayvansı olanın içindeki manevi katmanları daha açık seçik görmeyi öğreniyorsun. İşte, aldığım kilolarla bedenim biçimini yitirse, ayakkabılarımın bağlarını bağlayamaz hale gelsem de, bütün olarak vücuduma hayranlığım artıyordu, içimde büyüyen varlığa yönelik hayreti hiç azalmayan hayranlığım nedeniyle. Daha önce de bir bebek getirmiştim dünyaya, ölü doğan ve adı bile olmadığı halde, bana hiçbir zaman var olmamış gibi gelmeyen ela gözlü bir oğlan. Ölü doğan bebeğimiz konusunda, bir ihtimal annesinin etkisiyle korkuya kapılmıştı İlhami; bir daha hamile kalamayabilirmişim gibi. Böyleyken yeni bir bebek müjdesini yüzünde bir aydınlanma olmadan dinledi. Hamilelik başka birine dönüştürüyor seni, dedi, bir davet için hazırlanmaya çalışırken ben. Hiçbir şey üzerime olmuyordu, İlhami'nin çalıştığı ajansın düzenlediği bir akşam toplantısı için uygun düşecek herhangi bir giysi bulamıyordum dolabımda. Kusura bakma da fil gibi yiyorsun, dedi kocam, üzerine bir şey olmaz tabii... Fil gibi yiyorsun, fil gibi... Sen hiç hamile kaldın mı ha, kaldın mı, diye bağırdım. Bir akşam giysisi uydurma mücadelesinden vazgeçtim, geceliğimi giydim, bir yastık ve pikeyle üçlü kanepeye koştum. Her zaman olduğu gibi ara ara kestiremedim ne var ki... İlhami'nin sözlerini hatırladıkça gözlerim yaşarıyordu: Fil gibi yiyormuşum, fil gibi.

Panel, şenlik, kutlama gibi programlar hazırlayan bir ajansta çalışıyordu, ben İlhami'yi tanıdığımda. Pratik zekalı ve hazır cevaptır; programları epey izleyici topluyordu. Anarşist bir yanı olduğunu öne sürer, söz aralarına ad vermeksizin sıklıkla Bakunin'den, Kropotkin'den cümleler sıkıştırırdı. Hollywood kültürünün enginliğiyle şaşırtmıştı beni, evlendikten sonra. Selma Hayek'e benzetirmiş beni başörtülü pardösülü gördüğü sıralarda ve bu oyuncunun Frida'sını en az on kez seyretmiş. Cin gibi, asi, her işin üstesinden gelir, hak eden kişiye eninde sonunda haddini bildirir biri olarak görünmüştüm ona, ilk tanıdığında. Evlendikten sonra, evin içinde ilk kez başörtüsüz olarak gördüğünde beni, hayal kırıklığına uğradığını hissettirdi. Sanki kısalmıştı boyum evin içinde, sanki daha kumral daha kilolu ve ağırkanlı görünüyordum. Hayek'e pek benzemiyordum başım açıkken, iş hayatında yırtıcı bir yanım vardı belki, ama evde mızmız bir kediye dönüşüyordum. "Cin gibi" değil, uykulu ve solgun duruşluydum. Kansızdım, iş yerinde mevcut dengelerde yaşanan kaymalar yüzünden tedirgindim. Hamileliğin de artırdığı bir üşengeçlikle akşamları işten doğruca eve gelmek, eşofmanımı giyerek kanepeye uzanmak, uzandığım yerde karnımdaki bebeği dinlendirirken birkaç sayfa olsun kitap okumak, kitap okurken de ara ara uykuya dalabilmek istiyordum.

Sahi, biz niye ayrıldık? Kızıma cevap verirken ona mantıklı gelebilecek sebepler gösterme konusunda zorlanıyorum. Haşhaşlı çörek pişirme konusundaki beceriksizliğim ya da hamileliklerim sırasında haşhaş kokusunun midemi bulandırıyor olması işin latifesi. Selma Hayek'e benzerliğim konusunda İlhami'nin hayal kırıklığı yaşaması da aramızda şaka konusu olurdu bazen. Fakat hiç unutmuyordum bana, davete gitmek için giysi uydurmaya çalıştığım sırada, "fil gibi yiyorsun" deyişini. Bazen mızmız bir kedi, bazen zehir saçan bir kaktüs oluyordum. Annesi gibi hayatını kocasının başarısına vakfetmiş bir kadın çıkmazdı benden.

Sen de ecinni şerri gibisin, demiştim ona, bir gün yine ?fil gibi yiyorsun" bahsi açıldığında. Bu benim değil, anneannemin tespitiydi. Az uyurdu İlhami, geç yatar, erken kalkardı;

benim gibi. Anneannem bende kalmaya gelmişti; mevsim kış. Pazar günleri bile sabah erkenden kalkardı o, tak tak tik tak tuk şeklinde sesler çıkararak dolaşırdı evde. Nasıl bir adam bu, demişti anneannem, ecinni şerri gibi.

Düşünüyorum da, ben de yerinde oturup kalan biri sayılmam pek, hareketli sayılırım yani, ama işte, işteki koşuşturmalarımın ve eve ulaşmak için bindiğim üç vasıtanın yol açtığı yorgunlukla, ikili bir koltukta kendimi yamultarak geçirebilirim geceyi. İlhami ise hırslıydı, çevresini genişleterek söz söyleme yeteneğini bir televizyon programına taşımayı amaçlıyordu. Zıtlaştığımız konularda gün gelir bir uzlaşma sağlayabilir miydik, bu soruya cevap verebilecek bir tecrübe biriktirecek kadar bir arada yaşayamadık. Mesela, incelikli esprilerden hoşlanırdım ben ve onun da ağzı laf yapsa bile espri anlayışı çok dardı. Bir şeyleri şıklara ayırarak sürdürebilirdi bir konuşmayı ve bazen konuşmasının akışını önceden tasarladığı biçimden saptıracak bir sorunla karşılaşırsa, paniğe kapılır, elinin altında bulundurduğu, ünlü anarşistlerden alıntıların yazılı olduğu kartonlardan ya da ezbere bildiği Mehmet Akif şiirlerinden medet umardı.

Birbirimize uyum sağlamamızı gerektiren yıllar tam bir kırılma dönemine denk geldi sanırım: İnsanlar eskisi kadar heyecanla koşturmuyorlardı şehrin bir ucundan öteki ucuna, bir paneli, bir anma gecesini izlemek için. İlhami benim ona destek olmamı bekliyordu. Ben de iş yerinde tedirgindim oysa: İngilizcem yetersizdi ve halkla ilişkiler gibi bir alanda bu yetersizlik pek göze batıyordu. Hafta sonlarında bir kursa gitmeye başlamıştım, bu nedenle de yemek pişirme işini biraz savsaklamış olabilirim. Kerevizi beğenmiyorsan, istediğin yemeği pişirebilirsin; vaktim yok ki benim, demiş, bu mealdeki bir cümleyi daha incitici şekillerde de yöneltmiş olabilirim ona, bana "fil gibi yiyorsun" deyişini unutmadığımı anlatan bir göndermeyle. Emin değilim. Hatırlamıyorum, hafızam kızımın iyiliği için bazı tartışmalarımızı tamamen iptal etmiş sanki; aksi takdirde, arada bir de olsa görüşmelerinden daha fazla rahatsızlık duyabilirdim. Hafta sonlarında dil kursuna gidiyor oluşum yüzünden mutfaktaki inisiyatifimi kayınvalideme kaptırdığımı hatırlıyorum ama... Bazen bizim evde, bazen onların evinde, kayınvalidemle birlikte haşhaşlı çörekler pişiriyorduk. Ben hamur yoğurduğumda lezzetsiz oluyordu çörekler. Başarılı olduğum tek hamur işi, havuçlu kek oluyordu. Çok iyi kek yapabilmemde, halamın kızının düğün hediyesi olan kek tenceresiyle kurduğum uyumun da rolü vardı. Evden eşyalarımı almaya gittiğimiz sırada, o tencereyi almayı ihmal etmeyelim, demiştim halama. Ben içeri girmeyecektim çünkü. Sonra bir kargaşa yaşadık, kek tenceresi unutuldu.

Bir incir ağacı vardı oturduğumuz evin bahçesinde, iyi hatırlıyorum. Hastane gibi bir ev, diye düşünmüştüm oturduğum arabanın penceresinden bakarken, ağacı ilk kez görüyormuşum gibi; ve benim o evden yaşanmış günlerimin cesetleri çıkıyor, paketlenmiş eşyalar halinde. Eşyaların kimisi iyi paketlenmediği için sağından solundan taşıyor, fakat gözüm görmüyor döküle saçıla biraz ilerideki kamyonetin arkasına atılan eğreti paketleri. İncir ağacının altında bir sandalyede oturuyordu kayınpederim ve evden çıkan eşyaları bakışlarıyla kontrol ediyordu. Eşyalar taşınıyordu. Bu kadar çok eşyanın gidebileceği bir yer bilmiyordum. Bazılarını, mesela yatak odasına ait kimi parçaları ve giderek takımın hepsini bu nedenle bahçede bıraktım, kamyonete yüklediklerimiz babamların doğal gazla ısıtılmaya başlanan apartmanlarının boşalan kömürlüğüne ancak yerleşebilirdi.

Bunları düşünerek dalmış gitmişim. Derken kayınvalidemin sesini duydum: Kamyonetin yanı başına gelmiş, bir battaniyeyi çekiştiriyordu: "Bu battaniye bizim taraftan birinin hediyesi, bir yere vermem!" Annem işte böylesi sahnelere tahammül edemeyeceğini söylediği için halam gelmişti yanımda. Esasında halamın öncelikli amacı son bir barıştırma girişiminde bulunmakmış, bana söylemese de bunu görüyordum; incir ağacının altına gitmiş, kayınpederimle konuşuyordu. Gelsin elimi öpsün de konuşalım, demiş kayınpederim.

Halam kolumdan tutmuş, beni arabadan inmeye zorluyordu. Arabadan indim, fakat bahçeye gitmedim. Hamileliğime bakmadan koşar adımlarla caddeye çıktım. Önüme gelen ilk taksiye el ettim. Babası yerine İlhami olmalıydı o bahçede ve barışma girişimi de ondan gelmeliydi, böyle düşünüyordum. Benden ayrılmayı kafasına koymuştu o, babasının arabuluculuğuyla bir yere varamazdık. Dil kursunu bırakmış, iş yerindeki statü kaybına razı olmuştum; yine de gülmemişti yüzü. İş dönüşü yemek yapmış, yorulmuştum; uyuyakalmışım uzandığım koltukta; sarsarak uyandırdı beni. Tamam, onun sevmediği bir yemekti yaptığım; kerevizi sevmezmiş, bilmiyordum bunu. Fakat bir önceki geceden kalan yemekler vardı, onlardan hangisini istiyorsa ısıtabilirdim.

Ben anneme gidiyorum, bu gece gelmem, dedi, çıktı gitti. Sonra sözler çeşitlendi: Oğluma kadınlık yapamadı ki, anlamına gelen açıklamalarda bulunuyordu annesi, niye boşandığımızı soran eşine dostuna. Yemek yapmayı bilmezdi. Beceremezdi. Koca bir tencere yemek pişirirdi pazar günü, aynı yemeği günlerce ısıtıp ısıtıp önüne koyardı çocuğun. Bir haşhaşlı kurabiye yapmayı öğretemedim. Eli işe yatkın değildi. Uyumsuzdu.

İlhami Afyonluydu. Haşhaşlı kurabiyelerle böreklerle büyümüştü. Neticede bir keçi kadar inatçı olan ben, bu çöreklerin onun için taşıdığı önemi anlayamamıştım.

Bu işi uzatma, boşan kızım, dedi babam, hamileyken seni terk eden adamdan sana da çocuğuna da hayır gelmez. Gelgelelim, karnım burnumda baba evine döndüğüm günün akşamı, evde sadece geceleri olmak üzere bir tek oturma odasını kullanabileceğim gerçeğiyle yüz yüze geldim. Eskiden kaldığım odaya, hani küçükken aynı yatakta yattığımızda gıdıklamalarıyla, tekmeleriyle bana yatağı dar eden küçük erkek kardeşimle eşi (ve minik oğulları) yerleşmişti. Evin bir yerlere sığma konusunda öne sürülmeye alışkın ortancası olarak, kanepede yatmayı yadırgamadım o kadar; evlilik hayatım boyunca da kanepe uyumalarından uzak düşmüş değildim ne de olsa.

Gündüz saatlerinde televizyon nedeniyle rağbet edilen oturma alanı, geceleri yatağım oluyordu. Kendimi bir kalıba sokarak yatmaya, delik deşik uykulara alışkındım. Çok kanallı televizyonların ev akşamlarını yeni yeni işgal ettiği, gece üçlere beşlere kadar kitlelerin ilgisini çekecek konularda, mesela Avrupa Birliği'ne alacaklar mı bizi nihayet, başörtülü kadınlar cuma namazı kılabilirler mi, çıplak ayakla sokağa çıkabilirler mi, gibi başlıkları olan açık oturumların izlendiği yıllardı. Yemekten sonra çay içiliyordu, ardından meyve yeniyordu ve yatsı namazından önce televizyon seyircilerinin arasında neredeyse bir kişi olsun odasına çekilmeyi aklına getirmiyordu. Altı kişi yüz on metre karelik bir eve sığamıyorduk ve ben de evin –kimilerine göre çok da kabullenilir gerekçelerim olmaksızın? karnı burnunda geri dönen kızı olarak, kurulu düzenlerini bozduğum ev ahalisiyle eşit bir statü talep edemeyeceğimi kabullendiren bir yeniklik duygusunun baskısı altındaydım. Nereyi gösteriyorlarsa orada yatacaktım. Ne zaman istiyorlarsa, o zaman yatmaya hazır olacaktım. Açık oturumlarda ele alınan konular, herkesi ilgilendiren önemli memleket meseleleriydi. Şok uyandıran açıklamalarla çekici hale getirilen programlar, karşıt görüşteki insanların birbirlerine saygı duyduklarını ifade eden başlangıç cümlelerine karşılık kimileyin hakarete vardırılan suçlamalarla uzadıkça uzuyor, bazen konuyla ilgili isimler telefonla programa bağlandığı için de bir türlü tamama ermiyordu. Program gecenin geç vaktinde zoraki bir uzlaşma havasıyla noktalandığında ise ev halkı hemen yatağa gidemiyor, program sırasında ortada bırakılan soruları tartışmayı sürdürmek istiyordu. Bir kaygı veya sorumluluk duyan yoktu aralarında, oturdukları kanepenin aynı zamanda benim yatağım olduğu konusunda; uykum geldiğinde misafir odasındaki kanepeye, hatta annemle babamın geniş yatağına uzanabilirdim geçici olarak, öyle düşünülüyordu.

Annem, misafir odasını misafirler için saklama konusunda direnmeyi sürdüren ev kadınlarındandır. Doğru, sabah erkenden işe gitmesi gereken hamile kızının zaman zaman misafir

odasındaki üzeri kılıflı üçlü koltuğa uzanmasına sesini çıkar-
mıyordu, ama o koltukta gecelenmesini de iç rahatlığıyla ka-
bullenemezdi Misafir odasının mobilyaları henüz yeniydi, an-
nem özel olarak çok uzak bir semtteki mobilya kumaşı üreten
toptancılara giderek kumaşını seçmiş ve bu işin ustası bir ak-
rabasına ısmarlamıştı, uzun yıllar kullanmaya niyet ettiği ah-
şap kolluklu, oturunca sırtı rahat ettiren, sayısız yastıkla da
zenginleştirilen mobilyalarını. Yeni mobilyalar geldikten son-
ra da çocukluğumdan kalma eski saten takım, oturma odasına
geçirilmişti. O saten mobilyaları bilirsiniz, hani, 70'li yıllarda
moda olan ve sonraki yıllarda da orta sınıf evlerinde kendine
bir yer bulan, kumaş kaplı kenar kısımları neredeyse bir kişi-
nin oturacağı kadar geniş tutulan, görkemli, saraylara layık,
muhtemelen camlı sehpa ve kristal taklidi saçaklı avize eşli-
ğinde kullanılan... Benim yattığım kanepe, işte bu mobilya ta-
kımının üçlü koltuğuydu ve yılların şekilsizleştirdiği oturma
(yani yatma) alanı hamileliği ilerlediği için vücudu kalınlaşmış
bir kadın için gayet yetersizdi diyebilirim.

Doğumdan sonra da oturma odasında yatmaya devam et-
tim, koltuklardan birini kızımın yatması için yanıma çekmem
yeterli oluyordu. Dinç olmamı gerektiren, bir yığın ismi hafı-
zamda tutmamı talep eden bir içeriği vardı, işimin. İş yeriyle
sınırlı kalmayan mahallerde koşuşturup durduğum için, çok
zorlanmadan vermiştim hamilelik sırasında aldığım kiloları.
Yine de geceleri kanepeye yattığımda, belki de düşünceleri-
min ağırlığı yüzünden hamilelik dönemindeki gibi ağırlaşı-
yordu bedenim. Kanepe çukurlaşırken bedenimi de kendine
uyduruyordu sanki. Tahta iskeletin izin verdiği çukurları
doldurmaya zorunluymuş gibi ağırlaşıyordu bacaklarım, ha-
mileliğim sürüyormuş gibi genişlemeye, sarkmaya devam
ediyordu karnım ve göğüslerim. Gündüz oturmaları sırasın-
da idare edilse de bir gece uykusu için uygunsuz bir kane-
peydi yattığım, fakat bedenimde varlığını vehmettiğim ço-
ğalma ve ağırlaşmanın nedeni bu kanepe değildi. Boşanmış
bir kadın, baba evine dönmüş hamile haliyle ve dünyaya ge-
tirdiği çocuğun küçük bir oda bir yana dursun bir beşiği bile

yok, yok işte! Bu durumum üzerine düşüncelere dalınca huzursuzlanıyor, sağıma soluma dönerek rahatlamaya çalışıyordum; fakat saten kaplı kanepede yatmanın en zor yanıydı, içinden geldiği gibi sağına soluna dönebilmeler. Kendimi bir yere sığdıramamak bir cezaydı belki; hatta, daha rahat bir yerleşme arayışıyla dönmelere izin vermeyen kanepe uykularının yetersizliği, her zaman yarı uykulu dolaştığım gündüz saatlerinde evliliğimi hafife almış ve çok kolay boşanmış olduğum gibi zorlu bir şıkla başlayarak uzayıp giden kusurlarımı –suçlarımı? bağışlamamı kolaylaştırıyordu. İşte, boşanarak baba evine dönmüş de olsam ödüyordum bunun bedelini, aileme, topluma, yattığı koltuktan düşmesin diye sağı solu yastıklarla sandalyelerle desteklenen koltukta uyuyan bebek kızıma... Kimseye yakındığım yoktu, anneme bile. Herkes her şeyin yolunda olduğunu sanıyordu benim için; ben evin her yere sığabilen, sığdırılabilen kızıydım hâlâ, yanında bir bebeği bulunduğu halde. Gündüz saatlerinde iyimser olabilsem de geceleri değişiyordu yakın geçmişime yönelik bakışım. İlhami'den farkına varmadan kapmış olmalıyım bu alışkanlığı: Uzun ve karmaşık bir sürecin ardından uyumak üzere kanepeye uzandığımda, şıklar halinde sıralamaya başlıyordum, bugüne kadar sürdürdüğüm hayatın olumlu ve olumsuz yönlerini. Gece karanlığında bu şıkların olumsuz olanları her zaman daha uzun bir liste oluşturuyordu. Sabah ezanlarında alnımı secdeye koyarken hafiflediğimi duysam bile, gece yarılarında kanepenin kayıp durmaya yatkın olan, normal olarak da hep düşecekmiş gibi duran orta minderini yerine itmek için uyandığımda, varlığımın bebeğime de bulaştırabileceğim kara lekelerle kaplandığı ya da kaplanmakta olduğu şeklindeki kötü duygudan kurtulamıyordum. Akranlarımın kendilerine ait genç kızlık odalarında ya da evli barklı kadınlar olarak kocalarıyla paylaştığı geniş odalardaki rahat yataklarda mışıl mışıl uyuduğu şu saatlerde ben, iskeleti derisini zorlayan, minderleriyle uyumsuz bir kanepede şıkları denklikten uzak bir şekilde uzayıp giden çapraz listeler hazırlayarak uykuya dalmaya çalışıyordum. Üstelik kendimle birlikte bebeğimi de bir yerlere sığmaya çalışacağı bir hayatın içine çekmiştim ve işte bu, her gece baştan alarak hazırladığım hayattaki olumlu ve olumsuz adımlarıma ilişkin listelerden ikincisini ağırlaştıran başlıca madde oluyordu. Geniş, huzurlu uykuları çağıran rahatlıkta bir karyolayı hak edemeyecek kadar yanlış yaşamıştım hayatı ve onca çalışıp çabaladığım halde, bebeğimi hak ettiği beşiği sunamayacağım bir ortamda dünyaya getirmiştim; işte bu hakikat gece karanlığında, ancak apak yürekli ve özverinin hakkını veren insanların lâyık olduğunu düşündüğüm derin uykulardan uzak durmaya zorluyordu beni.

Kınamak, suçlamak, attığın adımların yanlışlığı hükmünü sana bildirmek için bekleyen bir koro var hem, işte orada durmuş, atacağın yanlış adım için bekliyorlar. Sense açıklanmaması, yaşanmaması gerekeni bilme konusunda uzman; kusurlarını gizleme, örtme konusunda da usta değilsin. Hiç değilsin.

Kızların adlarının çıkacağı korkusuyla kendilerini sakındığı taşra şehirlerinde geçti çocukluğum; bir genç kız veya kadın olarak adıma leke sürülmemesine ilişkin korkularımı çocukluğumun geçtiği sokaklarda kulağıma ulaşan cinsel içerikli küfürlerin oluşturduğu korunma güdüsüne de bağlıyorum. Uykunun yine elimden kaçıp gittiğine karar verdiğim saatlerde düşüncelere daldığımda, bu lekelenme korkusuna yol açan sokakları farklı bir şekilde hatırlıyorum. Erkek kardeşlerimin bile yabancı kaldığı küfür sözcükleriyle beni oyunun en heyecanlı bir anında, kazanmaya yakın bir anında eve kaçmaya ya da en yakın bir evin bahçesine sığınmaya zorlayan sokaklar... Bir sokağı dolduracak kadar ağır küfürün takibinin henüz peşimi bırakmadığı hissine kapılıyorum, gece beni içine çeken kuruntulu düşünceler sırasında. Oyunu çok sevdiğim, kazanma anının yakınlaşması yüzünden oyundan vazgeçemediğim için o küfürleri duymamayı başardığım zamanlar olmuyor değildi. İstemediğim, onay vermediğim kelimeler, küfür sözcükleri dünyama giremezlerdi benim.

Sanki evliliğimi sürdürmek için elimden geleni yapmayı-şım yüzünden hâlâ o sokaklardan yükselen küfür sözcükleri-nin yağmasına açık bir durumdaydım, o nedenle de görün-meyen bir kafesin içinde yaşamam, daha açık bir ifadeyle bir timsah gibi derimi kalınlaştırmam, bir kaktüs misali dikenler çıkarmam gerekirdi, boşanmış çalışan bir kadın olarak. Söz-lerle sürüp giden yoklamalardan, bakışların ısrarlı takibin-den usandığımda sığınabileceğim bir duvar arkası, bir bahçe, bir erkek omzu yoktu. Annem kızıma baktığı için fazlasıyla yorgun düşüyordu ve hafta sonlarını tamamen ona ayırmamı bekliyordu benden. Gecenin bir vaktinden sonra bir oturma odasının eski kanepesine sığmaya çalışan habis bir kütleydim ben. Bir kız çocuğu annesiydim, onu düşünmedim, yeteri ka-dar düşünmedim; bir kere her şeyden önce babasının da ya-şadığı bir evde, kendisine ait bir odaya sahip olacağı şartlara doğmalı değil miydi kızım? Evliliğimi kurtarmak için herke-se olağan gelen basit kadınsı taktikleri kullanmaktan uzak durarak, kızımı da kendim gibi kanepelerde –bir yerlere sığ-maya çalışarak? uyumaya mahkum etmiştim. Bu durum san-ki hiç değişmeyecekti ve biz, televizyondaki tartışma progra-mının bitiminden bir yarım saat kadar sonra teslim alacağı-mız oturma odasında uyumaya çalışmayı sürdürecektik. On dakika kadar pencereyi açık tutsam da odanın havası uzun akşam oturmasının ağırlığını taşıyor oluyor, yatağıma uzana-bilmem için sehpaları toparlamam, meyve tabakları ve çay bardaklarını mutfağa götürmem, bazen yıkayıp raflara, do-laplara yerleştirmem gerekiyordu. Ayrıca bir koltuğu kane-penin yanına çekerken karıştırdığım odanın düzenini sabah-leyin olabildiğince eski durumuna dönüştürmeden evden çıkmama gibi bir sorumluluk da duyuyordum.

Dediğim gibi, uyanmak değil uyumak zordu asıl, iskeleti bir hayli yaşlandığı için gacur gucur sesler çıkartıyordu kane-pe, en küçük kımıldamalarımda ve bu sesler beni, hayatımın hatalarını sıraladığım listeye mesela A1, A2... şeklinde yeni şıklar eklemeye yönlendiriyordu. Saf, deliksiz ve güzel rüya-larla bezeli bir uyku fersah fersah uzağımdaydı. Oturma odası güneş almıyordu, hava akımı iyi bir uykuya zarar verebileceği halde benim uyuyacağım kanepe pencerenin yanı başındaydı ve televizyonun bulunduğu konum dikkate alındığında, yerinin değişmesi mümkün gözükmüyordu. Yatmadan önce on dakika kadar bile olsun kitap veya dergi okumak da anlattığım şartlar altında neredeyse imkansızdı. Bunu bazen denesem de kitap okurken dikkatimi yitiriyor, saten minderlerle oluşturduğum uyumu vaktinden önce bozuyordum.

Başlangıçta hamileliğin ve doğumdan sonra da hamilelikten kalan kilolarımın ağırlığı nedeniyle olabilir, orta minderin kaymalarını o kadar da hissetmiyordum. Kilo vermeye devam ederken minderlerin saten kayganlığıyla baş edemez oldum. Neredeyse on beş yıllık mobilya, kumaşı epeyce eprimiş, yine de beni rahatsız edecek kadar kayganlığını koruyor. Bu kayganlıktan etkilenmemek için aldığım önlemlerin bir yere kadar yararını görüyordum. Kanepenin üzerine serdiğim çarşaf, saten kumaşın kayganlığını dengeleyebilir diye çarşafın altına yerleştirdiğim battaniye veya pikeyle birlikte mutlaka kayıyordu ve gece yarısı ben, düşmek üzere olan orta minderi yerine doğru ittikten, yanı başıma çektiğim koltuktaki bebeğimin huzurlu uykusuna da güvenebileceğime emin olduktan bir süre sonra –hayattaki hatalı ve isabetli adımlarıma ilişkin listelerin maddelerini aklımdan geçirirken? bir kez daha uyumaya çalışıyordum. Bu minder kayması elbette tetikte durmamı sağlıyordu; o kadar da derin bir uykuya dalamadığım için kulağım bebeğimde olabiliyordu. Ne var ki kolayca geri gelmiyordu kaçan uyku ve giderek karanlığı çözülen geceden kuruntulu düşünceler akıyordu üzerime. Kaç yaşına gelmiştim, kaç yıldır iş hayatının içindeydim, yine de bana ait, istediğim gibi uzanabileceğim bir yatağım yoktu. Elimden gelen her şeyi yapıyordum çocuğum için, ailemin ve toplumun hatırına; işte, birkaç saat uykuyla idare etmeyi öğretmiştim, uykuya aç bedenime ve oturma odalarının düzeni belirsiz hayatları tarafından işgal edilen iskeleti çökmüş kanepelerde geçiriyordum, gecenin uykuyu en fazla çağıran saatlerini.

Peki, evlenmeden önceki aylarda beni sevdiğini kaç kez söylemiş bir adamı iki yıl bile geçmeden kendimden ne yapıp da uzaklaştırmıştım, nasıl olmuştu bu?..

İlhami beni severdi, ya da bende bulduğu Selma Hayek'i sevdiğini sanırdı, günün birinde kızıma iç rahatlığıyla aktarabileceğim bir hakikat bu. Aynı soru her geçen gün yeni bir içerikle çıkıyor karşıma: İnsan kendisini bir şekilde sevmiş olan bir adamı iki iki buçuk yıl içinde nasıl kendinden uzaklaştırabilir ki... Dile getirilmesi abes bir sürü ufak tefek anlaşmazlık bir tarafa, aramızdaki en önemli uyumsuzluk konuları, mutfak işlerindeki beceriksizliğim ve henüz genç denilebilecek annesiyle babasının yaşlılık hayatları konusundaki endişelerini çoğaltan mesafeli duruşum... Ona iş hayatında beklediği desteği veremeyişimi de eklemem gerekiyor bu listeye. A şıkkı, B şıkkı, C şıkkı... Kızımla görüşürken bu şıkları kendine göre tefsir ederek değiştiriyordu babası.

Kızımın yüzünde çoğu zaman babaannesini görüyorum. Onun gözünde, kadınlık bilgisinden, görgüsünden yoksun bir gelindim. Ona kendimi beğendirmeye çalışmadığım için de İlhami kolaylıkla vazgeçebildi benden. Başka nedenler de var tabii... Selma Hayek'e benzemiyordum evin içinde, akşam saatlerini İngilizce çalışmaya ayırdığım için onun anarşist yazarlardan yaptığı alıntıları yarım kulakla dinlemeye başlar olmuştum ve kayınvalidemin pişirdiği haşhaşlı çörekleri atıştırırken kilo almayı sürdürüyordum. Böylece uzayıp giden nedenlerle kızımı babasız bıraktım. Bunun bedelini yıllar yılı kanepelerde geçiştirilen uykularla ödemiş olmam mümkün mü...

Çok sonraları, erkek kardeşimin ikinci çocuğunun dünyaya gelişinin ardından, kızımın ders çalışmak için bir odaya belirgin olarak ihtiyaç duyduğu bir dönem gelip çattığında, babamla annemin evinden ayrı bir eve taşınıp da penceresinin önü küçük bir masa, tik ağacından bir kanepe ve bir sandıkla okuma odası olarak düzenlenmiş güneş alan bir yatak odasına, bir yanında şifonyer diğer yanında antika bir sehpa bulunan bir karyolaya, mayt oluşumunu engellediği, toz ve kir tutmayacağı, vücut ağırlığını eşit şekilde dağıttığı söylenen ortopedik ergonomik bir yatağa kavuştuktan sonra bile, gecenin bir saatinde uykuya dalabilme umuduyla salondaki kanepeye taşınmayı sürdürdüm gerçi.

Gecenin önemli bir bölümünü kanepede geçirmek için bir gerekçe bulmaya hiç de mecbur olmadığımı düşünerek, elimde yastığımla yorganımla süzülüyordum salona. İstediğim yerinde yatabileceğim halde evimin, hiç tereddüt etmeden dosdoğru üçlü kanepeye (ruh halime göre bazen de ikili koltuğa) yöneliyordum.

Kanepeye yerleşir yerleşmez, biraz önce yatağımda kaçıp giden uykunun gelip beni bulacağından hiç kuşku duymayarak, duruma göre bir liste veya listeler hazırlamak için harekete geçen zihnimin akışına kendimi bırakarak kapatıyordum gözlerimi.

Git Öyleyse,
Bohçanı Al da Git

Doğum gününde kutlama mesajı atmış çocuğun annesi. *Öyleyse ben de onun doğum günü için bir hediye almalıyım.* Ne uygun düşer, nasıl bir şey; mesela bir kolye olabilir mi? Bilmiyorum kızım, gerçekten, karar veremiyorum bu konularda. İstersen bir kolye al, ama bana kalırsa almaman daha yerinde olur, henüz ciddi bir bağ yok ki aranızda... Olabilir, yani olacak, biliyorum, bu yıl ya da gelecek yıl olmasa da onu izleyen yılların birinde bir gün çiçek buketi çikolata tabağıyla çalacaklar kapımızı ve ben, takınabileceğim ölçüde nazik bir tutumla karşılayacağım onları. Yok, yapamayacağım o kadarını bile. Karşılamayı yani, başaramayabilirim. Gerilerde durup, aralarda kaybolacağım. Söze karışmaktan da kaçınacağım; yersiz bir söz sarf edebilirim. Kızımı istemeye gelecek birileri ya, o durumda, verdim gitti, diyemeyebilirim. Verdim gitti, deme konumunda olan zaten –eğer varsa? kızın babasıdır. Bense, verdim gitti, cümlesini duymamak için o sırada başka bir düşünceye dalacağım. Kızımı verdim gitti, diyen ben olmasam da onlar öyle söylediğimi varsayacaklar; kız isteme geleneği neyi gerektiriyorsa yerine getirmiş olacaklar çünkü, çiçekleri çikolatalarıyla, Allah'ın emrini, Peygamber'in kavlini hatırlatan bildirimleriyle. İnsanlık kültürünün bu yaygın ve kolaylıkla değişmeyecek adetini bir şekilde benimsemek gerek. Önümde aylar var, hatta bir yıl, iki yıl; bu süre üç yılı da bulabilir. Bir bakıma az bir zaman değil, her gün bir süreliğine bu konuya yoğunlaşarak kızımın istenmesi sahnesine hazırlanabilirim. Aslında bazen de yetersiz görünüyor zaman ve günler de öyle hızlı geçiyor ki... Kötü bir oyuncuyum ben, böyle bir sahnede biraz da olsa inandırıcı olabilmek için en az beş yıl gerek bana. Kızım üzerime gelsin, bezdirsin, yorup usandırsın kendinden, ya da bu çocuğun kaçırılamayacak bir fırsat olduğuna inandırsın beni bir şeyler, inandırabilsin... Yok ama, olmayacak bu dediklerim ve ben ne kadar zaman geçse de aradan, kızı istenilen bir anne gibi davranmayı beceremeyeceğim. Çocuk yirmi iki yaşında ve endüstriyel sanatlar alanında tahsil görüyor. Bir kursta resim dersi veriyor, özel ders verdiği öğrencileri de var, çalışkan yani. Yine de yirmi iki yaşında bir çocukla nasıl bir evlilik düşünülebilir? İkisi bir araya geldiklerinde her şey kendiliğinden yoluna girermiş gibi bir duygu içinde, diretiyor kızım.

Düğün istemiyor, ama yine de bir törenle duyurulmalı evlendiği eşe dosta, akrabaya, değil mi... Lüks bir ev düşlemiyor, ama içinde yaşanabilir olmalı, gelin olarak gideceği ev, ben de öyle olmasını istemez miyim? Belki de en doğrusu damadı eve getirmek, kendi odasına.

Evde bir damat düşünemiyorum, kızım evden gitsin de istemiyorum. Bir düğün için gerekli hiçbir şeyi bilmiyorum, öğrenmeye de açık değil zihnim.

Bak, bir aidiyet duygusu yok bu çocuğun, diyorum, aile kavramı da zayıf; işte, Kanada'ya göç etmeye çalışıyor. Sinirleri de zayıf, hemen bozuluyor morali, kolay vazgeçiyor planlarından projelerinden. Belki de sana dayanarak sürdürecek hayatını, ortak hayatınızın yükünü sen kaldıracaksın. Dişçiye gidemiyormuş; sen söylemiştin ya, dişçi korkusu var diye.. Düşün ki bütün gece diş ağrısı çektiği halde, sabaha karşı ağrısı hafifleyecektir nasılsa diye ağrı kesici alıyor üst üste ve ertesi gün ağrıları hafiflediği için dişçiye gitmeyebiliyor. Sıkıntılarıyla, problemleriyle yüzleşmeyi ertelemeyi alışkanlık haline getirmiş biri gibi geliyor bana. Gündüz uyuyor, gece çalışıyor; evliliğe hiç hazır hazır değil şu haliyle ki sen de değilsin.

Ben de hazır değilim senin evliliğine hoş, bir kız evlat nasıl evlendirilir, bu konuyu düşünmeye de hazır değilim ya...

Peki, bu acele niye; içinde bulunduğun yaşın üstün meziyetlere sahip sayılan kızlar için dahi bir evde kalma tehlikesini haber verdiği zamanlarda yaşamıyoruz ki... Sudan'la ilgili bir belgesel izledim geçenlerde, kadınlar otuz yaşlarında evleniyorlarmış orada, bunun şehirleşmeyle, kadınların ekonomik özgürlüklerine kavuşmasıyla filan da ilgisi yok. Tabii Sudan'da yaşamıyoruz, Darfur gibi kanlı bir sınır sorunumuz yok, ama bu konunun içindeyiz yine de. Evlerini terk etmiş insanlar, çadırlarda, bir sürü imkansızlıkla yüz yüze, hayata tutunmaya çalışıyorlar. Kişi başına neredeyse bir Batılı gözlemci, sivil toplum kuruluşu üyesi düşüyor. Kameralar, kameralar... Tamam, konumuz bu değil, yani bir açıdan belki de bu, çünkü sonuçta evlerini terk etmiş insanlar bir nedenle, belki ölümcül nedenlerle. Tabii bu senin hayatın, türlü tecrübeler edinerek yaşayacaksın bu hayatı, ama söyler misin, annen olarak hiç mi fikir yürütmeye hakkım yok bu konuda? Böyle önemli bir konuda tek laf edemeyeceksem, sen de ikide birde açma bu konuyu yanımda ve o kadar güveniyorsan kararına, git evlen, bir şekilde evlen, kaçarak evlen mesela, beni de kurtar bu sıkıntıdan kendini de.

Dur! Sözlerimi ciddiye almadın herhalde. Bazen kaçmak en kolay çözümmüş gibi görünür, ama öyle olmayabilir de. Kaçmak sana uyan bir çözüm değil, zaten çözüm değil, ağır gelecektir sana daha yolun başında ve kendini suçlamana yol açacaktır. Açık yürekli, dürüst, kendi kararlarına sahip çıkan, kendini ya da başkalarını kandırmayan, yani ne bileyim, yalandan ırak bir genç kız olasın istedim. Bu nedenle de karşında konuşurken güvenimi yitiriyor, bocalıyorum. Seçimini yapmışsın çünkü, seçiminin haklı gerekçelerine inanıyorsun ve ben senin seçimine hazır olmadığımı anlatacak en uygun kelimeleri seçmekte zorlanıyorum. Aşk haklı bir gerekçe, kabul. Fakat aşkını sınamanı istiyorum senden. Bekle, bak, göreceksin... Yani görmelisin ve göreceğini biliyorum. Bu yüzden destekleyemiyorum seni ve alıştırmıyorum kendimi, muhtemel evliliğinin tören sahnelerine. Kaç istersen, derken, kaçmayacağına inandığım için rahat göründüğümü de bil. Beni sinirlendiriyorsun inadınla, bu yüzden sonradan pişman olduğum konuşmalar yapıyorum. Fakat, kaç git istersen, derken, çekil git başımdan şimdi, demek istiyorum aslında.

Çünkü aşkının gücünden söz ediyorsun hep ve bu da zorluyor beni, yani senin sahip olduğunu sandığın o güçlü duyguyu karşıma almak... İnatlaştığımızda kaçıp gidebilecek kadar aşıksın ve kaçıp gidersen de bunun tek sorumlusu ben olacağım. Kaçıp gittiğinde aşkın bitecek, biliyorum, yine de kaçıp gidesin istemem. Biliyorum, evet, iyi biliyorum; ben de neredeyse öyle evlenmiştim, elime bohçamı alıp da kaçmasam da savsaklanan, aceleye getirilen törenlerle, işlemlerle evlendiğim için öyle gelmişti bana. Bunun için yakındığımı sanma, görücülere kahve tutmaya hazırlanan bir genç kız değildim. Birileri beni istemeye gelecekti, önemli bir ailenin yaşlı başlı fertleri. Ispartalı tanınmış bir aile; evli kızları, amcamın bir arkadaşının komşusu imiş. Eve erken dönerek kendime çeki düzen vermeli, kahve yapmak üzere mutfağa geçmeliydim. Beni bir yerde görmüşlerdi daha önce, ya da amcamlarda fotoğrafımı görmüştü kızları, hatırlamıyorum şimdi o ayrıntıları; bütün bu işlemler kural gereği gerçekleşiyordu, ama açık ki bir kez de evin içindeki görüşleriyle pekişecekti yargıları. Kahveleri sen yapacaksın, oyalanmadan dön eve, diye tembih etmişti annem. Öğrenciydim henüz; üniversite dönüşü, bütün vasıtalarda bir aksama meydana geldi; ben istediğim için. Otobüs bozuldu, vapuru kaçırdım, minübüs kuyruğu çok uzun olduğu için, şu kadarcık mesafeyi yürüyebilirim nasılsa diye, yollara düştüm. Şu kadarcık yol hiç de şu kadarcık sayılmazdı, bunu bilmiyor da değildim, yine de başka çarem yokmuş gibi sürdürdüm yürümeyi; eve vardığımda epeyce geç kalmıştım ve görücüler gitmişti. Tamam, anlıyorum, senin durumunda söz konusu olan bir görücülük vakası değil, apaçık bir isteme merasimi; seni benden, yani babandan isteyecekler. Niye seni isteyecekler ve senin istenmekte oluşunu olağan karşılamayı nasıl başarabilirim, hem sanki tercih eder miydim babandan değil de benden isteniyor oluşunu, bu sorularla kafam karışıyor. Sadece bir formalite, bu böyle, aslında kimsenin seni alıp gideceği yok, bu bir oyun, yüzyıllarca sahnelenmiş bir oyun, katılmaya zorunluyum, aksi halde mutsuz ederim kızımı, diye de düşünebilirim, isteme merasimi sahnelerine katlanabilmek için.

Bunları düşünüp duruyorum, saatlerce, günlerce, yine de öyle bir sahne içinde hayal edemiyorum kendimi. Kızı istenen bir anne olgunluğuna sahip değilim daha, bunu anla.

Ailesini tanımayı da isteme benden, şimdi şu sıralar isteme bunu, kaldı ki damadım olmaya hazırlanan çocuğu da tanımıyorum daha ve nasıl tanıyabilirim, ilk adımı nasıl atabilirim, ilk seslenme, ilk yakınlaşma nasıl olacak; bunları da uzun uzadıya düşünmeye başlamam gerek.

Her şey kendiliğinden gelişecek ve yerli yerine oturacaktır, o çok iyi bir insan, kusursuz bir insan hatta, bunu hep söylüyorsun. Haklı olabilirsin, muhtemelen haklısın. Endüstri alanındaki tasarımlarıyla şimdiden mesleği alanında bir ün edinmiş. Seni zaman zaman grafiklerini, desenlerini çizdiği, bu nedenle de en az iki yıl faturaları yarı yarıya ödeme hakkı kazandığı bir pizzacıya götürüyor. Bu genç yaşında iki kursta perspektif dersi de veriyor. Sevilen bir öğretmen, öğrencileri etrafında pervane oluyorlar. Üniversiteyi de bitirmek üzere, tek dersi kalmış, bu tek dersi de ezber gerektiren kitaplarla başı hoş olmadığı için veremiyor bir türlü; anladım. Bazen üzüyor seni, ağlatıyor; bana çok uzun gelen telefon konuşmaları sırasında göz yaşı döktüğünü, ona bağırdığını, sorular sorduğunu görüyorum. Kulaklarıma ulaşmıyor konuşmaların içeriği, sadece ağlama sesini duyuyorum ve bu ağlama sesi, evliliğe hazır olduğun konusundaki kuşkularımı pekiştiriyor. Aşk acısını gereksindiğini söylüyorsun, ben kuşkularımı yansıttığımda. Aşkı bu şekilde hissedişin yüzünden onunla ilgili anlattıklarına bütünüyle güvenemeyeceğimi biliyorum. Onu inceden inceye tanımak istemiyorum yine de, eve çağıramam şu durumda, henüz; senin evlilik yaşın değil ki...

Sıradan hazırlanmış törenleri sevmem, mükemmel bir törene özgü hazırlıklar ise çok uzak görünüyor bana. Tarih veremem, gelecek yıl diyemem, bu yıl da diyemem tabii; bekle, iki sene geçsin, üç sene hatta. Bak, sabrımı zorlama, başka ne diyebilirim ki, elimden geleni bu kadar. Dedim ya, kaç kaçabiliyorsan, bohçanı eline al kaç, kaç git ve kurtar beni o törenlerin, yerine getirilmesi icap eden adetlerin sıkıntısından. Bencillik değil bu, başka bir şey; her şey olamama, her şeye yetememe ile ilgili bir şey, ya da değil. Sırası değil yani, bana göre sırası değil. Sevdiği için elbette katlanır insan en fazla bir saat ya da iki saat sürecek bir törene, ben de aksini söylemiyorum. Bunun için hazırlamalıyım kendimi, ne sanıyorsun; bazen bir konu için yola çıktığımda iç dünyamda, milim milim ilerliyor ayaklarım. Beni yanlış anlama sakın, öyle hemen kaçayım da deme, küçüksün daha, büyük büyük laflar etsen bile evliliğin sorumluluklarını kaldıracak yaşta değilsin ve ben de senin için erkenden evliliğe açık bir gelecek tasarlamamıştım, yani erkence evlenen bir kızın anası olmayı düşünmemiştim; yeterince çeyiz hazırlığı yapmış da sayılmam. Nasıl güveniyorsun bir evi çekip çevireceğin konusunda ki çocuk gecesi gündüzüne karışık bir hayat yaşamaya alışmış. Gece çalışıyor, gündüz uyuyor, anlattığın kadarıyla. Gece diş ağrısı çekiyor, gündüz uyuyor, akşama doğru perspektif dersi vermeye gidiyor. Yaşı senin yaşına çok yakın ve zaten bebek yüzlü, dediğimde, cep telefonundaki fotoğrafına bakıp da, ne istediğini anlamıyorum, çirkef iç yüzü dışına vurmuş karanlık ifadeli bir adam mı getireydim karşına, diye ters bir cevap vermen gerekmiyordu. Bana muhallebi çocuğu gibi görünüyor arkadaşın, hayatın zorluklarını bir şekilde yaşamamış gibi geliyor, o nedenle de senin gibi zor bir kızı nereye kadar kaldıracağı, aşkının ne kadar dayanıklı olduğu gibi konularda kuşkularım olması hiç yersiz değil.

Hem bak ne diyeceğim, bu konuda konuşmaktan hoşlanmıyorsun biliyorum, ama konuşmamız gerek. Anlattıklarından çıkardığım kadarıyla babası cumalara gitse de çocuğun namazla oruçla alakası yok. İçki içiyor da olabilir, daha beterleri de var, bunca düzensiz bir hayat ve hiç sonu gelmeyen unutmalar, yanıltmalar, denemeler, sınamalar; nasıl emin olabilirsin ki... Bunları bana sen söylemiş değilsin, yani doğrudan doğruya söylemedin; zaman zaman anlattıklarından öyle bir sonuç çıkarıyorum. Kinik biri de, bana öyle geliyor. Kinikin anlamı şu, nasıl anlatsam, yani olumlu bir anlama da çekilebilir istenince, fakat fazlasıyla kayıtsız olabilir kinik, topluma karşı sorumlulukları konusunda. En ünlü kinik, Diogenes; hayatının bir kısmını bir fıçı içinde geçirdiği söylenir. Eşyalarını evin her köşesine yayan senin gibi bir kızın bir fıçıya kendini nasıl sığdıracağını merak ediyorum... Abarttığımı sanmıyorum. Dişçi korkusu yüzünden dişlerinin çürümesine izin veren biri o da sonuçta. Sana yaramadı varlığı; yüksek lisans sınavlarını kazanamadın, tezin de yirmi ikinci olmuş ki sınıfın en iyi öğrencilerinden biriydin. Peki, sonra ne olacak söyler misin, işte o çarka kapılıp gideceksin, yani ortalama bir işte çalışan genç anne yaşantısının çarkına; çocuğunu bırakmak ve almak üzere uğrayacaksın bana işe gidiş-dönüşlerinde... Bense daha buna hazır değilim, anneanne olmaya, bebek bakmaya, doğacak bir bebek için hazırlık yapmaya hazır değilim, bebeğine babaannesinin bakması ihtimali de uzak görünüyor gözüme. Niye biliyor musun, ailesi de gece yaşamayı seviyor anlattıklarına bakılırsa, geç yatıyor geç kalkıyorlar, biz ise erken yatıp erken kalkmaya alışkın bir aileyiz. Tamam, çok yetersiz bir açıklama bu ailesini değerlendirmek için, onları pek tanımıyorum, aslında hemen hiç tanımıyorum ve şu sıra tanımak da gelmiyor içimden... Hiç tanımak istemiyorum demiş değilim, şimdi tanımaya hazır değilim, bu konuda çok zayıf, çok beceriksiz hissediyorum kendimi.

Ne de olsa görücülerin geleceği günlerde evden uzaklara kaçan, bulunduğu yerden eve ulaşamayan bir genç kızdım ben, anlatabiliyor muyum? Görülmeye kendini hazırlamak, beğenilmek gibi beğenilmemenin de mümkün olduğu ziyaretler için koşturmak, üstelik de anne tarafından, abla veya teyze tarafından beğenilmek üzere kendini hazırlamak bana çok küçültücü görünüyordu. Böyleyken, yarım yamalak da olsa yaşadım o sahneleri, eksiğiyle gediğiyle yaşadım, o eksilerek yaşanmış sahnelerin neden olduğu aile tartışmaları yüzünden de delice adımlar atmayı denediğim oldu. Fakat annem, her şeyin yerli yerinde olmamasını asla kabullenemeyecek bir kadın olan annem, benim için önemsiz sayılabilecek ihmalleri, aslında ona ihmalden ziyade kabalık olarak görünen özensizlikleri hiç unutmadı. Beni istemeye büyükannenle büyükbaban sağ olduğu halde halanla eski kocası gelmişti, ucuz çikolata ve çiçeklerle; ağızda kötü bir tat bırakacağı açık olan o adi çikolataları, birileri yanlışlık eseri yiyip de midesini bozmasın diye çöpe atmıştı teyzen.

Öğrenciydi baban evlendiğimizde, ailesi destek olmadığı için çalışmaya mecbur kaldı, bıraktı üniversiteyi sonunda, ondan sonra da hiçbir işte uzun süre çalışmadı, çalışamadı; bunları biliyorsun. Ailesi işin kolayına kaçıp beni suçladı, bu nedenle de istenmeyen gelin olmaktan kurtulamadım. Kendi üzüntüme dayanabilirdim, aslında üzüldüğüm de yoktu, ben bir tören istememiştim, törensiz olmaz diyen, davetlilerin listesini hazırlayan, düğün davetiyesi ve şekerler için koşturan annemdi. Öyle şeyler yaşandı ki daha sonra pişman oldu o da, onca kalabalık bir davetli listesi hazırladığına. Nikâh salonu tıklım tıklım doluydu sanki, öyle değildiyse bile bana öyle görünüyordu. Tanıdık yüzler geçiyordu önümüzden, tuhaf bir bocalama yaşadıklarını göstererek geçiriyorlardı. Nikâh salonunun önünde bekliyorlardı, kayınvalidemle kayınpederim çünkü. Ancak kapının önüne kadar gelmeye güç yetirmişlerdi oğullarının hatırı için, fakat içeri girmeye, törene dahil olmaya katlanamamışlardı. Bu tuhaflığı babamın hiç umursamadığını, fakat annemin güçlükle ayakta durduğunu ve kutlamaları kıpkırmızı bir yüzle ve bakışlarını kaçırarak kabul ettiğini görebiliyordum.

Kolay değildi annem için o duruma katlanmak, hiç değildi; ne bırakıp gidebiliyor, ne de her şey olağanmış gibi davranabiliyordu, damadın ailesinin davetlilere aşikar olan tavrı konusunda. Nikâh töreninin ardından bir yıl kadar geçtikten, sen doğduktan sonra yani, yüzeysel bir şekilde barıştık büyükannen ve büyükbabanla, fakat annem o salonda yaşadığı utancı hiç unutmadı. Demek istediğim, bu işlerin aceleye gelmeyeceği, getirilemeyeceği.

Beni zorlama, üzerime gelme, üç beş ay içinde yüzük takmaktan, iki şahitle nikah memurunun karşısına çıkmaktan söz etme; zaman tanı bana. Bunu yapamayacaksan da git, nasıl gidersen git, kaç git hatta, yapabilirsen. Kolay değildir kaçmak, senin için hele hiç kolay olmayacaktır; kaçırılmış kız muamelesi görmeye katlanabileceğini sanmam. Ben seni öyle yetiştirmedim, meseleleri kaçmak yerine dürüstçe çözümleyebilecek açık bir zihnin olabilsin istedim, bu nedenle de küçük yaşlarından itibaren bir yetişkinmişsin gibi konuştum seninle, bir yetişkinmişsin gibi içimi açtım sana. Beni bu yüzden az da olsa arkadaş yerine koyduğun için, söylediklerimi hafife alıyorsun. Ya da çoğu kez kitaplardan kopma anarşist cümlelerime bakarak, insanların hakkımızda neler söyleyeceğine hiç aldırmayabilirmişim gibi geliyor sana. Bazen kendimi tanıyamadığım anlar yaşamıyor değilim. Minimal enerji seviyesinde –bir kaplumbağa misali? yaşayıp giderken bir güç biriktiriyorum sanki, toplumun acımasız yargılarına dayanma gücü. Gözümü kararttığım anlar vardır; canım çok acıdığında, ya da çok fazla utanca kapıldığımda, veya bana katlanılmaz gelen bir haksızlığın tanığı olmuşsam, gündelik sıradan duruşuma yabancılaştığım, bile isteye yabancılaştığım bir eyleme kalkışabilirim. Verdim gitti, derim bir dilenciye, verdim gitti bu masayı, bu dolabı, bu fırını, bu değerli biblolare verdim gitti. Ne bileyim, adamı kolundan tutup götürmüşler, sonra ölüm haberi gelmiş, intihar etti diyorlar, işte şu kadar kat yukarıdan attı kendini cinnet geçirerek; buna da dayanamam işte, basarım imzayı. Verdim gitti, derim bir kütüphane dolusu kitabı, sokakta yürürken tanış olduğum hurda-kağıt toplayan sıska çocuğa ki içlerinden önemli bir kısmı yazarı tarafından imzalanmış olabileceği halde. Verdim gitti, derim yeni, yepyeni bir giysiyi, kendime çok yakıştırdığım ya da çok pahalıya aldığımı düşündüğüm için. Aldım gitti, dediğim zamanlarda ise, çoğu kez yanılgıya düşmüş olmanın azabını yaşatırım kendime. Biri bana eli açık olmayı öğretmedi, ellerim hep açıktı ve konuşurken de açık sözlü olmayı bir meziyet sayarım. Fakat söz konusu olan sensin şimdi, bana göre çok daha farklı bir kişiliği olan, bir karara vardığında kolayca fikrini değiştirmeyen, bu açıdan da daha ziyade baba tarafına çekmiş olan, sen. Bir törene, böyle bir törene, kız isteme törenlerinin mantığına kendimi ikna edebilmeliyim, içten içe bile olsa senin istendiğini bildiren sesi duymaya hazırlanmalıyım. Zaman alacak, fakat ne kadar bir zaman, hiç kestiremiyorum. Her zaman gerektiğinden daha geniş zamanlar tanırım kendime büyük kararlar alma konusunda, fakat bu da alışılagelmiş herhangi bir konu değil ki... Bir kız isteme merasimi en yalın haliyle nasıl gerçekleşebilir, iki tarafı da eşitleyen bir diyalogla mümkün olabilir mi ayrıca, bu sorular üzerine düşünmek için zaman tanı bana.

Acele etme öyle, bekle, biraz daha, yeteri kadar bekle; kızını evlendirecek bir annenin ihtiyaç duyacağı iç genişliğine biraz olsun yaklaştığımı duyabileceğim bir zaman. Dünya senin merkezinde dönmüyor, hem farkında mısın bilmiyorum, bir ateş topuna dönüyor dünyamız gitgide. Darfur'u ele alalım; dünyanın en büyük insanlık krizlerinden biri yaşanıyor orada. Asıl mesele paylaşılmayan su kaynakları, biliyor musun; Kuzey Darfurlular kuraklık ve çölleşme nedeniyle güneye akın edince, geçimlerini çiftçilikle sağlamaya çalışan köylülerle çatışmaya başlamışlar. Düşünsene! İki milyon insan yerinden yurdundan oluyor dört yıl içinde ve iki yüz bin insan da canını veriyor. Su kıtlığı yüzünden! Bütün o göçebe, sığınmacı insanlar, eski yurtlarına, şehirlerine köylerine, evlerine geri dönebilecek mi? Bir kez giydiğin giysiyi kirli çamaşır sepetine attığın için, senin de meselen bu. Kuzeyi güneyi tropikalı yok bu işin, bileşik kaplar gibi bir konu bu, daha doğrusu bir mesele! Nereye gidersen git, ya da gitme bir yere, marketle ev arasında tüket ömrünü, yine de Darfur'u hatırlatıyor fazla olan eksik olan hatta yerli yerince görünen her şey; yani bana öyle geliyor.

Sedef'e Benzemek

I

Yolculuğun sonlarına doğru özellikle, içinde bulunduğumuz otobüsün havası, gittiğimiz şehrin –eşimin doğduğu şehrin– futbol takımının iki gün sonra deplasmanda yapacağı maçla ilgili tartışmalarla epeyce gerginleşmişti. Yolcuların çoğu, yaz tatili için akrabalarına, anne-babalarına yaptıkları yıllık ziyareti iki gün sonra yapılacak maçın tarihine göre tespit etmiş kimselerdi. Konuşacak bir konu bulamadıkları için de bu maçın önemini abartıyorlardı; öyle görünüyordu kızıma. Bense benzeri tartışmalara daha önce de tanık olmuştum; bağlık bahçelik arazisi ve üniversitesiyle etrafındaki şehirlere nispeten müreffeh sayılabilecek bu şehirde, bir maçın ardından caddelerden zafer çığlıklarıyla akan kalabalıklar yüzünden trafiğin tıkandığı bir noktada saatlerce beklediğimi hatırlıyorum. Eşimin şehrinin ahalisi için birinci lige çıkmak, şehirlerinin futbol takımına yapılmış tarihi bir haksızlığın düzeltilmesi anlamına geliyor adeta. Bir zamanlar, hani, Osmanlı İmparatorluğu zamanında yani, şehzadelerin eğitildiği merkezlerden biri olması nedeniyle zamanının şartlarında bir hayli gelişmiş olduğu söylenebilecek olan şehir, o ihtişamlı geçmişine sanki birinci lige çıkan bir takım olarak ulaşabilecek!

Futbolla çok ilgili biri sayılmam. Kulağıma gelen cümlelerden anladığım kadarıyla, tartışmaların bir nedeni, daha önce aynı takımla yapılmış maçta kaçırılmış gollerin sorumluları konusundaki görüş ayrılıklarıydı. Bu kaçırılmış gol fırsatları yüzünden kimisi kaleciyi, kimisi futbolcuları, kimisi de takımın en iyi golcüsünü sudan nedenlerle yedeğe alan teknik direktörü suçluyordu. *Bu takımın esaslı oyuncularından biridir Serdar. Sen öyle bir oyuncuyu nasıl yedeğe çekersin!..*

Şehirlerinin takımı, elli yılı bulan tarihi boyunca ilk kez birinci lige çıkma fırsatını yakaladığı için, herkesi bir şekilde ilgilendiriyordu iki gün sonra yapılacak maç. Futbol söz konusu olduğunda kullanılan özel dile ilk kez bu kadar yakınlaşıyordum: *Necati'nin kanatlara kaçışıyla, Murat'ın öne çıkışıyla rakibimizi önde bastılar, ama...* Benzeri ifadeler farklı kelimelerle yeni baştan kurularak dolaşıyordu otobüste, öyle ki futbol terimleriyle pek az ilgim olduğu halde, kimi cümleleri daha sonra birilerine aktarabileceğim kadar ezberledim. *Bir takım düşünün ki, 90 dakikada en az on gol pozisyonu oluştuğu halde maçı 2-0 kazanıyor; bu maça ağlanmaz da hangi maça ağlanır,* diye yükseliyordu arka koltuklardan, otobüste gezinen öfkeyi çoğaltan yorumlar. *Yahu, rakibi günlerdir bas bas bağırıyordu, artık benim adımdan başka hiçbir tarafım büyük değil diye...* Bizimkilerin ilk maçın ikinci yarısındaki hücumu sırasında defansta nasıl panik yaşadıklarını gördük adamların.

Hakem de elbette kime kırmızı kart göstereceğini şaşırmış bir "ibne"ydi; kimsenin kuşkusu olamazdı bundan!

Ağzımızı bozmayalım abiler, aileler var otobüste, bayanlar var, diye bağırdı ikinci şoför, arka sıralardan. *Küfür bizim takımın zihniyetine yakışmaz.* Şoför muavinine göre, geçen bütün maçların toplamında gösterdiği başarı hesaba katıldığında ?herhalde Serdar'ın yerine oyuna alınmış olan? Aykut'un bu yapılacak maçta yedeğe bırakılması tarihi bir hata olurdu. Peki Serdar sahiden de gelecek sezon için birinci lig takımlarından biriyle anlaşmaya mı hazırlanıyormuş?.. *Abuk sabuk bir iddia,* dedi, başına şehir takımının renklerinden bir şapka geçirmiş olan genç bir yolcu. *O öyle gizli anlaşmalara tenezzül edecek şerefsiz bir futbolcu değildir.* Hayır efendim, Aykut'un sadece adı vardı; çapsız bir köşe yazarının çalımlarını "liglerin Metin Oktay'la birlikte en efsanevi futbolcusudur" diye açıkladıktan sonra Lefter'inkine benzettiği yazısının ardından takım içinde değeri artıvermişti ansızın. Bir hoca maç boyunca takımın en iyi oyuncusunu, gol kralı olmaya aday olabilecek bir oyuncuyu yanında oturtuyorsa, ben ona teknik direktör falan demem. Serdar maçta yoktu ve daha ilk golden önce üç pozisyon verdiler. Uzun zamandır yedekte tuttuğun, idmansız olduğu belli olan bir futbolcuyu Serdar'ın yerine oynatıyorsun. Devamlı pozisyon hatası yapan Nuri oynuyor. Ama takımın yıldızı Serdar, oyuna alınmıyor!

İşin aslını bilmeden atıyorsun oğlum, dedi ikinci şoför. Serdar'ı oyuna sokamazdı adam, çünkü omzu cidden sakat.

İdmansızlığı apaçıktı Aykut'un ama, renkleri takımın renklerinden oluşan bir şapka takmış olan genç adama göre. Serdar muhakkak ki sakat haliyle bile ondan çok daha iyi götürürdü maçı.

Fakat Serdar'ın omzunun sakatlığını bir bahane olduğunda diretiyordu, bir diğer yolcu. Ona kalırsa takımın golcüsünün yedeğe çekilmesinin nedeni, özel hayatındaki istikrarsızlıktı. Omzu sakat adamın ne işi olurdu gece kulüplerinde...

- *Şehrimizin takımına hiç yakışmıyor, isterse altın ayakkabı'ya aday olsun! Çocuklarımıza kötü örnek oluyor!*

- *Çocuklarına Serdar değil, sen iyi örnek olacaksın!*

- *Yahu, sen benim çocuklarıma nasıl örnek olduğumu nereden bileceksin!*

Giderek ses tonları sertleşiyordu; bunun önüne geçmek için ikinci şoför erkence bir mola verilmesini sağladı ve iki futbol fanatiği yolcuyu yanına alarak, lokantanın şoförlere özel servis verilen, bir perdeyle ayrılmış bölümüne götürdü.

O sırada işte, kirli tuvaletlere girmek zorunda kalmamak için yol boyunca ikram edilen çayları, meyve sularını içmekten kaçınan kızım, ısrarım üzerine eline tutuşturduğum küçük su şişesinden minicik bir yudum aldıktan sonra,

- İnsan niye takım tutar ki anne, diye sordu.

Düşüncelerimin bir kısmını kendime saklayarak cevaplandırdım sorusunu:

– Bu maç ikinci ligin iki önemli takımı arasında yapılacak, yenen takım birinci lige çıkacak puanı kazanmış olacak anladığım kadarıyla...

– Yine de çok abartıyorlar bence... Bir takım niye tutulur, gerçekten anlayamıyorum.

– Kimisi bir futbol takımı tutar, kimisi bir siyasi parti. İnsanlar kendilerini önemli ve değerli hissettirdiği için, bir topluluğun, bir grubun içinde olmak isterler...

Söylediğim son cümle çok da üzerinde düşünmeden çıkmıştı ağzımdan, içimden sürdürdüm konuşmamı. Takım tutmayı hiç anlayamadım ki ben de, maçlarda tribünleri doldurup tezahüratta bulunan taraftar kesimlerinin çok uzağında duymuşumdur kendimi hep. Takım tutamam, aslına bakılırsa parti tutuyor da sayılmam. Kaç seçim kampanyasına tanık oldum ömrüm boyunca, sadece bir kez gittim seçim sandığının başına. Askeri darbenin liderinin gösterdiği adayın karşısındaki kişiyi desteklemek için o da...

Senin yaşlarındayken siyasal partilerin temsil yeteneğine inanmaz, futbolun ise emperyalizmin bir silahı olduğunu düşünürdüm. Gitgide futbolla ilgilenmeden edemeyecek kitlelerin varlığını kabullendim. Futbolun kendi içinde bir büyüsü, hatta bir estetiği var, olmalı; orası açık. Fakat hiç tanımadıkları, daha doğrusu sadece futbol alanındaki becerileri nedeniyle belki bir hayli yoksul odalarının başköşesinde yer verdikleri insanların yenilgileri ya da zaferleri nedeniyle birbirine giren, birbirini yaralayan hatta öldüren şu gözünü karartmış yığınlara da ne oluyor ki...

Bunları söylemedim, söyleyemedim ona. Bana benzemesin. İçimde büyüyen sıkıntıyı da bilmesin. Birazdan bitecekti yolculuk. Şimdiden duyuyordum sitemkâr kalabalığın sesini. Gelmiyorsunuz. Niye gelmiyorsunuz? Neden daha sık gelmiyorsunuz? Bayram tatili dokuz gündü, niye gelmediniz ki...

En fazla senede bir gelebiliyorum bu şehre, orası öyle. Bir yıl geçti aradan ve ne de çabuk geçti! Üstelik beklendiği gibi ailece gelmiş olmadık. Biletler alındıktan sonra bile, ailece yola çıkma planı suya düşebiliyor.

- Kızım staj için Edirne'ye gitti, babası da onu yalnız bırakmak istemedi.

Bu açıklamayı defalarca yapmam gerekecek.

Küçük görümcem terminalde bekliyor olmalıydı; gecikti. Eskiden kayınbiraderim aileye ait büyük arazi cipiyle karşılamaya gelirdi. Bu terminalde eskiden bütün gelmeler ve gitmeler kalabalıkların karşılama ve uğurlama törenleriyle gerçekleşirdi; şehirleşmenin yol açtığı kısıtlanmalar o törenleri de etkilemiş. Duvarda İstiklal Marşı'nın yazılı olduğu büyük bir tablo. Bayrak. Parşömen üzerine kufi hatla Fatiha suresi. Fenerbahçe bayrağı. Yanı başında şehrin futbol takımını gösteren büyük bir poster. Bakır işi tepsiler. Mescid-i Aksa resmi. Kocatepe'de kalpaklı, dalgın Atatürk. ?Şehitler Ölmez Vatan Bölünmez? diye, karton üzerine kırmızı ispirto kalemle yazılmış bir yazı yanında. Onun üzerinde, bu ofisi kuran ve geliştiren, eşimin uzak akrabası Kenan'ın rahmetli babası Muhittin Amca'nın siyah-beyaz resmi. Yan yana iki erin rengi solmuş, büyütülmüş fotoğrafı. Üzerinde şu sözler yazılı: Vatan size minnettardır. Çanakkale Savaşını kazanan asil ruhun anısına.

Kenan bir çay olsun içmemiz için ısrar ediyor. Aklı başka bir yerde sanki. Onu da iki gece sonra yapılacak maçın heyecanı mı sarmış?.. Eh, biraz da olsa, öyle denilebilir. Yediden yetmişe hemşerilerinin günlerdir şehri takımlarının renkleriyle donattığını, caddelerde bir karnaval havası yaşandığını söylüyor. Hollanda'dan, Almanya'dan gelen gurbetçiler, otobüslerle maçın yapılacağı şehre doğru yola çıkmışlar çoktan. *Ben kalabalığa gelemiyorum o kadar, o yüzden gitmedim.* Ortalıkta bir gürültü, bir telaş; her tarafta bayrak balon. Kenan bu telaşın biraz da olsa uzağında durmasının nedenini anlattı:

- Aslına bakılırsa ilk maçta kızdırdı beni bizimkiler. İkinci yarıda rakip takımın tuzağına düşüp koptular birbirlerinden. Basit bir kontra oyununa yattılar.

"Kontra oyunu da ne demek?? diye sormadım. ?MİT, Kontrgerilla, Ülkü Ocakları Kapatılsın? diye yürürdü solcu gruplar, üniversite öğrencisi olduğum yıllarda. İçinde bulunduğum proje grubunun ısrarıyla bazen onlara katıldığım olurdu. Yürüyüşten ayrılma fırsatını bulur bulmaz, sanki bana suç olarak görünen o yürüyüşün kefaretini ödemek ister gibi mahallemizdeki ülkü ocağında alırdım soluğu. Bir keresinde ülkü ocağına gittiğimde, çok önem verdiğim bir abiyi odasında çevresinden adeta kopmuş bir vaziyette maç dinlerken bulduğumda çok şaşırdığımı hatırlıyorum. O zamanlar futbolla ilgilenen kişilerin boş kafalı insanlar olduğu düşünülürdü. Sonraları uzak düştüm ülkü ocaklarından; daha evrensel, Maksim Gorki okumayı komünistlik saymayan, İran Devrimi'ni bir İngiliz komplosu olarak tanımlamakla yetinmeyen insanların bulunduğu ortamlara ihtiyaç duyuyordum.

Bugünlerde şehrimizde her yerde futbol konuşuluyor ya, biz de az çok bu havaya uyduk, diyerek düşüncelerimi böldü Kenan. Fakat son zamanlarda onun kafasını yoran asıl konu, Çanakkale Savaşı'na katılmış dedesinin hatıralarını kaleme alma fikri. Çalakalem, dil bilgisi kurallarını dikkate almadan yazıp gidecek, elinden başka türlüsü gelmez. Daha sonra kütüphanecilik bölümünde okuyan kızına düzelttirecek yazdıklarını nasılsa...

- Kız okula gidemiyor zaten, evde. Bir gidiyor İstanbul'a, üç beş gün sonra geliyor.

?Türban? yüzünden. Kenan kızının türbanını çıkartıp derslere girmesinden yana: Bunu keyfi için yapacak değil ki, diye açıklıyor düşüncesini.

Kısacası kızının vakti bol; babasının notlarını bilgisayarda kitaba dönüştürebilir.

Çaylarımızı bitirmeden küçük görümcem geldi. Park yeri bulmakta zorlandığı için gecikmiş. Kenan ona da çay ısmarlamak istedi. Dedesinin hatıralarının yazımı üzerine konuşmayı sürdürmek istiyor. İnşallah başka sefere, dedi görümcem. Evde misafirler bekliyor.

Büyük ev eskisine göre ıssızdı; büyük görümcem yoktu mesela, bir düğüne gitmek zorunda kalmış. Naciye Hanım hasta olduğu halde gelmişti; her seferinde hoş geldin demeye gelir, hiç ihmal etmez akrabalık görevlerini. Sıkıca sarıldı. Özletiyorsunuz kendinizi, tatillerde çıkıp çıkıp gelmiyorsunuz! Ee, siz çıkıp çıkıp gelin tatillerde kolay oluyorsa, diye geçirdim içimden, biraz uzağında durarak. Bir tuhaf kokuyor. Kına kokusunu ağırlaştıran özel bir sabun kullanmış sanki.

İyi de, niye ailece gelmedik, bunu soruyor.

Bizim büyük kız staj için Edirne'ye gitti, babası da onu yalnız bırakmak istemedi, diyorum.

Peki, yeğeni Sedef'ten ne haber? Keşke o da gelseydi! Benim kızımın yaşında hemen hemen, birlikte vakit geçirirlerdi.

- İşi başından aşkın Sedef'in, dedi Naciye Hanım. Bağ davetine de gelmez büyük ihtimalle. Kurslardan başını alamıyorken tuttu bir de işe girdi.

- Geçen yıl üniversite sınavlarına girmemiş miydi?

- Girmedi sınavlara bacım, giremedi. Geçen yıl girememişti, bu yıl da giremedi. Sınav tarihi yaklaştığında bizim kızda bir hastalık hali baş gösteriyor. Aksırıyor, burnu akıyor, başı ağrıyor. Alerjik bünyesi, benimki gibi. O hasta haliyle tutturdu, çalışacağım, harçlığımı kazanacağım, diye. Göl kıyısında bir ressamın yanında kara kalemle resim yapıyor. Resim dediğime bakma, karikatür çiziyor. Küçük bir tezgah işte, lunaparkı geçer geçmez karşınıza çıkıyor. İşe yeni girdi ya, ikide birde izin almak istemiyor. Annesi de gelemedi benimle, bağ davetine de gelemez, sanmıyorum. Kız kardeşiyle nöbetleşe yatalak babalarına bakıyorlar; bu hafta onun sırası. Ben gelmeye çalışırım, niye gelmeyeceğim ki...

O gelirdi; bütün davetlere gelirdi. Çocuğu olmayan orta yaşlarda bir kadının hakkıdır bağ davetlerinde dolaşmak. Çocuğu olmadı, öyle; kusurun kimde olduğunu da bildirmek istemedi el âleme. Yeğeni Sedef'i çocuğu yerine koydu. Sedef, Sedef, Sedef? Dilinden düşmüyor yeğeninin adı.

İki gün sonra, yani maç gününün öğleden sonrasında bir bağ evine davetliyiz. Bu şehirde büyük davetler birkaç vesile bir araya getirilerek düzenlenir. Biri evlenmiştir, biri askere gidiyordur, biri gurbetten gelmiştir, biri bir iş ya da okula giriş sınavını kazanmıştır. Fakat bu kez sadece bizim şerefimize gerçekleşen bir bağ yemeği söz konusu olan, bunu vurguladı büyük görümcem, akşama maç olsa da gitmemek olmaz. Hava kararmadan dönmüş oluruz eve herhalde, maç nedeniyle. Fakat bağa gidildiğinde öyle kolayca dönülmez, kızım bu düşüncesinden vazgeçmiyor. Bağa gidip de sıkılmadığı bir zamanı ise hatırlamıyor. Kızlar hep kendi aralarında fısıldaşır gülüşürler. Gülüşleri birbirine bulaşır. Niye güldüklerini asla anlayamazsın. Gülmek için bir sebepleri hep vardır. Saçma sapan nedenler...

- Bağa eğlenmek için gidiyorlar da ondan.

- Ben o konuşmaları dinlerken hiç eğlenmiyorum ama... Ben gelmesem... Hem bak, Sedef de gelmeyecekmiş.

Sedef sevmez bağ davetlerini, değil mi?.. Geçen sene bağ davetlerinde de herkes vardı, bir Sedef yoktu.

- Ama çok güzel bir bağmış bu kez gideceğimiz, iki havuzu varmış, havuzlarda kuğular yüzüyormuş. Ağaçlara çıkarsın, salıncağa binersin, top oynarsın.

- Kızların konuşma konuları bana sinir bozucu geliyor ama, içim daralıyor yanlarında...

Yakınmalarını duymazlıktan geliyorum. Aman Sedef'e benzemesin, yani bana, kendi iç dünyasına dalıp giderken akranlarının oyunlarından, eğlencelerinden uzak düşen küçük kıza benzemesin. Yıllar akıp geçse de o küçük kız kaybolmuyor içimdeki labirentte. Bu bağ daveti gibi yerlerde, akranlarımın hayat bilgisi ve becerileri yanında sahiciliğini ve güvenilirliğini yitiriyor, içimdeki labirentin kendi zevkime uygun olarak döşediğim odaları, sofalarına ilişkin önemli ayrıntılar. Hayatın özüne has bilgi onların ellerinde; tek bir kitap okumasalar, televizyondaki magazin programlarının müptelası olsalar bile, öylesine muhkem bir duruşları var ki...

Peki, bu Sedef, nasıl bu denli aykırı durabiliyor, şu küçük ve ilişkilerin bunca yoğun yaşandığı şehirdeki akranları arasında?

Annesine benzemediği açık. Evin içinde çivi topuklu terliklerle, takma kirpiklerle hatta postişlerle dolaşan, kahve falına bakmak için sabah saatlerinde komşuları evine toplayan bir anne, bu. Saçları da daima sarıya boyalıdır, o haliyle sanki Yeşilçam filmlerinin Suzan Avcı'sı. Sedef'in yalınlığı biraz da annesinin şatafat düşkünlüğüne yönelik bir tepkiden kaynaklanıyor olabilir. Giyim kuşamı konusundaki aldırışsızlığı ile halası Naciye'yi hatırlatıyor. Naciye bir dönemde nefis tezkiyesi adına hep aynı elbiseyi giydiğini anlatırdı. Akşam yıkar, sabah giyermiş aynı elbiseyi; Hazreti Fatıma anamızın kanaatkâr kişiliğine özendiği için. Bir tür kendini bırakmışlık hali içinde görünüyor şimdi. Dudaklarının üzerinde, çenesinin altında tüyler uzamış; menopoza girmiş olmalı. Nasıl kokuyor öyle! Konuşma uzayıp giderken açıkladı: Saçlarını Arap sabunu ile yıkamaya başlamış. Bütün giysilerini de Arap sabunu ile yıkıyormuş hoş. Deterjana, şampuana alerjisi var. Sedef gibi.

- Pek çok bakımdan bana kendi gençliğimi çağrıştırıyor Sedef...

Sedef, Sedef, Sedef. Sedef herkesin giydiği giysileri giymez. Pasaj aralarında açıktan satılan ucuz parfümlerin yanına yaklaşmaz. Esasında parfüm kullanmaz. Moda olan giysilerden uzak durur. Basbayağı çuvalı andıran etekleri, çarığı andıran ayakkabıları, heybeyi andıran çantaları var; kendi elleriyle diktiği.

Sedef her çağrıldığı yere gitmez. Bir de ne yazık ki Sedef'in üniversite sınavlarına girme fobisi var. Geçen sene de giremedi üniversite sınavlarına, bu sene de. Karikatürist beyin yanında çalışmaya başlayınca da üniversiteyi bitirmeden bir meslek sahibi olabileceğine inandı.

Hata ediyor ama, diploma, diplomadır.

Bu işte geleceği olduğuna inandırdı onu, patronu. Son yıllarda önüne gelen her şeyi boyuyordu. Eşyaları değil yalnız, boş duvarları da.

Geçen yılı yağmur çamur demeden şehrin kenarında köşesinde bulduğu harabeleri boyamakla geçirdi; öyle bir kız işte. Burnunun dikine gittiği için insanları sinirlendiriyor. Yıkılacak yapıların ömrünü kendi başına aldığı kararla az da olsa uzatıyor, niye gerekli buluyorsa. O sihirli fırçasıyla dokunduktan sonra bir harabe, eskisi gibi harabeye benzemez oluyor. Onun fırçası bir duvarın üzerinde gezindikten sonra, ıssız bir bahçede çocuklar güven içinde oyun oynamaya başlıyorlar. Yıkılmaya yüz tutan bahçe duvarlarının kazandırdığı bu güvenlik havası sinir ediyor konuyu komşuyu. Yıkılacaktı işte, kurtulacaktık serserilerden, berduşlardan ayyaşlardan, kedi sürülerinden, çöp yığınlarından; ne güzel. Kendimizi buna hazırlamıştık. Şimdi arada bir yerde duruyor o yer. Yıkık duvar üzerindeki resme bakarken, arkada bir çöp dağı olduğunu hatırlamaz oluyor insan.

Geçtiğimiz yıl harabeleri resimlemeye çıktığı sırada yakalandığı alerjiyi öne sürerek üniversite sınavlarına girememişti; bu yıl da alerjisini öne sürmüş, yine girmemişti sınava.

Alerjiyi duvarlara resim yaparken kullandığı sprey boyaların yanı sıra harebelerdeki küften tozdan da kapmış olabileceğini söylemiş doktor. Tabii bünyesi her zaman alerjiye yatkınmış, Naciye Halası gibi. Yanından parfüm ya da gülyağı sürmüş biri geçmeye görsün, hapşırmaya başlarmış.

- Kız halaya çekermiş ya, bana çekmiş işte, dedi Naciye Hala, nihayet.

Anlattıklarına kendi bildiklerimi de katarak, yanıldığını düşündüm. Alerji konusunda haklı olabilir, ama kalabalık içinde kendini huzursuz hissettiği yabani yanıyla Sedef daha ziyade benim çocukluğuma benziyor.

Fakat kızım bize benzemesin, bana, Sedef'e benzemesin. Mutfağın aydınlığından sızarak sofaya kadar uzanan ışıktan tüle bakarken; derin bahçelerin elimde bir kitapla başka alemlere daldığım kireç boyalı işli tahta tavanlı odaya süzülen hareketli ışığına çekilir gibi oluyorum. O ışığın bana vaat ettiği dünya ne kadar sahici görünürse görünsün, uzakta, hâlâ çok uzakta. Kızım bana benzemesin, Sedef'e benzemesin. Düşüncelerini ya da hayallerini, iç dünyanın kendi ellerinle döşediğin mekanlarını bir mesai eseriymiş gibi sunamazsın insanlara, bunu kolaylıkla kabullenemezler. Onların neşesine katılmadığında, fıkralarını paylaşmadığında, yalnızlık olur cezan. Ne tuhaf bu kız, derlerdi; tuhaf giysiler giyiniyor, garip tunikler, Japon kimonoları, Kürt şalvarları, Türkmen cepkenleri. Başını örtmeye de kalktı; annesi bütün başörtülerini makasla tek tek kesince ise öfkeye kapılıp büyük çeyiz sandığındaki kıymetli misafir çarşaflarını makasla doğradı. Kalabalıktan, bağ bahçe toplantılarından hoşlanmıyor, karanlık köşelerde gaz lambaları, kandiller, mumlar yakarak bir kitaba dalıyor. Bahçelerde gerçekleşen beş çayı toplantılarına katılmamak için de hep bir bahane icat ediyor. Teyzesinin nişanında, kitap okuduğu odayı elinden aldılar diye öfkelenerek elinde bir mum ve kitapla ücra bir odada bir dolaba saklandı ve bütün nişan töreni boyunca orada kalmakta diretti; düşünebiliyor musunuz....

Dünya o sırada bir süreliğine bir dolabın içindeydi oysa. Kitabın adı "Gizli Bahçe"ydi. Nişan töreninin fotoğraf karelerine yansıtılacak kadar önemsenen hiçbir sahnesi, Gizli Bahçe'nin akıp giden cümleleri kadar çekici ve renkli olamazdı.

Bir dolabın içindeydim; kitap bitmemişti daha, fakat mum sönmeye yüz tutmuştu. Biri çağırsa, çıkacaktım dolaptan, fakat kimse çağırmaya gelmiyordu. Unutulmuştum dolapta, ya da insanlar orada kalmak istediğimi sanmaya devam ediyorlardı. Kimse merak edip de çağırmıyordu, annem bile; başlangıçtaki inadımla onları güç durumda bırakmıştım çünkü. Nişanın sonuna kadar dolabın içinde kalmıştım, mum çoktan söndüğü için, karanlıkta çağrılmayı bekleyerek. Dolaptan çıkmak değil, çıkarılmak istiyordum. Biri dolabın kapısını açsın ve beni çekilecek fotoğraflardan birinin içine katsın, zorla da olsa... Umurunda değildim kimsenin ama... Bazen odaya birileri giriyor çıkıyor, bulunduğum dolaba yaklaşıyor, yandaki kapıları çekmeceleri açıp bir şeyler alıyor, ama benim bulunduğum dolabın kapısını açmıyorlardı.

Bunları düşününce, Sedef'i bağa çağırma konusunu hatırlatmak istedim halasına.

- Sedef'i bağa çağırmaz olur muyum, tabii çağırdım, dedi Naciye Hala. İşi olduğunu bile bile çağırdım. Nereye gidersem gideyim, gelmeyeceğini bilsem dahi ona bir söylemek gelir içimden. Bu daveti de söyledim, gelmeyeceğini tahmin ettiğim halde. İşe yeni girdi ya, ikide birde izin almak istemiyor. Üstelemedim doğrusu. Elinde ya fırça olmalıdır bizim Sedef'in, ya da kalem, yoksa, daha bir saat geçmeden sıkılır bağda, bir başına dönmeye kalkar.

- Ben de çok sıkılıyorum bu bağ davetlerinde, sizlerle gelmesem olmaz mı, diye sordu kızım bir kez daha.

- Bu davet bir bakıma bizim şerefimize veriliyor kızım, dedim. Yokluğun hoş olmaz. Sedef'in durumu başka; onu bu haliyle kabullenmiş insanlar. Sedef bağa gitmez. Sedef düğün ve yaş günü kutlamalarından hoşlanmaz. Fakat olur olmaz yerlerde görünür. Bir viranenin duvarına resimler yaparken, yazılar yazarken... "Zamanını çarçur eden bir kız Sedef, kendine yazık ediyor doğrusu." Bunu ben söylüyorum, kızıma. İki yıldır üniversite sınavlarına girmiyormuş. Bir harabe duvarını resimlerle yazılarla süsleyerek yıkılmaktan kurtarabilmiş mi peki? Sanmıyorum. Mimar ya da mühendis olsun, arkeolog olsun da ondan sonra uğraşsın harabelerle.

Telaşa kapılmam gereksiz, kızım bir ya da iki kez Sedef'le birlikte duvar resmi yapmaya çıkmayı istediğini söylemiş olsa da, ısrarlı değil bu konuda. Boyalar, tozlar, bir köşeden çıkacak fareler, çıyanlar... Hayır, temiz bir duvara içinden geçen kocaman bir cümleyi nakşetmeyi çok istese de tozlu harabelere gitmez. Fakat bağa gelmeyi de hiç istemiyor. Kuzenlerinden biri geçen sene Özcan Deniz'e deli divane aşıktı, ona mektuplar yazıp duruyordu. Hâlâ sürüyor muydu bu aşkı acaba... Uff, sıkılacak, çok sıkılacak. Ne olur, ne olur evde kalsa... Hâlâ yol yorgunu sayılır, kimse yokken her zamanki gürültüsünden arınacak olan evde bir güzel uyuyabilir de...

– Olmaz, dedim. Koca evde tek başına bırakamam seni.

Herkesin bağa gittiği bir günde senin yaşında bir çocuk tek başına bırakılamaz. Kimse bir çocuğun sesini duymaz bu mahallede, bir tatil gününde. Çoktandır, şehir merkezine yakınlığı nedeniyle iş yerine dönüşüyor bu mahallenin eski evleri, tatil gününde boşalıyor binalar... Çocuksun, evet, benim için hâlâ öylesin. Eve hırsız girdi diyelim, sesini duymaz kimse, yardımına koşmaz. Hastalanabilirsin de, belli mi olur. Bak, Şerife'nin sesini de duymamışlardı. (Ben duymamıştım.) Eylül sonlarıydı, sabahları üzüm dermek için bağa gitmek üzere erkenden yola düşüyorduk. Bakımsız bir bağdı, tuvalet ortalıkta bir yerdeydi. Hamileydim, sık sık tuvalete gitmem gerekiyordu, bazen sırt üstü uzanmak istiyordum. Tuvalette su yoktu. Herkesin gözü önünde elimde bir su şişesiyle derme çatma tuvalete girip çıkmaktan hiç hoşlanmıyordum. Evde kalacağım ben bugün, diye tutturmuştum ertesi sabah, mide bulantılarımı öne sürerek; ses çıkarmamışlardı. Ev boşaldıktan sonra bulaşıkları yıkamış, sonra elimde okunmamış gazetelerle, penceresiz olduğu için dışarıdan gelecek seslerden etkilenmeyeceğimi düşündüğüm bir odaya yönelmiştim; gazete okurken uyuyup kalırsam, kolayca uyanmayabileyim diye. Hemen yanımızdaki evde Şerife muhtemelen birilerini, belki evde bulunduğumu biliyorsa, özellikle beni yardıma çağırmıştı; bahçesini bizimkinden ayıran duvarın kenarında ortalığa dökülüp saçılan eşyalardan belliydi bu. Ne var ki onun öldüğü merdivenlerin bulunduğu sofanın çok uzağına düşen bir odada gazete okuyarak uykuyu çağırmakta olan ben, duymamıştım çıkardığı gürültüleri ve Şerife herkesin bağda olduğunu sandığı bir saatte kalp krizi geçirerek ebedi aleme irtihal etmişti. Faturalarını ödemez olduğu için telefonu kesikmiş çoktandır; kimseyi arayamazdı yani, bunu yapabilecek durumda olsaydı bile. Yapayalnız ölmüştü, bu dünyadaki akrabalarından, konusundan komşusundan bir kişi olsun yoktu yanında, son nefesini verirken.

Bizim evin kalabalık halkı, soğumuş cesedini bağdan döner dönmez değil de ertesi sabah bulmuştu.

Siyah üzüm severdi rahmetli; bağ dönüşü bir sepet dolusu götürmüştü çocuklar, fakat kapıyı açmamıştı. Kimse üzerinde durmamıştı bunun. Şerife kapıyı açmamış. Eee, açmaz açmaz, nerede olacak, tavuklarına, kedilerine yem vermekle meşguldür arka avluda.

Yalnız, yapayalnız bir kadındı Şerife. Sedef de öyle olacak. Yalnız, yapayalnız kalacak. Hayat böyle bir şey. Ne ekersen onu biçiyorsun. Aşına ne atıyorsan, kaşığına da o çıkıyor. Şimdi bağ davetlerini geri mi çeviriyorsun? İleride kimsenin bağa davet etmeyi aklına getirmediği biri olarak evinde tavuklarınla, kedilerinle, dergi ve kitaplarınla, televizyon kumandasıyla baş başa kalacaksın. Faturalarını ödemeyi boş vereceğin bir ruh haline yakalanacaksın, gün gelecek. Yokluğunun, sessizliğinin, telefonlara cevap vermeyişinin, kapıları açmayışının üzerinde durulmayacak.

Sedef gibi, yani Şerife gibi... Kızım Şerife'nin ölümüyle ilgili anlattıklarımdan etkilenmişti; evde kalmayı istemiyordu artık. Yine de, altı yedi saat de nasıl geçer ki bağda, diye sızlanmayı sürdürdü. Düşünsene, oturup Özcan Deniz'e mektup yazacak, benden de bir paragraf olsun yazmamı bekleyecekler. Yazmayı kabul etmediğimde ise, aralarında yokmuşum gibi davranmaya başlayacaklar.

- İki saattir ne anlatıyorum ben peki? Sanki hiç Şerife'nin başına gelenleri duymamış gibisin. Bir başına öldü kadın evinde de son nefesinde elini tutan olmadı. İki katlı evinin üst katındaki bir odada yaşıyordu, alt katı tamamen tavuklara ayırmıştı. Ertesi sabah halalarından biriyle üzüm sepetini bırakmak için kapısını çalmış, kapıyı açan olmayınca da merak etmiştik. Nihayet evine girebildiğimizde, merdivenin üzerinde bulmuştuk cesedini. Eskiden oturma odası olarak kullanılan bir odanın duvarında 60'lı yılların ünlü bir oyuncusu olan Neriman Köksal'la, Muhterem Nur'un büyük boy resimleri asılıydı. Resmi görünce yadırgamıştım. Gizlice telaffuz edilen adı Militan Şerife'ydi onun çünkü. Şerife, işte mekan olarak bizlere bu kadar yakınken uzak mı uzak bir dünyada yaşıyordu. Evlenmek istediği halde, buna izin vermeyen bir söylenti duvarıyla kuşatılmıştı. Gençliğinde bir sol örgüte üye olduğu için memuriyetten atıldığı söyleniyordu. Erkek kardeşlerinin babaevinde yaşamasına izin verdikleri, ama hayatlarından, evlerinden olabildiğince uzak tuttukları Şerife! Militan Şerife, işte... İnsanlar ondan o şekilde söz ederken, militanlığını çok da ciddiye almazlardı. Ne yapmış da militan sayılmış, kendisi bu bahsin açılmasından hoşlanmadığı için, bu soru etrafında konuşulmazdı. Galiba askeri darbeyi izleyen günlerde çalıştığı bürodaki masasının gözünde Sabahattin Ali'nin *Kuyucaklı Yusuf*'unu bulmuşlar bir aramada. İşte böyle; *Kuyucaklı Yusuf* gibi bugün hemen her kitapçıda bulunabilecek bir kitap yüzünden memuriyetten atılmasına ve hapiste yatmasına neden olan bir soruşturmaya maruz kalmış zavallı. O kadar da yaşlı değildi işte, ama kalp krizinden ölüp gitti.

- Ne ilgisi var şimdi Şerife'nin başına gelenlerle benim bağda yaşayacağım sıkıntının, diye sordu kızım. Beni Şerife'ye benzetme, Sedef'e de benzetme! Saatler boyu birbirine benzeyen konuşmaları dinleyerek oturmak sıkıyor beni, bu yüzden hayatımın akışı ille de Şerife'ninkine mi benzemeli?

Ayrıca akraba kızları oldum olası ona az çok mesafeli davranıyorlardı. Geçen yıl öyle olmuştu. Elinden sudoku dergisini düşürmediği için, onu dışlamışlardı.

Özcan Deniz şarkılarıyla bir yarışma yapacağız şimdi. Biri bir şarkıyı istediği herhangi bir yerde kestiğinde, diğeri aynı yerden devam etmek zorunda. Sonra aynı yarışmacı başka bir şarkıya geçecek, o da bir yerinde kesecek şarkıyı ve bu böyle devam edecek. Şu bulmaca dergisini bırak da bize katılsana!

Hiç Özcan Deniz şarkısı bilmiyorum ki ben...

Hoş geldin Sedef!

Benim adım Sedef değil.

Her neyse adın, git de bulmaca çöz sen!

Böyle bir konuşma geçmişti aralarında. Bu kez sudoku dergisi götürmeyecekti yanında. Sıkılacağım, orası muhakkak, dedi. Yine Özcan Deniz şarkıları söyleyecekler. Aşk mektupları yazacaklar. Saatler geçmek bilmeyecek.

II

İki katlı evin giriş katındaki geniş sofada toplanmıştı ailenin gençleri. Konu elbette futbol. Büyük görümcemin ortanca oğlu, şehir takımının on gol yerine iki golle yetindiği ilk maçtaki faulleri hatırladığında gözyaşlarını tutamadığını söylüyor: *Yazık, bin kere, milyon kere yazık. Bizim takım ilk maçta oyuna geç adapte oldu, enerjisini geç yansıttı. Rakibimiz üzerine gidildiğinde panik yaşayan, panikten çıkamayan bir takım; şimdi yarı finale çıkan üç takıma sorsunlar, 'Karşında kimi istersin?' diye, Allah'ıma Kitab'ıma yemin ediyorum ki üçünün de karşısında olmasını isteyeceği takım, rakibimiz olur. Fakat bizim takım da ilk maçta adını dünya futbolunun sayfalarına yazdırabileceği fırsatları hiç kullanamadı. Bütünüyle başarısız değildi, bunu söylemek haksızlık olur. Takımımız ikinci ligin en başarılı ve önü açık takımı bence; önümüzdeki maçın ardından da bileğinin hakkıyla birinci li-*

ge çıkmış olacak, eğer Serdar'ı yine yedeğe bırakmazlarsa ki bunun için dua ediyorum. Bakın, ilk maçta on gol atabilecekken iki golle yetindik Serdar'ın yokluğu nedeniyle, ama şu mesajı vermeyi başardık: Seneye birinci lig bizsiz olmayacak!

Bu son cümle bir slogana dönüştü ve "Seneye birinci lig bizsiz olmayacak" cümlesi bütün evi kuşattı.

Slogan atan grubun arasından sıyrıldı kızım, yanıma geldi.

- İnsan takım tutmasa olmaz mı anne?

- Tabii ki olur, takım tutmayan çok insan tanıyorum ben.

- Bu evde takım tutmayan kimse yok gibi.

Futbol maçlarından bu sene biraz daha farklı bir ilgiyle söz ediyor, akraba kızları. İçlerinden kimileri Özcan Deniz yerine Almanların (bir söylentiye göre ise Japonların) transfer etmeye çalıştığı Serdar'a yöneltmişler hayranlıklarını. Serdar deplasmandaki maçta oynamalı! Keşke biz de gidebilseydik maça! Olay çıkabilir dediler, yani kesinlikle çıkarmış; bizim takım yenecek, o kesin; o zaman da stadyumdaki serseriler üstünüze gelecektir, Allah korusun.

Maç üzerine konuşarak zemin kata götüren merdivenlere yöneliyor gençler; kızım onların arkasından tereddütlü birkaç adım attıktan sonra duraklıyor, geri dönüyor. Fenerbahçe ve Galatasaray arasında yapılan maçlarda bile heyecan duyduğu yok ki... Bu nedenle iki, belki de üç yıl önce bir maç sırasında yüzünü arkadaşlarının tuttuğu takımın renkleriyle boyasın, onlarla birlikte seyretsin maçı, tezahüratlarına katılsın diye, MP3 çalar vaat etmiştim ona. Doğru değildi bu yaptığım; fakat o anda sıradan, herhangi bir ergin gibi davransın istiyordum; aksi takdirde bir takım tutma coşkusu nedir hiç bilmemiş, teyzesinin nişanını bir dolabın içinde, biri gelip de onu kurtarsın diye bekleyerek geçirmiş annesi gibi, dışarıdan izleyecek, dinleyecekti tezahürat yapan, eğlenen kalabalıkları. Neşelensin, atlasın sıçrasın, bir süreliğine de olsa bir takımın fanatik taraftarı olsun, eline bir bayrak alıp ortalığa çıksın, tepinsin, tepinsin, küfretmesin, ama girmeye devam ettiği sınavların duyurttuğu baskıyı bir süreliğine unutturan neşeli çığlıklar atsın. Sonunda MP3 çalar hatırına yüzünü boyamaya razı olmuştu; fakat yuvarlak beneklerle, boyalı küçük bir top geçirdiği burnuyla kendini palyaçoya benzeterek.

Resim yeteneği var, yok değil. Sedef gibi etrafındaki boş duvarları resimlemeye dönük bir heves içinde; bunu hep söylüyor.

Fakat, diyorum, bu konular bir bütündür. Duvarlara rezil bayağı sömürücü yerkürenin kaynaklarını bir avuç azınlık adına tüketen dünya düzenini eleştiren resimli yazılar yazmak yetmez. Neredeyse günün yarısını kulakların tıkalı geçiriyorsun, işitme duyun günden güne köreliyor, kulaklarını sadece sevdiğin seslere açık tutan o tıkaçlar yüzünden.

Ona ben hediye etmiştim bu MP3 çaları, değil mi...

Bütün gün kulaklarını tıkaması için değil ama...

Sofraya otururken kulaklarını kapatmak istiyor, özellikle... İnsanların yemek yerken çıkardığı seslerden nefret ediyor. Elma yemesin yanında kimse katur kutur; şapur şupur sesler çıkartarak çorba ve çay da içmesin.

- Bağda da meyveler yenilecek elbet, çaylar içilecek. Rahatsız olsan bile belli etmemelisin bunu.

- Ben bağa gelmeyeyim anne, gerçekten... Beni geçerken Sedef'in çalıştığı karikatüristin yerine bıraksanız...

- Doğru olmaz kızım. Orada boş oturmuyor ki Sedef, çalışıyor.

- Ben de yardım ederim ona.

- Olmaz. Sedef yeni girmiş o işe. Bakalım çalışırken ziyaretçisi olmasını hoş karşılar mı patronu...

Bağa gitmekten kaçış yok! Yüzünü asıyor. Akraba kızları onu da Sedef kadar çekilmez buluyor olmalılar. Onlar bir takım halinde hareket ediyorlar. Bir kutlamayı, bir şakayı pürüz çıkarmadan paylaşıyorlar. Birbirlerine takılsalar bile kimse öfkesiyle ya da alayıyla ötekini kolayca yaralayamıyor. Dışarıdan sana öyle geliyor kızım. Hayır, bana öyle gelmiyor. Hepsi aynı futbolcunun posterini asmışlar odalarına... Geçen sene de hep birlikte Özcan Deniz'e mektup yazıyorlardı.

Takım tutamıyor kendisi, hiç futbolcu posteri de asmaz odasına, içinden gelmiyor. Maradona'yı takdir ediyor, ara sıra yeni dünya düzeni denilen tazelenmiş sömürü düzenine muhalif açıklamalar yaptığı için; yine de onun resmini bile asmaz odasına. Bir sürü fırçası olsa, bir dolu da boya kutusu; bulunduğumuz evin bahçesinin duvarlarını resimlerle yenilese!

Bu ev, yanındaki ev, yani rahmetli Şerife'nin evi, onun yanındaki ev de, yakın bir gelecekte, bahçeleriyle birlikte etraflarını kuşatan işhanları tarafından yutulacaklar.

- Tavandaki ahşap kaplamaların işlemelerine bakarak bile bu evin tarihi miras kapsamına alınabileceğini düşünüyorum, ne dersin?

- Tavan süslemelerini kullanarak konuyu değiştirmeye çalışma anne! Bağda sıkılacağım, çok sıkılacağım.

- Karadut ağaçları var bağda, sen karadut seversin. Havuzun kenarına oturup ayaklarını suya sokarsın, kuğuları seversin, kızlarla yakantop oynarsın... Konuştukça ortak konularınız olduğu çıkacaktır ortaya.

- Geçen sene öyle olmamıştı...

- Geçen sene katıldığımız daha kalabalık bir davetti.

Benim için de sıkıcı bir davetti o; şimdiki de daha az sıkıcı geçmeyecek; bir bağ davetine bile moda dergilerinden uyarlanmış ipek saten kıyafetlerle gelen kadınların arasında suskunlaşarak içime çekilmeyeyim diye zorlayacağım kendimi. Bir çocuk, bir genç kız değilsin ki başını alıp gidesin; arada sırada şöyle bir dolaşmaya çıksan da üzüm kütüklerinin, elma ağaçlarının arasında, çoğu zaman davetli hanımlar için hazırlanmış banklardan, üzeri halı kaplı sedirlerden birine oturup, kerevetlerden birine ilişip, bir yıldır görüşmediğin hısım akrabayla dereden tepeden konuşmalısın.

Bir bağ davetinde bulunmanın güzellikleri de az değildir. Hava ılık olacaktır ve ikramlar birbirini izleyecektir. Meyve yüklü ağaçların her birinden ayrı bir koku taşıyacaktır oturduğun yere, ince ince esen yeller. Havuzun kenarına oturup ayaklarını suya sokabilirsin de...

Bağa gitmek üzere kayınpederimin evinden arabayla çıktık. Arabayı küçük görümcem kullanıyordu. Bir marketin önünde durduk; cep telefonuyla küçük görümcemi arayan bağ sahibinin ricası üzerine piknik tüpüyle mangal kömürü alacağız. Bir araba yanaştı; bu arabanın içindekiler de bizim gittiğimiz bağa geliyorlar olmalılar. Arabalardan inip selamlaştık, kucaklaştık, kimileriyle tanıştırıldık.

Sedef de bu arabada olabilirdi, Naciye Halasıyla, ama yok.

- İşte görüyorsun, dedi kızım, Sedef gelmemiş.

- Gelecek değildi ki zaten, dedim.

Naciye Hala açıklama yaptı:

- Anlatmıştım ya kızım, çok yoğun Sedef bugünlerde. İki üç kursa birden gidiyor; vakti varmış gibi tuttu bir de işe girdi...

Bir diğer araba daha durdu yanımızda. Amerika'dan kesin dönüş yapan Gönül ile çocukları. Selamlaşıp sarıldık, görüşmediğimiz yıllarda yaşadığımız önemli olaylara şöyle bir değinip geçerek konuşmayı sürdürdük. Aynı yıl gelin olmuştuk. O yıl yaz aylarında bağlarda ikimiz adına verilen davetlere birlikte katılmıştık. Çocuklarını sanki ilk kez görüyordum. Büyük oğlu sandığım ikinci oğluymuş, büyük olan Amerika'da babasıyla kalmayı yeğlemiş. Uzun konular; sonra anlatırım, diye fısıldadı kulağıma. Büyük kızımı sordu. Kızım staj için Edirne'ye gitti, babası da onu yalnız bırakmak istemedi, dedim. Daha buralardasın herhalde, görüşelim, dedi. Mutlaka görüşelim. Fakat şimdi aynı bağa gitmiyormuşuz; onlar başka bir bağa davetli. Ne yazık; Gönül yanımda otursaydı, daha az sıkılabilirdim.

Gönül'ü güçlükle tanıdı Naciye Hala. Çok değişmiş buldu. Sağlığını sıhhatini sordu, üst üste; haddinden fazla meraklı göründü bana soruları. Sen de az çekmedin gurbet ellerde, Gönül'cüğüm. İyisin yine de maşallah, sıhhatli görünüyorsun. Kızın sanki senin gençliğine benziyor. Bizim Sedef gibi değirmi yüzlü. Sedef'i de annesinden çok bana benzetirler gerçi, yan yana gördüklerinde anne kız sanırlar ikimizi. Bizim kız pek gelmez bağ davetlerine. Çok kabiliyetli olduğunu söylüyor patronu, ama bizim şehrimize fazla geliyor bu kabiliyet. Giremiyor ki sınavlara, üniversiteyi kazanıp da gitsin! Her işte vardır bir hayır. Dikiş dikme konusunda da bana çekmiş eli. Öyle mağazalardan bir giysi alıp da giymez; kendisi dikiyor giysilerini. Sormayın; başını örtmeye kalktı bir ara. Gittiği kurstan mı etkileniyor nedir? Örttü, açtı, örttü açtı, örttüaçtı. Kenan'ın kızından etkilenmiş de olabilir, bilemiyorum. Yakışıyor, yakışmıyor diyemem, değirmi yüzlere yakışır başörtüsü; fakat aksi bir yanı var işte, bunu söylediğim için çıkartıp attı bir gün eşarbını. Ben yakışsın diye örtmüyorum, anlayın artık bunu, dedi. Evde bir baskı yok, hepimiz müslümanız elhamdülillah, fakat karışmayız yani, daha öğrenci çünkü, örtsün de demeyiz açsın da demeyiz. Fakat girmiyor üniversite sınavlarına, girmiyor işte! İlkin alerjisini, bu yıl da başörtüsünü bahane etti. Yanında çalıştığı karikatüriste ise eşitsiz eğitim sistemini protesto için üniversite sınavlarına girmeyeceğini söylemiş. Ama ben biliyorum, bana çekmiş bu konuda da, aşırı heyecana kapılıyor sınavlarda, o yüzden hiçbir sınava giremiyor. Ehliyet sınavına da giremedi ki iyi bilir araba kullanmayı. Ben de cip sürerim, traktör sürerim, ehliyetim yoktur ama... Ya işte böyle, sakın ha canım, sakın ha, başını örtmeyi düşünme sen, şimdi düşünme yani en azından; görmüyor musun neler getiriyorlar insanın başına.

Sedef'inki de bir heves, gelip geçer, dedik. Bir örtüyor bir açıyor, birörtüyorbiraçıyor. Bazen bir şal doluyor başına, o şalın üzerine de başka bir şal geçiriyor; herkes gibi de örtünmüyor yani. Sedef böyledir, diğer kardeşlerinden farklıdır. Düşün ki bağ davetlerinde sıkıntıdan patladığı için erkenden eve dönmeye kalkar, alıkoyamazsın. Kim sevmez ki bu mevsimde bir bağ davetine katılmayı... Dutlar, karadutlar, çilekler... Yabani naneler hatta.

- Çok severim yabani nane kokusunu ben.

- Ben de bayılırım yabani naneye, kesme çorbasında mutlaka kullanırım. Her yıl Amerika'ya kurutulmuş olarak gönderirdi annem.

Yabani nane toplamanın en uygun zamanı ve bu naneleri kurutma yolları üzerine fikir yürütmelerin konuyu dağıtmasına izin vermek istemedim. Ben de Sedef gibi, çocukken pek hoşlanmazdım kalabalık davetlere katılmaktan, herkes gitsin de evde bir başına kalayım, bunu isterdim, diye söze karıştım. Bu sözü hiç söylememişim gibi sürdürdüler yabani nane bahsini. Alınganlıkla kenara çekildim biraz. Kızım kulakları tıkalı olduğu için fark etmedi olup bitenleri. Hani, orada konuşup durmamıza imkân olsaydı, teyzemin nişanında bir dolapta, birilerinin çağırmasını bekleyerek saatler boyu karanlıkta nasıl da kapalı kaldığımı bile anlatacaktım, öylesine hazırlamıştım kendimi konuşmaya. Çocukken ruh halimdeki bana acı veren dalgalanmalar yüzünden bazen yalnız, yapayalnız kalmak, bazen de alıp başımı uzaklara, adını bile duymadığım diyarlara gitmek isterdim. Alıp başımı uzaklara gidemediğim için de, insanlardan uzaklaşarak kitap okumaya dalardım. Bu işte böyle bir kısır döngüydü. Kitap okuduğum için kopardım akranlarımdan, akranlarımdan koptuğum için de kitaplara koşardım. Benim MP3 çalarım da kitaplardı işte. Bir kitaba dalıp gittiğimde, dünyanın sesleri ulaşamazdı kulaklarıma artık.

Çocukken değil yalnızca... Çocuk sahibi genç bir kadınken de bir bağa (veya bir düğüne) gitmeyebilmek için karamsar ruh halimi ileri sürdüğüm olmuştur, yıllar önce. Ruh halimdeki dalgalanmalar, içine çekilecek bir dolap bulamayan varlığımı kendi kabuğuna çekilmeye zorlayan gelgitler kabul edilemez mazeretler sayılırdı, gelin geldiğim evde. Hiç mümkün olur muydu karamsar bir ruh hali içindeyken evde bir başına kalıp da iyileşmek?.. Su sesinde, yeşilde, çiçeklerin kokusunda, ince esen yellerde, dalından koparılıp yenen meyvede ferahlık, şifa vardır. Çocuklardan henüz bebek olanın ateşinin yükselmesi de bu bağa ya da başka herhangi bir bağa gitmek içimden gelmediğinde, kabul edilebilir bir mazeret sayılmazdı. Bağ hepi topu bir saat kadar uzağındaydı şehrin, şurupların fitillerin yararını görmezse, arabaya atıp doktora götürebilirdik ateşi düşmeyen bebeği. Mazeretim sadece bahane olarak telakki edilir, sonraki günlerde de bağ davetinde bulunmadığım, uyumu bozduğum unutulmazdı. Ben de unutamazdım hoş, bir davete gitmemekle bozduğum uyumu ve sonraki günlerde, evde kalmak suretiyle kazandığımı sandığım zamanın, huzurun kat kat fazlasını yitirirdim.

- Sen sonuçta büyük şehir kızısın, dedi Gönül, Naciye Hala'nın nane bahsine geri dönme isteğini fark etmemiş gibi yaparak. Ben bu şehirde doğdum, büyüdüm. Amerika'dayken de rüyalarıma girerdi karadutlar, asma kütükleri, ceviz ağaçları arasında koşturduğum saatler...

Nasıl da neşeli bağa gittiği için; hayatın güzelliklerinden tat almayı bilen her insan az çok hoşlanır bir bağ davetinden. Ben de bağa gitmenin hoş yanlarını görmeye az çok alıştırdım kendimi, geçen yıllar içinde. Nasılsa gittiğimiz bağda kalacağımız süre konusunda görüşüm sorulmayacak; hem evde de geçirecek olsam aynı süreyi, davete icabet etmemiş olmanın yol açtığı huzursuzluktan kurtulamayacağım. Yine de tahta sedirin veya yere atılmış bir kilimin kenarına iliştiğimde, yanımdakilerin ilgili göründüğü konuşmaların dışına kaçırtan sağırlığımla, kendi içime dalıp dalıp gitmelerimle, elden ele dolaştırdıkları kumaşlara, giysilere ya da takılara, biblolara veya bir mutfak gerecine beklenilen ilgiyi gösteremeyişimle Sedefleştiğimi ve kızımı da elimde olmaksızın Sedef'in çevresiyle uyumunu zorlaştıran duruşuna yönlendirdiğimi duyacağım. Kendi kendine oluşan sağırlığımı, kızıma volkmen kulaklıklarıyla hediye ettiğimi düşünerek üzüleceğim.

Bağ evinin hemen önünde, bir açık büfe halinde hazırlanmış masa. Beyler ve delikanlılar, ellerinde tabaklar ve bardaklarla, evin arka yanındaki ana havuza doğru uzaklaşıyorlar. Genç kızlar ve çocuklar da ellerinde servis tabakları ve bardaklarının bulunduğu tepsilerle, yanı başımızdaki ördeklerin yüzdüğü küçük havuzun etrafına kümeleniyorlar. Kızım staj için Edirne'ye gitti, babası da onu yalnız bırakmak istemedi, diye açıklama yaptım, birkaç kez. Bir ara elinde hemen hiç kaşık değdirilmemiş çorba kasesiyle yanıma geldi kızım. Aralarına katıldığı gençlerin futbol, daha doğrusu futbolcular üzerine konuşmalarından sıkılmış. Naciye Hala ile ikimizin arasına sıkışmaya çalıştı. Yakınımızda oturan misafirlerin çorba içerken çıkardığı seslere katlanamadığı için kulaklıklarını takmaya kalktı sonra; izin vermedim. Az ileride, tahta kerevetin güneş vurduğu için boş kalan kısmına oturduk yan yana. Uzağız, topluluğun dışındayız işte. Şapur şupur şapır cıkkkşşş hatta yutkunurken hompnn diye bir ses çıkıyor Naciye Hala'dan, dedi kızım. Niye bir şeyler yerken daha dikkatli olmaz ki insanlar? Çünkü burası bağ; bağda bütün insanlar biraz salıverirler kendilerini. Ayrıca bağ sahibesinin anlattığı bir hadiseye dalıp gittiği için de denetlemiyordu kendini Naciye Hala; füüt füüt füüt gibi sesler çıkartıyordu, cacığını kaşıklarken. Güneşin altında çorba yemeyi sürdürmek istemedi, çünkü ne kadar uzağına çekilirsek çekilelim sofranın, yemek yiyen davetlilerin türlü şekillerde kulağına ulaşan ve ona kalırsa insanların dikkatsizliğinin, aldırışsızlığının eseri olan ağız seslerinden kurtulamıyordu. Sonunda çorba kasesini alarak gençlerin yanına dönmeyi yeğledi. Doğrusu ya, ben de bağ sahibesinin bu kış bağ evini soyan hırsızlar hakkında anlattıklarını dinlemek istiyordum, üstüne varmadım. Hırsızlar talan etmişler bağ evini geçen kış, eski haline gelmesi için günlerce uğraşmışlar; onu anlatıyordu. Anlaşılan haftalarca kalmış bir hırsız güruhu bağ evinde, bir yandan evin eşyalarını çalıp götürürken. Eve kötü kadın getirdiklerinden kuşkulanılmasına yol açacak, isimlerini ağzına alamayacağı rezillikte nesneler varmış sağda solda, üstelik. Kavanozlarda dizili turşuları, reçelleri, pekmezleri, kurumak üzere tepsilere yayılmış pestilleri, cevizli sucukları, hatta deprem ihtimaline karşılık bir depoda hazır tuttukları ve zaman zaman son kullanma tarihine bakarak yeniledikleri konserveleri yiyip bitirmiş bu haydutlar. Boşalan kavanozları ise kırıp döküp ortalığa saçmışlar. Duvarlara da bölücü sloganları andıran ipe sapa gelmez yazılar yazmışlar; terörist oldukları aşikar.

- Kışın arada bir de olsa uğrarız bağa; bu anlattıklarım kar yüzünden yolların kapandığı günlerde, en fazla bir ay içinde olup bitmiş şeyler. En çok da elma sirkesi şişeleri için üzüldüm. Tatlı elmaları seçerek, özene bezene yapmıştım o sirkeleri. Şişelerle sirke vardı, hepsini içmiş olamazlar ya; dökmüşlerdir. Gümüş takımlarımı da getirmiştim bağa, bir davet sırasında; dolabın birinde kutu içinde öyle kalmış. O kutuyu açmamışlar nasılsa. Serseri takımı gümüşten, eşyanın değerli olanından ne anlar!

Hiç anlamam mücevherden, düğün doğum hediyesi çeyrek yarım tam altın almalar dışında hiç duraklamam bir kuyumcunun önünden geçerken. Üç kutu içinde üç yüzük elden ele dolaşarak bana doğru yaklaşıyor. Elimdeki tabağı oracıkta bırakıp bağ çubukları arasında akıp giden çocukların arasına karışmak istiyorum. Güneş gözlerimi kamaştırıyor zaten; birden fırladım yerimden, bağ kütükleri boyunca kaçıp gidebilirmişim gibi. En fazla yarım metre öteye gidebildim, eline ulaşan üç kutu yüzüğü inceden inceye gözden geçiren Naciye Hala'yla küçük görümcemin arasına sıkıştım. Elmas taşlı üç yüzük almak istemiş mesleği öğretmenlik olan hanımlardan biri, tanınmış bir kuyumcudan; iş arkadaşının

müstakbel gelinine hediye etmek üzere birini seçecek ya,
hangisini seçsin... Bilmem ki, hiç anlamam elmas yüzükler-
den, pırlantanın bir elmas cinsi olduğunu da yeni öğrendim,
diye konuşmayı sürdürürken ben, üç kutu küçük görümce-
min avuçlarına kaydırıldı. Mücevherattan anlamayan biri ol-
duğumun bilindiği bir ortamdaydım; en azından iki yanımda
oturan iki kadın, küçük görümcemle Naciye Hala öyle düşü-
nüyordu. Sedef gibi tuhaf bulunan huylarım var. Yüzükler
önümden çekildi hemen, ikinci bir soru sorulmadı.

Sedef bir genç kız nihayet, bağa gitmeyi istemiyorsa canı,
üniversite sınavlarına giremediği için yaşadığı üzüntüyle
açıklanır. Düğün nişan törenlerine spor ayakkabılarıyla gi-
dişleri gençliğine yorulur.

Yüzük kutuları herhalde Sedef'i de ilgilendirmeyecektir.
Bir kuyumcunun önünden geçerken, takıların ve değerli taş-
ların çekimine kapılmıyordur, değil mi?

Canı sağ olsun, altın yüzük takmaktan hoşlanmasa da ko-
lunda altın bileziği var sayılır, dedi Naciye Hala, yeğeniyle il-
gili sorumu yersiz bulmuş gibi. Yine de hoşuna gitmişe ben-
ziyor, Sedef üzerine konuşma fırsatını bulmuş olmak; anlat-
mayı sürdürüyor: Kırk yıllık ustalar gibi karikatür çiziyor ev-
ladım, bunu söyleyen herhangi bir kişi değil, yanında çalıştı-
ğı karikatürist. Boş bulduğu duvarlara resimler yapıyordu
geçen sene; bir hevesti, geldi geçti işte. Sprey boyalar alerji
yapıyordu ya, ister istemez uzaklaştı harabeleri boyamaktan.
Hani, bazen bir duvarı boyamayı istese de bunun için vakti
yok şimdi. İyi ki de yok. O harabelerde insanın karşısına ne-
ler neler çıkabilir! İşte görüyorsun, bu kadar korumalı bir bağ
evine bile, babalarının eviymiş gibi girip altını üstüne getir-
miş çapulcular... Şehrimizin insanı değil bunlar; hayır, elin ne
idüğü belirsiz iti kopuğu, teröristi. Bunu Sedef'e bin kez an-
lattım: Kızım o harabelerde azılı bir cani, bir deli, bir terörist
çıkar karşına, Allah korusun! Dikbaşlıdır ya, alerjisiyle baş
edemez olunca, bir de bu iş çıktı karşısına, eskisi kadar git-
mez oldu öyle yerlere, Allah'ıma çok şükür.

Karikatüristin yanında çalışmaya başladı başlayalı, devam ettiği kursları da eskisi kadar önemsemez oldu Sedef. Üniversite sınavlarına girme korkusu var ya, işi başından aşkın olsun da yaklaşan sınavları kafasına takmayabilsin diye bu kurslara yazılıp kendini meşgul ediyor; halasının kanaati bu. Bazı günler bir kurstan ötekine geçtiği, bu yüzden bütün gün eve uğramadığı oluyor. Kutu yapma kursu, seramik kursu, kilim dokuma kursu, fotoğrafçılık kursu... Bazen evden başı örtülü olarak çıkıyor, başı açık olarak geriye dönüyor o günlerde; ya da tam tersi, başı açık olarak çıktığı halde, kendine özgü yeni bir tarzda başını örtmüş olarak çalıyor kapıyı.

Kibirli bir kızmış gibi algılanıyor Sedef etrafta; küçük görümcem, kendi adına hiç de öyle olmadığını düşündüğü halde, kızcağızın akranları arasında sanki kibirliymiş gibi bir intiba bıraktığını öne sürüyor.

Yeğeninin yaşıtı kızların bulunmaktan hoşlanabileceği yerlere gitmekten uzak durmasının kibirli oluşuyla açıklanamayacağını düşünüyor Naciye Hala. Ancak bir çatal değdirdiği etimekli havuç rendelenmiş sütlü tatlı diliminin bulunduğu tabağı bir kenara bırakıp, kızı yerine koyduğu yeğenini savunmaya girişti: İçi kıpır kıpır bir kızdı Sedef; ille de bir iş yapacak, badanası dökülmüş bir duvarı boyayacak, kırık dökük bir eşyayı yenilemenin bir yolunu bulacak. Zorla bir yere götüremezsiniz onu, yaş günü partilerine, hatta bayram ziyaretlerine gitmeye de zorlayamazsınız, kendisi aklına esip de gelmeye karar vermemişse. Niye böyle bir kız oldu ki Sedef, çocukken çok cana yakın, çok sempatikti. Yoo, yanlış hatırlıyorsun sen, hiç öyle değildi, zor bir çocuktu, bin zorlukla büyütmüşüzdür onu yengemle ikimiz iki yandan, şu kadarcık çocukken de öyleydi; aç değilse sofraya oturtamazdınız, uykusu gelmemişse yatağa gönderemezdiniz. Biz üzerine vardıkça harabelere gitmeye devam etti. Biz karşı çıktıkça saçma sapan kurslara yazılmayı sürdürdü.

- Ben de biraz Sedef gibiydim genç kızken, dedim, heyecana kapılarak. İçine çeki düzen verdiğim eski bir kulübe vardı, zaman zaman kaçıp oraya sığınırdım. Kemalettin Tuğcu kahramanları gibi hissederdim kendimi o harap kulübede, her gidişimde orasını burasını temizleyerek, yaşanılır hale getirmeye çalışırdım içini. Duvarlarını boyamayı düşünmemiştim başlangıçta, fakat gazete kupürleriyle, resimlerle, afişlerle kapatmaya çalışmıştım lekelerle kaplı, boyaları dökülmüş kısımlarını. Sonraları yakın arkadaşlarımı da çağırmaya başladım kulübeme. Badana yapmaya karar verdik bir gün, bir dernek merkezi gibiydi artık kulübemiz, öyle görünüyordu bize artık. Fakat sahibi o güne kadar girip çıkmamıza ses çıkarmadığı halde, badana yapacağımızı söylediğimizde rahatsız oldu, tuttu kapısına kilit vurdu kulübemin... Nedense...

- Ah bacım, bizim Sedef'in fırçasını sürmediği harabe kalmadı ki bu şehirde! İnsanlar bir müteahhide satacakları arsanın üzerindeki harabede anlam veremedikleri resimlerle karşılaşınca, tedirgin oluyorlar. Şu geçen birkaç yıl içinde en fazla göç alan şehirlerden biriymiş bizimkisi. Harabeler arasında resim yaparken başına bir iş gelebilir, diye endişe ettiğimiz için, gel vazgeç bu işten kızım, bu işin sana bir hayrı yok, dedik. Mesele sadece tinerciler, serseriler değil. Harabe sahipleriyle tartıştığı için karakola düştüğü de oldu bizim kızın.

Duvarda polislerin ne anlama geldiğine karar veremediği bir resim varmış ve hani, Sedef'in yaptığı şekilde duvar resmi nedir, ömründe görmemiş polis, bir gizli örgüt amblemi sanmış bu resmi. İşte, karakola çekildiği o günden sonra harabelere eskisi kadar gitmese de, saçma sapan kimi kurslara kaydolmaya başlamış Sedef. Yazılsa bile, çok az devam ettiği kurslarmış bunlar.

- Aslına bakarsan üniversite sınavlarını kazanamama korkusu hasta etti çocuğu, dedi Naciye Hala. Bugünlerde eskisine göre daha neşeli; karikatür çizmeyi benimsedi. Patronu da efendi adam. Bu yüzden, ikide birde izin almasın, işine sıkı

sıkı sarılsın diyoruz. Yine de bugün bağa gelsin isterdim. Sonuçta seninle kırk yılda bir görüşüyoruz.

- Kırk yılda bir değil, dedim, senede bir, bazen iki kez görüşüyoruz. Geçen sene de gelmiştim önceki sene de. Şerife'nin ölümünde de burada değil miydim? Ah evet ya, Şerife! Bu dünyada bir gün görmedi; mekânı cennet olsun! Rahmetli, adı "militan"a çıkınca işinden atılmış, bu yüzden evlenememişti; Allah'tan abileri uzaktan uzağa da olsa kol kanat germeye devam ettiler. Sözlü gibiydi, daha doğrusu resmen sözlüydü, ama işten atıldıktan hemen sonra sözü de atıldı. Biraz saf bir kızdı Şerife, memuriyetten atıldığında da, bu saflığının kurbanı olduğu söylendi. Şöyle olmuş güya, askeri darbe ertesinde birileri büroda bulunması sakıncalı sayılan kitapları gazeteleri, sen hanım hanımcık birisin, senden kimse şüphelenmez diye, saklaması için ona vermiş. Sonraları Şerife'nin kendisine o kitapları, dokümanları veren adama aşık olduğu için bu saklama işini üstlendiği bile söylendi. Böyle iftiralar atıldı kızcağıza. Şerife bu konularda konuşmaktan hoşlanmazdı. İnsanlar da ateş olmayan yerden duman tütmez diye düşünmeye meyyaldir hep.

- Çok roman okurdu. O yüzden suçlamalara inandılar.

- Kimse hakkında kötü konuşmak istemezdi. Yine de kendini savunamadı. Üç yıl kadar hapis yattı.

- Seni müebbet hapisten kurtardım ya, buna dua et, dermiş avukatı.

İyi de hanımlar, Gönül durup dururken Amerika'dan niye döndü ki, sorusuyla unutuldu Şerife. Yıllar değiştirmiyor Gönül'ü; gidiyor, geliyor, aynı kadın. Bana öyle gelmedi, çok kırışmıştı yüzü. Üç, yok yok dört koca, her birinden de bir çocuk. Yok, üç kocası oldu; biriyle iki kez evlendi, değil mi.... Hayır, öyle değil, çocuklardan ikisi ilk kocasından. Kanadalı kocasından çocuğu olmamış mı? Olmamış. Gamsız kadın; onun yerinde olsam, ayakta duramazdım ben. Ee, kansere yakalandı ya, daha ne gelsin başına; tek göğsünü aldırmış hatta. Doktor hatası diyorlar, alınmadan da olurmuş. Protez göğüslü, acıma duygusuyla anılan kadın, eski Gönül değil; yeni biri. Yazık valla, demek oralarda da oluyormuş doktor hatası. Oluyormuş tabii, ama dünyanın tazminatını ödüyorlarmış. Dava açmış hastaneye; çok para kazanır diyorlar. Ya işte, Kanadalı kocasından ayrıldıktan sonra göğsünü aldırmış kızcağız. Dikkat ettim de, hiç belli değildi göğsünün protez olduğu, dedi Naciye Hala. Kendine yakışanı bilir o, rasgele giyinmez. Gönül'den söz ediyorsunuz değil mi, diye söze karıştı, büyük bir servis kasesiyle karpuz getiren bağ sahibinin kız kardeşi. Kanser olduğunu söylüyorlardı; göğsünün tekini aldırmış. Hiç belli olmuyordu, diye tekrarladı Naciye Hala.

Bağ evinin önündeki çardak altında oturan kadınların çoğu, yıllardır hayat hikayesini bir dizi film misali takip ediyor Gönül'ün. Baba baskısı yüzünden, Amerika'ya kaçmak için evlenmişti akrabası bir gençle, sonraları kocasının kıskançlığına dayanamayarak ayrılmıştı. Bir zaman garsonluk yaparak kazanmıştı hayatını, kuaförde de çalışmıştı uzun zaman ve yıllar sonra bütün birikimini çalıştığı kuaförün sahibi olan ikinci kocasına kaptırdığı için sıfırdan başlaması gerekmişti hayatına. Kanadalı kocası çocuklarını evde istemiyormuş, o yüzden kanser olmuş kızcağız, öyle diyorlar. Adam mafya gibi bir şeymiş, kanser olmasaymış zor kurtulurmuş elinden. Kanadalı kocasından ayrıldıktan sonra Florida'ya dönmüş; ardından internet kanalıyla Türk bir eş bularak Ankara'ya gelmiş. İki evliliğinde dünyaya getirdiği üç çocuğundan ikisi yanında, büyüğünü tahsili hatırına babasına bırakmış. Bugünlerde buralarda, yeni kocasını ailesine tanıştırmak için gelmiş.

Gönül Gönül Gönül. Onun Yeşilçam filmlerinden fırlama genç kız hoppalıkları. Takma kirpikleri, tırnakları. Ders çıkışlarında kalın bir kemerle boyu kısalan formaları. Edebiyat öğretmeniyle mektuplaşma skandalının ardından lise hayatına veda etmesi. Sonra apansız evlenip gitmesi Amerika'ya...

Göğüs kanseri, mafya mensubu kocası, kendisinden çok küçük olduğu söylenen yeni kocası, protez göğsü... Ufff...

- Ufff, diye kolumu dürten, kızım. Sıkılıyorum anne, patlıyorum sıkıntıdan, ne zaman gideceğiz...

Havuzun kenarında kızlar, gençler liginde futbol oynayan kayınbiraderimin oğluyla konuşmaya dalmışlar.

- Herkes bağda olacak demiştin bana. "Herkes" dediğin işte bu kadar insan yani. Kızların çoğunu tanımıyorum. Bu bağ evinin kızları bile üniversiteye hazırlık kursunun pikniğine katılmışlar.

- Çocuklarla oynasana, seversin sen çocuklarla oynamayı.

- Uff anne! Çocuklarla oynamak istemiyorum şimdi. Tuvaletim var, ama bu tuvaletin içi sinek doludur. Zaten ortalık bir yerde.

- Gel, ben seni götüreyim tuvalete.

- Ölsem girmem o tuvalete. Sinekler varmış. Pis de kokuyordur. Kendimi tutabilirim. Erken ayrılacakmışız ya bağdan...

- Akşama maç var, trafik sıkışık olacaktır ama...

II

Karşı koysa da tuvalete götürdüm onu. Dönüşte havuz başından geçerken, kızlara akşam yapılacak maç üzerine nutuk çeken kayınbiraderimin oğlu Bilgehan'ı dinlemek için yavaşladım.

Bilgehan Serdar'ın transferiyle ilgili haberlerin asparagas olduğundan zerre kadar kuşku duymuyor: Benim açımdan Serdar takımımızın gelmiş geçmiş en büyük yıldızıdır. 2000 yılı Haziran ayı. Yer, şehir stadyumu. 90 dakika boyunca tek gol yok. Uzatmanın daha başında Necati atılıyor. Ölüp ölüp diriliyoruz. Yüreğimiz ağzımızda geçen 120 dakika da golsüz bitiyor. Sıra penaltılarda. En son Serdar'da top. Çıt yok! Taş kesilmiş durumdayım. Gol atılmazsa küme düşeceğiz. Serdar geliyor ve topa öyle bir vuruyor ki!.. Goooooooolllllllll! Gözlerimizden sevinç gözyaşları akıyor. Şimdi bile sanki o andaki duygu fırtınasını yaşıyorum... Kaç yaşındaydım ki, en fazla on on bir. Bana kalırsa da Serdar yedekte tutulmayı hazmedemiyor, haklı olarak. Transfer tekliflerine açıksa şaşırmam, üzülürüm ama şaşırmam. Bizler elimizdeki hazinelerin değerini bilmiyoruz ne yazık ki...

Serdargitmesin ama, Serdargitmesin ya, n'olurgitmesin, diye çığlık çığlığa bağırıyordu bir kız ve Serdar'ın transferine engel olmak amacıyla kampanyalar başlatmayı öneriyordu. Şehirdeki bütün boş duvarlara, "Serdar gitmesin" diye yazılar mı yazmalı... Sedef yazar mesela, yazmaz mı, herhalde yazar; hatta dikkat çekici resimler bile yapar. Hayır, bu konuda parmağını bile kıpırdatmaz, futboldan nefret eder o! Canım gerekirse biz yazarız, altı üstü iki üç kelime değil mi?.. O yazılar dışarıdan göründüğü kadar kolay yazılmıyor, kızım. Uff, ne yapsak, ne yapsak ki... Boş verin, dedi bir kız, giderse gitsin Serdar, parayı takımından daha çok seviyorsa. Saçmalama ya, dedi yanındaki. Bir ara babam, Serdar sakatlandı, demişti de dünyam yıkılmıştı. Sanki bütün hayatı boyunca sakat kalacaktı, öyle sanmıştım. Uff ya, başka konunuz yok mu sizin, hep futbol, hep Serdar, diye araya girdi kızım. İçinde bulunduğumuz çağda futbolu hafife almamak gerek yeğenim, dedi Bilgehan. Futbol hiçbir zaman sadece futbol değildir. Bu söylediklerin bir şey ifade etmiyor benim için, dedi kızım. Futbol zavallı kitleleri suskunlaştıran bir şey, bir şeyyy, şeyy, emperyalizmin aracı işte! Bağırıp çağırıyorlar stadyumda, hakeme futbolculara küfrediyorlar, hayata kahrediyorlar, ama asıl söylenmesi gereken sözlerden uzaklaşıyorlar.

Biz takım olarak maçta kişilik değiştirmeyiz, gerçek kişiliğimize, benliğimize dönüşü yaşarız, dedi Bilgehan. Taraftar olarak da hiçbir zaman saldırıyı ilk başlatan olmadık. Fakat sen de şu açıdan haklısın yeğenim, yenilgiyi hazmedemeyen taraftar yok değildir, hatta gereğinden fazladır sayıca. Bir yendi mi takımımız deplasmanda ki yenecek, çekeceği var oradaki taraftarlarımızın. Biber gazı. Arabalara taş yağmuru. Ara sokaklarda koşuşturmacalar, sığınacak bir delik aramalar...

Deplasmanda gerçekleşen maçlarda bu sahnelere az tanık olmamış Bilgehan, bu yüzden az yaralanmamış. Yenilerde bir maçta kendi sahalarında yendikleri takımın taraftarlarının taş yağmurunda yaralanan alnını gösterdi. İşte bu yara yüzünden bu maçı stadyumda seyretmesine izin vermemişti babası. Birazdan arkadaşlarıyla maçı televizyondan seyretmek üzere yola çıkacaklardı. Trafiğe takılma riskini göze alamadıkları için bağdan erkence ayrılmaya karar vermişlerdi. Bunları söyledikten sonra, haydi bana eyvallah, diyerek bağ evinin arka taraflarına doğru uzaklaştı.

Eve gidince maç için uzun uzun hazırlanır, dedi kız kardeşi. Sanki seyretmeyecek de oynayacak maçta, öylesine titiz davranır. Duş alır, formasını giyer, geçer tv karşısına. Çok önem verdiği bir maçı seyrederken de aynı çorapları giyme, aynı yerde oturma gibi takıntıları vardır. Denemiş sözde. Hep aynı koltukta oturduğunda, takımımızın gol sayısı artıyormuş. Dualar eder, ezberinde yoktur da, duvardaki tablodan Ayetü'l-Kürsi okur, babaannemden dua etmesini ister. Maç sırasında tv önünden biri geçmeye görsün, kıyameti kopartır...

- İnsan bir takımı bütün ömrü boyunca mı tutacaktır anne, diye sordu kızım, bağ evinin önündeki konuk hanımların oturduğu çardağa doğru giderken. Takım değiştiren kişinin güvenilmez bir kişiliğe sahip olduğunu mu düşünmeliyiz...

- Bir insan bütün ömrü boyunca hep aynı takımı tutar gibi geliyor bana, dedim. Formlar, formalar değişir belki, ama temelde bir şeyler aynı kalır, kolayca değişmez.

Cevabım ona yeterli gelmedi. Yine parlak bir cümle kurarak bir şey anlatmamayı başardım; çünkü bu konudaki hakiki görüşümü açıklamaktan kaçınıyorum.

Orası öyle; bir futbol takımı tutamıyorum ben, fakat yaşıtları gibi ilgilensin akşam yapılacak maçla, ondan bunu bekliyorum. Ama o, babasının şehrinin takımını tutma konusunda bile yeterince haklı sebebi bulunmadığını savunuyor:

- Asla bir futbolcu posterini asmam odama. Düşünsene! O posterden ne kadar çok odanın duvarında asılı!

Kızlardan biri hele, iyice "tırlatmış"; hava toplarına hakimiyetiyle rakip takımın korkulu rüyası sayılan oyunculardan birinin gece hayatına düşkünlüğü yüzünden yaşadığı çöküşten söz açıldığında, hüngür hüngür ağlamaya başlamıştı. Başka bir kız da ona sarılıp ağlamaya başlayınca, kızım onların bu tavırlarını anlayamadığını söylemekten kendini alamamış, bunun üzerine Türk futbolunun son yıllarda gösterdiği gelişmenin önemini idrak edememekle suçlanmıştı. Şimdi maçın yapıldığı stadyumda olmayı kim istemezdi ki... Tarih yazılıyordu orada, daha şimdiden.

- Televizyonda seyretmeyi bile düşünmüyorum ki maçı ben...

- Tuhafsın yani sen de, bir türlü anlamıyorsun meseleyi.

- Nedir anlamadığım?

- Anla işte, bu sıradan bir maç değil! Şehrimizin takımı birinci lige çıkacak.

Bu çıkışın önemine inanmadığı için de Sedef'e benzetilmişti.

Sedef, Sedef. Olumlu ya da olumsuz figür olarak bütün konuşmalarda bir yer buluyor. Bu akşam evin iki katını da kuşatacak olan maç havasına katlanamayacak. Bir şekilde Sedef'le bir araya gelmeli. *Sedef beni anlar!* Sedef'le buluşma konusunu konuşmak üzere Naciye Hala'nın yanına yaklaştı. Naciye Hala bir yandan karadut yerken, kendisini arap sabunu ile saçlarını yıkamaya mecbur bırakan nedenleri anlatıyordu, bağ evi sahibesinin kız kardeşine. Kızım, o anlatacaklarını tamamlayıncaya kadar oturamadı Naciye Hala'nın yanında.

- Naciye Hala karadut yerken niye bu kadar ses çıkarıyor ki...

- Dişleri protez de o yüzden, yaşlılara karşı biraz daha anlayışlı olmalısın.

- Hep anlayış göstermesi beklenen kişi ben oluyorum nedense, dedi ve yanımdan ayrıldı, havuz başına gitti; çok geçmedi, geri döndü.

Hamburger cinayeti hadisesi yüzünden. Adam hamburger için karısını öldürmüş. Kafasını kesmiş zavallının ve buzlukta saklamış. Nasıl olmuş? Uydurma bir habere benziyormuş, fakat iki farklı tv kanalında dinlemiş kızlardan biri, katilin itirafını. Para verip konuşturuyorlardır. Öylesi değil bu, basbayağı öldürmüş karısını adam. Hiç inandırıcı değil. Mademki katil, tv'de nasıl konuşturuluyor. Canım tutuklandığı sıradaki konuşmalarıdır. Hayır öyle değil, hadise yirmi yıl kadar önce olmuş. Adam bir affın ardından kurtulmuş hapisten. Ayrıca, iki kanala değil, birkaç kanala çıkmış. Her çıktığı kanalda biraz daha farklı bir içerikle anlatıyormuş karısını öldürmesine yol açan olayları. Pişmanım, bir hamburger için değmezdi, diye bağlıyormuş konuşmasını. Bir anlatışına göre, mutfak işlerinde çok beceriksiz bir kadın olan karısı aldığı hamburgeri ısıtmadan getirmiş sofraya. Eee, bütün gün evde yan gelip yatıyorsun, doğru dürüst bir yemek pişirecek yerde bana aptalca yemekler aldırıyorsun bir de, ben de yakınmadan alıp geliyorum, ama yolda bir yerlerde oyalandığım için soğumuş oluyor eve dönünceye kadar; bir zahmet ısıt da getir sofraya! Hayır ama, yağları donmuş, marulları kararmış vaziyette getirmiş. Midem bulandı, titizimdir sofra düzeni konusunda ve yorgundum üstelik, evimde bile iş dönüşü sıcak bir yemek yiyemeyecek miyim ben, diye düşününce, o da dırdıra başlayınca, gözüm döndü. Haklıyım demiyorum, zamanı geriye sarabilsek yapmazdım, inanmazsınız belki, çok severdim karımı ben; tembel ve ihmalkâr olduğu halde. Aşk evliliği yaptık biz. Ortaokul yıllarındayken vurulmuştuk birbirimize...

Kadının kafasını nasıl kestiğini ise hiç hatırlamıyormuş. Hiç. Cinnet geçirmiş olmalı. Evet cinnetti, yoksa bir hamburger yüzünden kıyar mıydım gül gibi karıma, diyormuş adam.

Programın sunucusu adamı kendisine küskün olan çocuklarıyla barıştırmak istiyor; ama çocuklar telefona çıkmıyorlarmış. Halk oyuna sunmuş sunucu, çocukların tutumunu. Yüzde 95'i çocukları haklı bulmuş.

- İşte bu olayı konuşuyorlar. O kanalda şöyle demişti de öteki kanalda niye böyle konuştu, falan. Sı-kı-lı-yo-rum. Artık E-VE-GİT-ME-KİS-Tİ-YO-RUM. Aslında eve gitmek de istemiyorum. Maç havası yüzünden. Başka bir yere gidelim.

- İyi de, burada misafiriz kızım, istediğimiz anda kalkıp gidemeyiz ki...

- Canı mı sıkılıyormuş bu cici kızın, diye sordu bağ evi sahibesi. Dur hele, seni biraz çalıştırayım ben.

Onu yanında mutfağa götürmek istedi. Kahve fincanlarını hazırlamaz mı? 'Cici kız' olarak çağrılmak hoşuna gitmedi kızımın; yine de izledi kadını.

"Ben kahve içmiyorum, beni saymayın," diye bağırdı arkalarından, küçük görümcem.

Midesi rahatsız; saat yediden sonra yemek yemesi yasak.

İnsanın bu dünyadaki lokması sayılı bacım, dedi Naciye Hala.

Peki hanımlar, içinizde duyan var mı; "Mağara" diye bir yer açılmış şehir merkezine yakın bir ara sokakta, sözde okul kapandıktan sonra evi müsait olmayan öğrenciler için bir çalışma mekânı olarak tasarlanmış, dedi bağ evi sahibesinin kız kardeşi. Söyler misiniz, gençler için müsait bir mekânın adı nasıl "mağara" olabilir, böyle bir isimle açılan bir mekândan ne bekleyebilir insan? Karanlık, izbe, bilinemezliklerle dolu bir yer olmalı; evladını iç rahatlığıyla nasıl gönderebilirsin ki öyle bir yere? Belki gidip bir görmek gerek, gençlerin bakışı farklı oluyor, zamane gençleri bizlerin gençliğinde olduğundan çok farklı, dedi, her toplulukta gençlerin tarafını tutacak şekilde konuşan küçük görümcem. Senin okullu çocuğun yok daha, o nedenle rahat konuşuyorsun, dedi bağ evi sahibesinin kız kardeşi. Doğrusu ya, çocukluğundan bu yana yeni bir yer açıldığını duymamış bu şehirde; kendini bildi bileli gençlerin gezmeye gittiği başlıca yer, göl kıyısı boyunca sıklıkla karşılaşılan ve artık ?kafe? denmeye başlanan kahveler.

İşin aslında *Mağara*, bir internet kafe. Tam karşımda oturan eltisi, oğlunun bu kafeye takılması nedeniyle eve geç gelmeye başlamasının kendisini ne kadar huzursuz ettiğini hatırlatıyor küçük görümceme: Bağ davetlerine gelirdi eskiden, nereye gitsem, kız evladı gibi yanımda taşırdım oğulcuğumu. Mağara açıldı açılalı eve barka uğramaz oldu. Harçlığını o mağara denilen yerde saçıp savuruyor. Babası üzerine gidince de internette ödev yaptığını söylüyor. Ödev mi yapıyor, oyun mu oynuyor, bildiğimiz yok. Üzerine sigara kokusu sinmiş olarak geliyor eve... Okullu öğrencinin ders çalışması için müsait bir mekanda sigara içilmesine izin verileceğine aklın yatıyor mu senin?..

- Bir gidip görmeli, dedi küçük görümcem. Görmeden ne diyebilirim ki...

- Okullu çocuğun yok senin, o yüzden böyle rahat konuşuyorsun, diye tekrar etti eltisi.

Bizim Sedef'i öldürsen gitmez öyle yerlere, diyerek araya girdi Naciye Hala, övünçle. Sigara içilen bir yerde beş dakika bile durmaz. Alerjik bünyesi evladımın benim gibi ki bütün olarak hassas bir çocuk. Bir sürü kursa gidiyor ya, babasına yük olmamak için tuttu işe girdi. Halası değil, annesi sayılırım, benden de harçlık kabul etmiyor. Üniversiteye hazırlandığı bir dönem bu, önünde sonunda girecek sınava, bu şartlar altında işe girmesini ister miyiz, hayır; ama harabelere gitmesin diye, sesimizi çıkarmıyoruz. Yanında çalıştığı ressam, sana öğreteceğim bir şey kalmadı benim, demiş. Varsın olsun, oyalansın, ortalık it kopuk dolu. Kara kalemle çalışıyor; o yüzden alerji korkusu da yok. Harabelere gittiği sıralarda boş zamanı çoktu, şimdi boş zamanı yok, işten çıkar çıkmaz hangi kursa gidecekse onun yolunu tutar, fakat ?Mağara? dediğiniz yere gittiğini hiç duymadım. Gitmez oraya, gidemez. Anlattıklarınıza bakılırsa, sigara dumanından göz gözü görmüyormuş "Mağara" denilen o yerde.

Her Şeyi
Yoluna Koyan Hatice

Beni ne iyi eder, nasıl can bulur kuru bir ağaca dönüşmekte olduğunu duyduğum varlığım, bilmiyorum. Bir katre daha olsun sıkılamaz sanki benden, tek bir kelime olsun dökülmez ağzımdan, öyle cansızım. Yine de güvenmiyorum kendime, bir sohbet bir telefon konuşması sırasında çözülüp gitme konusunda. Biri gelecek eve, herhangi biri ve söz arasında çözülecek dilim. Dahası, ben içimi açmama elverecek herhangi bir ortamda, bir kalabalığın ortasında bulacağım kendimi, gece karanlığının çöküşünü beklemeden; Hatice'ye ulaşamıyorum hâlâ. Feribota bininceye kadar her an geri dönmeyi düşündüm, Hatice'nin telefonu hâlâ kapalıydı çünkü ve herkesin İstanbul'dan kaçmak için bahane aradığı bu sıcak günlerde evi müsait olmayabilirdi pekâlâ. Bu inandırıcı olmayan bir gerekçe. Evi kalabalık olsa da, misafirle dolup taşsa da, rahat edeceğim bir köşe sunacaktır bana o. Yumuşak yataklarda yatamam, biliyor; iki yastık istediğimi de biliyor; yanımda yedek bir pike olması gerektiğini de... Yüreğimin daralmasına dayanamaz oldum Hatice, uykularım bölük pörçük. Kaçtığım, kaçındığım şey yüzünden melekler gibi ışıldamalı yüzüm, şakağımdaki mor leke sahici bir çiçeğe, bir mor menekşe yaprağına benzemeli; fakat kuru, kupkuru bir ağaç parçasına dönüşüyorum, attığım her adımda. Bir zamanlar beni hayata bağlamış olan ne kadar çok şeyin uzağındayım; ne tat alarak yemek yiyebiliyorum, ne müzik dinliyorum, ne de yolumun üzerindeki parkta bir banka oturup, etrafımda uçuşan güvercinleri seyretmeye can atıyorum.

Biri bana dua etse, biri anlasa yaşadığım güçlükleri de iyiliğimi dilese Allah'tan.

Adımlarımı boşluğa atıyorum sanki, hakiki bir mesafe kaydedemesinler diye. Arada mevcut olan yıllar uzamasın da kısalsın; bütün mesele sanki sadece bu.

Arada uzun mu uzun yıllar var; o doğduğunda ben liseye başlamıştım. Böyle bir mesafeyi ne şiirimsi cümleler kapatabilir, ne de makyaj malzemeleri; içimi açtığım üç kişiden ikincisi söylemişti bu cümleyi. Botoks yaptıran plastik gülüşlü kadınların girdiği yol da işte böyle görünmeyen dikenleriyle insanın ayaklarını (yüreğini) dağlayarak sakatlayan bir yol olmalı.

Onunla aynı yolda yan yana yürümeyeceğimizi biliyorum içten içe. O doğduğunda ben lise öğrencisiydim. Niye direniyorum ki...

Benim için yazdığını söylediği mektup-novella yüzünden.

Yazmaya yeteneği yoktu oysa, öyle derdi. Nasılsa, içi daraldığında bir gece yazmaya koyulmuş o metni, bir mektup gibi başlamış önce, ama noktalayamamış bir türlü. Gitgide ikimize ait kıldığı bir masala, bir novellaya dönüşmüş mektup metni; o yüzden de bana göndermeye karar veremediğini söyledi. Ben de okuma konusunda ısrarlı davranmadım; mektup-novella bana yazılmış, yine de bana ait değil, bunu belli belirsiz hissettiriyordu. Israr edemezdim yazdıklarını öğrenme konusunda, liseli bir öğrenci değilim ki ben. Aramızda yüz çizgilerinin ve hafızalarda birikmiş hatıraların hatta bedensel duruşların açık ettiği bir uçurum var. Kendimi Reşat Nuri'nin *Çalıkuşu*'nun ilk bölümlerinde, Feride'nin bir otel odasında tanıdığı aşık kadına benzetiyorum. O kadın rastıklarla, sürmelerle güzelleştirmeye çalışıyordu çökmüş, rengini yitirmiş yüzünü, sırf sevdiği adam onu beğensin diye. Bense elimde olmadan yeni yüz ifadeleri ediniyorum. Bezgin, umutsuz, çökkün, bazen de ansızın doğan umutlarla geçici bir güzellik kazanan kadın yüzleri... Şakağımdaki mor lekeye aldırdığım yok; ona bir menekşe yaprağı gibi görünüyor o leke... Öyle söylüyor ve inanıyorum, o ne söylerse inanmaya hazırım. Teselli edilemez biri oldum çıktım yine de... Bizi birbirimize yakıştırmıyor kimse, bunu düşündükçe içime sığmaz oluyor içim ve yanlış insanlara açıyorum. İçim ben farkına varmadan hiç ummadığım bir ortamda infilak ediyor. Bir tuhaf bakıyordu Güler, kınar gibi değil de, hiç tanımadığı birini anlamaya çalışıyormuş gibi. "Zavallı kız, kendini yalnız hissettiği için kapılmış olmalı o adama... " Böyle mi düşünüyor hakkımda?

Dilimin tıpası açıldığında hangi cümlelerin dışa vuracağını tahmin edemiyorum. Bu cümleleri ben mi söyledim, iş dışı konuşmalara pek az girdiğim Güler'e mi söyledim, bu cümleleri nasıl oldu da kurabildim ben... Böyle infilak ede ede kaç kişiye açıldım? Şimdilik üç. An geliyor, içimde tuttuğum dengeden yoksun cümleleri taşıyamaz oluyorum. Bazen de onu savunmamı gerektiren bir konuşma kapısı açılıyor olur olmaz bir yerde; doğal olarak çoğu kez iş yerinde. Onu tanımadığın için böyle konuşuyorsun, demiştim birine. Senden iyi tanıyorumdur belki, diye karşılık vermişti. İkinci bir soru sormaya cesaret edememiştim. Nasıl biri o? Bir kere yalancı, söylediği yalanların haddi hesabı yok. (Mor lekemi muzip bir dövmeye, narin bir menekşe yaprağına benzetirken yalan mı konuşuyordu?..) İkincisi, çok hırslı. Yükselmek için herkesi kullanabilecek bir yönü var. (Bu komik işte! Yükselmek için yararlanabileceği bir konumum yok ki benim...) Üçüncüsü... İşte bir sürü başka şey. (Mesela ne? Yüzümün sağına düşen mor leke mi...)

Ama belki de her şeye rağmen ona güvenmesi gereken kişi olmalıyım ben ve bütün mesele ona güven duymayanları dinlemeye açık oluşumdur hâlâ. Belki de aramızda yılların oluşturduğu mesafeyi kapatacak olan benim şeksiz şüphesiz güvenim olacaktır. İyi de giderek gücümü yitiriyorum işte; yorulmaya başladığımı duyuyorum. Aramızdaki yaş mesafesini hatırlamadan düşünemez oldum onu. Onun doğduğu günlerde ben ortaokul arkadaşlarımla okuldan kaçıp mitinglere katılıyordum.

Fakat şimdi bana öyle geliyor ki aramızdaki kuşak farkı, yalancılığı ve hırsı, hatta çapkınlığına ilişkin rivayetler, benim için yazdığını söylediği mektup-novella üzerine suskunluğunun yanında sanki çok önemsiz kusurlar. Dile getirmeme gerek kalmadan o metni bana gönderseydi, daha az incinecektim; anlamalıydı bunu. Anlayamazdı bunu, çünkü, yaşlı bir kadın olduğumu düşünüyor; ince davranışlara ihtiyaç duymayacak kadar olgun, görmüş geçirmiş biri; bir tür sahip olamadığı *kültürlü anne*. Böyle düşünüyor işte Güler, daha farklı olamaz; benim için yazılmış bir metni bana gönderme konusundaki bu ihmalini nasıl açıklamalı...

Özür dilerim, demişti daha sonra, konu açıldığında. Klavyeye çay döktüğüm gün gelmişti. Islanan klavye pek az bölümünü etkilemiş bilgisayarın beyninin, üzülmeyin artık, demişti. Daha fazla üzülemezdim zaten, klavyeye niye çay döktüğümü sanıyorsunuz, dememiştim. Ama sanki bu soruyu sorduğumu biliyormuş gibi bir ara, size bir mektup yazmaya başlamıştım gerçekten de, demişti. Fakat giderek farklı bir türe dönüştü yazdıklarım. Nereye varır bilmiyorum, bitmiş ve adı konulmuş değil daha. Çok düzensiz, hatta karışık. Ben yazar değilim, yazarken bir sürü imlâ hatası yapıyorum. Yanlış anlayabilirsiniz beni. O yüzden okumanızı istemiyorum daha...

Benim için yazdığı, yazdıkça tür değiştiren mektup-novellanın ardından başka bir doğrultuya yönelmişti dikkati. Uzun süreli bir vedanın içindeydik. Bazen telefon açarak bu vedayı bir adım öteye taşıyan bir cümleyi iletiyordu bana. Laf arasında isteyebilirdim yazdığı metni ve beni geri çevirmezdi. Fakat o mektup-novella elime geçtiğinde bu veda tamamlanmış olurdu, oysa ben hiç değilse veda bölümünü uzattıkça uzatayım istiyordum, anlıyor musun Zekiye... Akıllıca bir yolla mektubu bana göndermesini sağlamalıydım ya, aklım başımda değildi ki planlı adımlar atayım. Birilerinden onunla ilgili duyduğum sözleri aktardığım konuşmalarla onu uzaklaştırıyordum kendimden, görüyordum bunu. (Mor lekem gözünde gitgide menekşe yaprağı görüntüsünü yitiriyor olmalıydı.) Günün birinde cesur davranarak ilk kopan olmak istedim, bunu belli de ettim söz arasında. Ne şaşırdı, ne de yanıldığımı anlatan bir söz söyledi. Tersine, beni gösterdiğim özveri nedeniyle ödüllendirecek bir duyguyla dolup taşıyor gibiydi. Çok asilsiniz, hiç unutmayacağım sizi; bundan sonra bütün ömrünüz boyunca bir şekilde yardıma ihtiyaç duyduğunuzda, söz vermenizi istiyorum, kimseyi değil, önce beni arayacaksınız, dedi.

Yazdıklarınız tamamlandığında bana göndereceksiniz, değil mi, diye sormadım buna karşılık, yeri gelmişken ve bunu çok istediğim halde. Çünkü bir süredir öyle bir uzun yazının, mektup gibi bir yazının hiç yazılmamış olabileceğini düşünmeye başlamıştım.

Onunla konuşurken ihmâl ettiğim bir sürü boşluk buluyordum konuşmasının akışında. Tutarlılıktan yoksundu konuşmaları çoktandır, bu nedenle de içimde yankılanıp duran sorulara beni rahatlatacak, teselli edecek cevaplar vermesini umamazdım.

Böyle olduğu halde, bilmiyorum ki niye özür diledi, benim için yazdığını söylediği metinden sonuncu kez söz ettiğimizde...

Onun için vazgeçilmez biri olduğumu düşünmüyor muydu yani?

Ebedi bir dostluk vaadi, bir ayrılık bildirisi sayılmaz mıydı?

Şunu kabullenmelisin, demişti Zekiye, bu soruları acıyan bir dille kendi kendime tekrarlarken ben. Orada burada farklı kadınlarla görüldüğü söyleniyor. Söylenti bile dememek gerek, hercai bir kişiliği olduğu çok açık. Sana bu dünyadaki herkesten daha yakın olduğu sadece senin tasavvur ettiğin bir şey. Sonuçta senden genç, bir hayli genç; iki kuşak kadar uzağında. Öyle işte. Dediğin gibi, sen liseye başladığında o daha emekleyen bir bebekti.

Kuşak farkı diye bir şey var, var işte. Ghost Dog diye bir film. Seyrettin mi, diye sormuştu. Yok. Kesinlikle seyretmelisin. Ghost Dog'ı niye seyretmek gerektiğini sormuyorum. Bu filmi seyretmediğim için neler yitiriyor olabilirim en fazla, diye geçiyor aklımdan, bunu da sormuyorum. Bunları sorduğumda, aramızdaki uçurum belirginleşecek; öyle geliyor bana.

"Herkes onun ne olduğunu biliyor," dememişti bir tek, Güler'den sonra açıldığım Zekiye. Yalancı ve çapkın, psikopat ve düzenbaz; bunların hangisi tam olarak doğruydu, önemli değildi artık. En acımasız olan, Güler'di. Onun bir Don Juan mizacına sahip olduğunu söylemişti. Fethediyor, sonra usturuplu bir şekilde kaçıyor. Bazen öyle hareket ediyor ki zahirde sen oluyorsun, onu bırakıp giden. Bu noktaya gelmesine izin vermeden uzaklaş ondan.

Çorap söküğü gibi gidiyordu çözümlemeler ve hep aynı cümleyle noktalanıyordu: Öyle birinin aşk sözleri, vaatleri ciddiye alınır mı hiç!

Düş gücüm, ah benim şu mantık tanımayan düşleme yeteneğim! Perspektifim ise zayıf; durumu her açıdan göremiyor, bir yüzeyi mutlaka eksiltiyor ya da yamultuyorum.

Çünkü aşkla gelmişti bana, bir fuar sırasında. Bir şarj aleti yüzünden. Nokia şarj aleti arıyor, yeni model. Arap Emirlikleri'nden birinin baş şehri. Palmiyeler, develer... Nokia'nın yeni modeline uygun şarj aletini sora sora dolaşıyor stantları ve sıra bana geliyor. Öylece bakıyoruz birbirimize, bakıp duruyoruz, eski Türk filmlerindeki gibi. O bana yüreğimi görüyormuş gibi bakıyor, sağ şakağımdaki mor lekenin olumsuz bir aksini görmüyorum bakışlarında.

Bu gerçek bir aşk değil yine de, demişti Güler. Yabancı bir ülkede duyduğun yalnızlık içinde kapıldığın bir yanılsama. Öylesine tekdüze geliyor ki hayat sana, bir bebek gibi dünyaya yeniden doğma umuduyla bir aşk hikayesi kuruyorsun kendine. Bir bahçede geziniyorsunuz ikiniz, ya da bir hamakta yan yana sallanıyorsunuz. Rüzgar ince ince esiyor. Titreşen yapraklar kulaklarınıza aşk şarkıları söylüyor. Her adımda biraz daha kopuyorsun dünyadan, fakat bir düşüş yaşadığın sırada onun elinden tutacağını sanma hiç!

Biraz olsun hak veriyorum Güler'e... Terk edilen olmak, hem de terk edilmiş geçkin bir kız olarak bakmak aynaya, günün birinde başıma gelebilecek en kötü şey. Terk edilmiş taraf olmak istemiyor, bu yüzden gidiyorum Hatice'ye; telefonları cevap vermediği halde. Her şeyi yoluna koyan Hatice, bana da biraz olsun çekidüzen verebilir. Terk edilen kişi olmadığımı göstermeye çalıştığım için de, yazdığı metinle ilgili fazladan bir soru olsun sormaktan uzak durdum ona, iş yerine geldiği gün. Klavyeye çay dökmeme yol açan dalgınlığımın nedenini de söylemedim ki bu neden, İzmit'te oturan ablasının sabah saatlerinde büroya, beni genç bir adamın hayatını karartan geçkin bir kız, bir kız kurusu, aslında neyin nesi olduğu belirsiz biri olarak suçlamak üzere yaptığı ziyaretti, başka bir şey değil.

Öylece konuşup duruyorduk. Bana klavyeyle monitör arasındaki bağlantılardan söz ediyordu. Söylediklerini anlamadan dinliyordum. Pek fazla konuşmadığım için, hafta içinde şehir dışına çıkacağımı açıklamamayı başardım.

En fazla şehre birkaç saat uzaklıkta bir tatil köyüne gidebilirdim ondan uzaklaşmak için ve yalnızca, yıllık iznini yazlık evinde geçiren Hatice olabilirdi, beni içimi açmaya zorlamayacak kişi. Ona açılmayabilir, bunu başarabilirdim; öyle biridir Hatice, hal hatır sorarken sınırı aşmaz. Üç kişiye açtım içimi; Hatice dördüncü kişi olabilir de... Günün birinde benim, sana sıradan görünen bir adam yüzünden böyle acı çekeceğimi hiç düşünebilir miydin Hatice? Arada on yılı aşan bir mesafe, bana karşı hınçlı bir abla, belki bütün bir aile ve bir de ailenin gelin olarak benimsediği güzeller güzeli bir genç kız var.

O kızı gördüğüm andan itibaren bakamaz oldum aynalara ki sağ şakağımda taşıdığım mor lekeyi çoktandır hoş kokulu bir menekşe yaprağı gibi algılıyordum; onun anlatımlarının verdiği bir güvenle. Asla kabullenmezler seni, demişti, açıldığım üçüncü kişi olan Zekiye'nin arkadaşı da, ailesini biraz olsun tanıdığı için. Büyük bir aşirete mensuplar onlar. Kendi aralarında evleniyorlar. Bu kuralı yıkanlar yok değil ailede, fakat ona bu konuda güvenebileceğini sanmıyorum. Maceraperest, aklına estiği gibi hareket eden biri çünkü.

Utanmıştım biraz; daha önce belki bir, belki de iki kez selamlaştığım biriydi Zekiye'nin arkadaşı, onu iyi tanımıyordum. Zekiye'nin arkadaşına açılmamalıydım, onun yerine açılmam gereken kişi, Hatice olmalıydı. "Üç" her zaman, bir şeyleri aşırıya kaçmaya izin vermeden noktalayan sayıdır; dördüncü bir açılma, acımı daha fazla yaymam ve çığırından çıkarmam anlamına gelecek. Hatice sıkıntılı olduğumu görse de beni içimi açmaya zorlayacak biri değildir. Ne konuşacaktık öyleyse, pek sessizleşir o bazen, hatta yerinde pek durmadığı halde hareketsiz gibi görünür insana, bu sessizliği nedeniyle. Fakat bir şey gördüm gözlerinde kucaklaşmamız sırasında, yeni bir pencere, kederi ve çaresizliği tanıyan bir ışık. Bir şeyler anlatılmış olmalıydı ona, başımdan geçenler üzerine. O beni hep anlardı, yine anlar; ona açabilirim kendimi, beni haklı bulacağı bir şeyler söyleyecektir, laf olsun diye de konuşmayacaktır, diye geçirdim aklımdan. Yaşlanma korkusuyla paniğe kapılmış geçkin bir kızım ben, sağ şakağımda mor bir doğum izi taşıyorum üstelik, ama tuhaf değil mi, hiç de yaşlı hissetmiyorum kendimi, mor lekem menekşe yaprağına benzetildi benzetileli. Yine de dışarıdan bir bakışla nasıl göründüğümü biliyorum, serseri ruhlu çapkın bir adama kapılmış şapşal bir kız kurusu; dışarıdan görünüşüm işte böyle olmalı, ama Hatice her zaman yaptığı gibi bana farklı bir ayna tutabilir. Sorunları çözmeye hevesli bir mizacı var, kervan yolda düzülür mantığıyla koşturuyor yıllardır, soyut kervanlarıyla sürdürdüğü hayır işlerinin peşinde. İsmi de Hatice zaten; Muhammed'in kervanlar sahibesi kırk yaşındaki Hatice'si gibi yöneten, yönlendiren ihtişamlı kadın. Herhalde anlayacaktır eski arkadaşını kendisinden on beş yaş küçük birine kaptırıp götüren çağıltıyı, benim uzun yıllar işi gücü dert dinlemek, sadece dert dinlemek olan arkadaşım.

Duygularıma söz geçirebilmem için yardım et bana Hatice, hatta beni bir odaya kapat ve üzerime kilit vur; her şeyi kolayca yoluna koyan Hatice, canımı kanatan sivri dikenleri olan duygularıma söz geçiremez misin?..

Öylesine hareketsiz ve sessiz oturuyor ki koltukta, pek alışık olmadığım bu duruşu karşısında, habersiz çıkıp gelmekle yersiz hareket ettiğim duygusuna kapılıyorum. Bir telefon bile etmeden apansız çıkıp gelerek yazlık yaşantısını karıştırdığımı geçirmez aklından herhalde, öyle biri değil o; habersizce çıkıp geldiysem, bir sebebi vardır, böyle düşünecektir. Geldim Hatice, çünkü gelmek zorundaydım, gelmeden yapamazdım, diye anlatmaya başlamam gerek. Biz eski arkadaşız. Hatice benim yattığım odada saat, telefon, kablo, mesela bir bilgisayar kablosu, böcek ilacı, klima esintisi bulunmasından hoşlanmadığımı bilir mesela.

Fotoğraf çektirirken sol tarafımla görünmek istediğimi de bilir, ona göre yerleşir yanıma.

Hafta içinde kocası yazlıkta olmaz hiç; ben de bunu bilirim.

Hatice'nin bir kocası var mı? Var gibi. Onu çoğu zaman görmem, görmeyiz. Annesini küçükken yitirmiş. Bir babası var Denizli'nin bir kasabasında, onun da sadece sözünü eder. Kapısı herkese açık bir evi mutlaka var; tezlikle adresi değişse de yolu en kısa zamanda öğrenilen bir kolektif ev. Çekirdek ailenin bencilliğini bir şekilde protesto eden, bununla birlikte bir ayaklarını bu aile modelinin zeminine dayamış *klana katılmış* dindar ve devrimci, bir yanlarıyla mutlaka yazıyla sanatla ilgili, bir diğer yanlarıyla aktivist kızların uğrayabileceği ve gerekiyorsa da gece kalabileceği, yatak odaları yatılı okul misali ranzalarla dolu bir ev. Çocuklarla, bebeklerle uğranılabilirdi bu eve ve nihayet gece yatısına kalınırdı; bu yüzdendi belki, kocasının ortalıkta pek görünmemesinin nedeni. Yatakları ağlamayı mızmızlanmayı sürdüren bebeklerle birlikte işgal edilen Zeynep'le Ömer, geceyi anneleriyle geçirecekleri için sevinçli görünürlerdi. Banyoda çamaşır makinesi sürekli çalışır, mutfakta ocağın üzerinde mutlaka kaynayan bir tencere bulunurdu. Ranzalardan sarkan yabancı çocuk başlarına ve yerlerdeki oyuncaklara bakarak, bir çocuk yuvasında olduğunuzu düşünebilirdiniz. Hatice evin kalabalığından hiç rahatsız olmadan, elinde nevresim, oyuncak, yastık, ilaç kutusu, sabun paketi gibi eşya ve malzemelerle, hafif adımlarla odadan odaya geçerek bir şeyleri yoluna koymaya çalışırdı. Aynı rahat gidiş gelişleriyle kalabalıklar için sofralar kurardı. Masanın üzerine eklenen tabaklardaki yemekleri, tatlıları ne zaman pişirdiğini fark etmemiş olurdunuz. Çok kalabalık olacaksa misafir, kimi arkadaşları yemeklerle gelirdi. Telefonlar ederdi. Yardımlar toplanırdı. Ziyaretlere gidilirdi. Salavat getirilir, dualar edilirdi. Aynı tabaktan çorbalar içilirdi. Yastık altlarına zarflar bırakılırdı.

Kusur işlenmiş ya da yarım bırakılmış önemli bir şeyleri yoluna koymaya çalışmak, görünmeyen yaraları sarmak bir de, onun başta gelen meziyetidir.

İyi cemaat mensubu, yine de aykırı bir yanı olan çalışkan arkadaşım, şimdi yetim çocuklarla ilgili bir vakıfta müdire olarak, soyut kervanları yola çıkarmayı sürdürüyor.

Hatice beni anlayabilir, atmam gereken adımlar konusunda en doğru tavsiyeleri ondan duyabilirim.

Öyle de, kaç dakikadır sessizce oturuyoruz karşılıklı olarak, perdeleri bile açılmamış olan oturma odasında. Bir yanlışlık var bu işte, Hatice'nin hareketlerinin ağırlığında yani. O her zamanki yumuşak dolaşmalarıyla çoktan karışık odaları düzene sokmuş olmalıydı. Ne yap-boz parçaları kalmalıydı ortalıkta, ne de çocukların plaj dönüşü ortalıkta bıraktığı ıslak havlular. Hiç yanmamış görünüyor teni, bir kez bile plaja inmemiş gibi; bembeyaz yüzü, daha doğrusu solgun.

Burası, kadınlar plajıyla ünlü bir belde, bu nedenle de tesettürlü arkadaşlarımız arasında denize girmeyi aklına getiren herkese ait sanki, şimdi bulunduğum yazlık evin anahtarı. Eskiden öyleydi en azından, herkesten çok onun evi, adresi sürekli değişen evi yani, en rahat edilen buluşma yeri olurdu.

Ne değişti ve ne zaman yaşandı bu değişme, bilmiyorum. Hatice, tanıdığım kişi olmaktan uzak. Belirgin bir şekilde durgun, hiç olmadığı kadar kendine dönük. Belki de yanlış zamanda geldim, haber vermeden çıktım geldim; mazeret kabullenemeyecek bir duygu içindeydim, yola çıkarken. Birkaç kez aradım yine de, hiç aramadım değil; fakat her arayışımda kapalıydı telefonu. Gelmekten başka bir düşüncem de yoktu, ne olursa olsun geleceğimi bildirmek için arıyordum zaten, onun yanında iyileşirdim, aklım başıma gelirdi, öyle hissediyordum; onun yanında ters giden her şey biraz da olsa yoluna girerdi.

Haber vermeden geldim, kusura bakma, dedim.

Önemi yok inan, dedi. Pek işim yok, aslında iş yaptığım yok desem daha doğru olacak. Çocuklarla da kız kardeşim ilgileniyor.

Seni birkaç kez aradım. Telefonların kapalıydı. Evde olmamanı göze alarak geldim. İşten izin aldım da...

İş yerinde bir şeyler olmuş, duydum, dedi.

Duymuş işte, ama bir de benden dinlemeli. Geçen hafta sonunda bir gün, perşembe olabilir, klavyeye çay döktüğüm için bir tartışma geçmişti bölüm şefiyle aramızda. Bugün klavyeye çay döküyorsun, yarın ne yaparsın kim bilir, işimiz var sizinle, demişti. Bilgisayarın artık çalışmayacağını öne sürüyordu. Sonra Zekiye telefon etmişti de gelip bakmıştı, şirketin bilgi işlem sorumlusu. Bilgisayarın beyninde zarar gören bölümler vardı, fakat bunların önemli olmadığını söylemişti. O ortama daha fazla dayanamayacağımı düşünerek izin istemiştim. Geri döner miyim, bilmiyorum daha. Dalgınlığım yüzünden klavyeye çay dökmek gibi bir sürü hata yapıyorum. Rakamların sıfırlarını eksik veya fazla yazdığım da oluyor. Sürekli uyarı alıyorum. İşe gitmek istemiyorum; evde kalmak da istemiyorum. İşten atacaklar beni, biliyorum. (Daha önceki işimden, ekonomik kriz yüzünden çıkarılmıştım.) Bu işten atılırsam, yeni bir iş bulmam kolay olmayacak. Fakat bunu umursadığım yok, yani beni üzen konu değil işsiz kalma ihtimali...

Niye geldin tam şu sırada, diye sormasa da o, bir açıklama yapmam gerekiyormuş gibi bir duygu içinde, işsiz kalma ihtimalini kurcalayıp durdum. Öyle belirsizliklerle dolu ki piyasa, patronlar eleman çıkarmak için bahaneye bakmıyorlar bile... Son zamanlarda yaptığım saçmalıkları bir kenara bırakacak olursak, memnundu patron benden. Ekonomik krizin ardından Körfez ülkelerine yönelmişti şirketimiz ve ben iyi kötü Arapça biliyordum; hayır, kolayca göz ardı edilecek bir eleman değildim. Böyle konuşup dururken onun beni dinlemediğini fark ederek sustum. Sessizlikten sıkılınca da oturduğum kanepenin ucundaki pikeyi katladım, koltuğun kenarına sıkışmış çocuk çoraplarını toplayıp banyodaki kirli çamaşır sepetine attım. Islak havluları balkona astım. Mutfağın önünden geçerken tezgahın üstünün bulaşık kap kacakla dolu olduğunu gördüm, yadırgayarak. Su almak için girdiğimde, dibi tutmuş tencereler çekti dikkatimi; eviyenin içi ise bulaşık tabaklarla doluydu. Tek bir temiz bardak yoktu dolaplarda. Dibi tutmuş tencereleri suyla ıslattım. Bir yerlerde plastik eldivenler olmalıydı, aradım, bulamadım; bulaşıkların bir kısmını olsun yıkamak gerek. Hatice'nin evleri, ne kadar seyrelse de geliş gidişlerim, yazlıkta da kışlıkta da misafir gibi hareket edeceğim evler olamaz. Bulaşıkların yarısını olsun yıkamalıyım. Bırak şimdi bulaşıkları, dedi. Sonra yıkarız bir ara; şimdi otur, dinlen. Dinlenelim.

Su içmek istiyorum ama... Salondaki büfede uzun kristal su bardakları vardı, o bardaklardan birini alarak mutfağa döndüm. Yolumun üzerindeki sehpaya bırakılmış iki bulaşık bardağı da yanımda götürdüm giderken. Onun gibi sükûnet içinde olmasa da sürdürüyordum ortalığı toplamayı. Ondaki bir şeyleri yoluna koyma yeteneği, nesnelere olduğu kadar insanlara da bir mesafe koymasından ileri geliyor. Canını yakamaz kimse, önüne çıkan birine pişmanlık duyacağı bir açıklamada bulunması da beklenemez ondan. Kaybedeceği bir şeyi olmayanların ferahlığı içinde ve adeta tutkusuz görünüyor; özellikle şimdi. Ya da sadece birilerine ait sorunları çözerken canlanmaya başlıyor. Ben de zaman zaman yanına yöresine eklenen bir sorunum işte, yorucuyum, konukluğu zahmetli biriyim, habersiz çıkış gelişimle belli ki uygunsuz hareket ettim. Bulaşık eldiveni bulamadım bir yerde, bu nedenle bir kez daha sessizce oturuyoruz iki köşede. Çay, su, adaçayı, yeşil çay, kahve, neskafe teklif etmiyor. Hiçbir hareket yok ortalıkta; gitgide daha tuhaf görünüyor bana, evin sürüp giden sessizliği. Kapının zili çalmıyor, telefonlar zaten kapalı. Belki bir yere gidecektir de ben geldiğim için planını değiştirmek zorunda kalmıştır; olamaz mı... Bunu sorduğumda, evden çıkmayı düşünmediğini söyledi; yalnız kalıp düşünmeye veya düşüncelerini dinlendirmeye ihtiyacı varmış, bu yüzden cep telefonunu kapatmış, sabit telefonun da fişini çekmiş. Yemek yapmaya takati olmadığı için de mutfağı kendi haline bırakmış.

Hamam böcekleri cirit atıyor, korkarsın şimdi sen!

Alındım biraz. Geceyi burada geçirmeyi düşünüyor değilim ki, akrabalarım var yukarı tepelerde, zeytinliklere giden yolun üzerinde. Akşamları buluşarak iskeleye yürüyebiliriz ama... Eskiden öyle yapardık, feribot iskelesine kadar yürürdük, mutlaka karşılayacağımız, buluşacağımız birileri olurdu; eskiden.

Bu sözlerim hiç yardımcı olmuyor konuşmasına. Yeniden sessizliğe gömülüyoruz. İçimi dökmeyi kolaylaştıran bir cümlesini duyarsam, kendime engel olabilecek miyim peki? Acım içimden taşıyor, yüzümü kızartıyor; hâlâ anlamadı mı? Acım utancımı bastırıyor şimdi, tam şu sırada. Tek bir adım

bile atamam, çıkıp gidemem yukarı tepelere, akrabalarıma
açıklamalar yapmaya mecbur kalmak istemiyorum; anlasın
bunu. Bir bocalamanın ardından, onun çok iyi bildiği bir ko-
nuyu anlatıyormuşum gibi dökülüyor kelimeler dilimden.
Şaşırmıyor, tek kelime olsun yorum yapmıyor. Onun yerine
ben şaşırıyor, ben kınıyorum kendimi: Öyle bir adama, öyle
birine inandım. Bir fuarda karşılaştık işte; aynı iş ekibi için-
deydik. Telefonunun şarjı bitmiş. Gece sahilde develer vardı
ve sıcak bir de rüzgar. Yanında yürürken üzerimden dökülü-
yordu yılların kabukları, öyle hissediyordum. Gençtim, ço-
cuktum, bir deveye binerek tur atabilirdim sahil boyunda. Bi-
raz önce sözünü ettiğim bilgi işlem sorumlusu mühendis de
o işte. Her an karşıma çıkıyor, çıkabilir. Ve ben ona soramı-
yorum: Benim için yazılmış bir mektup, bir novella var mı
gerçekten de, öyle bir metin yazdı mı sahiden... Klavyelere
çay döküyor, hesapları eksik yapıyorum. O gün İzmit'teki
ablası sabah işe gider gitmez çıkmıştı karşıma ve herkesin
içinde aşağılamıştı; bu yüzden elim ayağım titriyordu. Çok
az kişi vardı büroda daha, erkendi çünkü, yine de bana söy-
lediklerini duymayan kalmamış olmalıydı. Gerçekleri çarptı
yüzüme sonuçta ve ben daha kendime gelemeden çantasın-
dan bir fotoğraf çıkarttı; kardeşini evlendirmeyi düşündükle-
ri akraba bir kızın, güzeller güzeli genç bir kızın fotoğrafı.
Ağlayarak uzaklaştım, bağıra çağıra gerçek doğum tarihim
nedir öğrenmek isteyen ve benimle konuştuğu süre içinde
gözlerini sanki sağ şakağımdaki mor lekeden hiç ayırmamış
olan abla'nın yanından, lavaboya kaçtım, ağladım, ağladım.
Kendimi bir gün daha, bir gün için birkaç saat için daha kan-
dırıyordum, bana yazdığını söylediği bir mektup, yani novel-
laya dönüşen bir mektubun hatırına.

Sözünü ettiğim, mektuptan novellaya dönüşen, varlığı ko-
nusunda kuşkular duyduğum, bu yüzden de pek kurcalama-
dığım, benim için benim adıma yazılmış bir anlatı.

Yanımda olsun, kısa bir süreliğine de olsa uğrasın; bunun
için dua ediyordum. Klavyeye dökülen çay da belki bilerek

döküldü. Ellerim titriyordu gerçi, ablasının söylediklerini hatırladıkça. Doğum tarihimi soruyordu, herhalde gizlemiş olduğum asıl yaşımı öğrenmeye çalışıyordu. Dosyalar birikmişti masanın üzerinde ve arkadaşlardan birinin, galiba Zekiye'nin beni sakinleştirmek için getirdiği çay ya da kahve fincanı, bir kağıt yığınının üzerinde yer bulabilmişti. Unuttum ayrıntıları. Onu aramak için mantıklı bir bahane icat etmeye çalışıyordum, ablasının gösterdiği o fotoğraf üzerine konuşmalıydık. Yanımda olsun, bunu hep istiyordum, bu nedenle de bahane icat etme ustası olmuştum. Yanımda olduğunda da uzun süre dayanamıyordum varlığına; aradaki yaş uçurumunu açığa vuran işaretleri görmezden gelemediğim için. Çoktandır görüşmüyorduk, bunun içindir belki, kuşkuyla sıkışıyordu yüreğim ve bu sıkıntı elimin ayağımın birbirine dolanmasına yol açıyordu. Çay bardağı belki de bile isteye döküldü klavyeye. Böyle sürüp gitmesin de ne gelecekse gelsin başıma! Zekiye bir taraftan bana destek olurken, eleştirmekten de geri kalmadı: İşimden olabilirdim, bu kaçıncı hata. O yanımdaydı ama, süzülmüş yüzüyle. Gece uyumamış, niye uyumamış? Mutlu değil ve ayrılsak da mutlu olmayacak. Sol yanında duruyorum. Sağ tarafımda mor yaprak izi. Küçük bir iz, elli kuruş büyüklüğünde bile değil, ne çıkar. O söylediği gibi bir dövme değil, bahar rüzgarlarının şakağıma kondurduğu bir çiçek yaprağı hiç değil. Doğuştan gelen mor bir leke. Bin leke aslında, küçücük sathına karşılık öyle hissederdim. Size yakışıyor, demişti. İlk kez bir erkek bana, şakağımdaki mor lekeyi yakıştırmıştı.

Konuştum işte, hepsini anlattım Hatice'ye; bir bakıma kulağına gelen yarım yamalak bilgilerle haberdar olduğu, ama kurcalamaktan kaçındığı bir gerçeği bütün ayrıntılarıyla önüne sermiş bulundum. Bunu yaparken kızıyordum kendime. Hatice içimi açtığım, ayrıca onun mor lekemle ilgili yakıştırmalarını da aktardığım dördüncü kişi oldu. Mor lekem sanki mevcut değildi yüzümde, öyle yaşardık arkadaşlığımızı, iş yerlerinde olsun, evlerde olsun. Ama artık mor lekem vardı, o hoşgördüğünden beri vardı ve çektiğim acı, mor lekemin varlığımda kapladığı sathı önemsiz kılacak denli derinden geliyordu.

Sanırım ona ağır geldi anlattıklarım. Yeni bir sessizlik oluştu aramızda. Birkaç dakika geçmedi, dayanamadım, konuşmasını istedim:

Çok mu saf olduğumu düşünüyorsun? Acıyor musun bana?

Doğrusunu istersen biraz şaşırdım, dedi. Bir şeyler duyuyordum, ama ihtimal vermiyordum. Senin gibi ihtiyatlı birinin öyle bir adama kapılması...

Ben miyim ihtiyatlı olan...

Her şeyi inceden inceye hesap edersin ya... Kimseyi kolayca sokmazsın hayatına, her konuda kılı kırk yararsın... Yani ben öyle tanıyorum seni, ama...

Anlattığım gibi, dedim. Fuarda neredeyse iki haftayı birlikte geçirdik, Arap Emirlikleri'nden birinde. Aramızda onca yaş fark olduğu halde çocuklaşmıştım yanında, en azından o beni akranı gibi gördüğünü hissettiriyordu. İstanbul'a döndükten sonra da hemen her gün bir iş uydurup uğruyordu ofise. Bazen birlikte çıkıyor, bir yerlere gidiyorduk. Hakkımda neler düşündüğünü bana tam olarak anlatamadığını, bu nedenle bir mektup yazmaya başladığını söyledi bir gün. Sonra kız kardeşi geldi ve tam da mutlu bir evlilik yapmaya hazırlandığı bir sırada kardeşinin aklını çeldiğimi söyleyerek kınadı beni. On yaş küçüktü benden abisi, belki de on beş yaş; neredeyse bir ömür. Nasıl Hazreti Hatice ile bir tutabilirdim ki kendimi, bunu sordu. Hatice yaşadığı toplum içinde özel bir yere sahip olan soylu bir hanımefendi, üstün meziyetleri olan seçkin bir şahsiyet! Kendimden utanmama yol açan bir sürü yorum yaptı, yaşlanma korkusuyla dengesini yitiren bir kız kurusu olduğumu söylemeye getirdi, çantasından abisini evlendirmeyi düşündükleri kızın fotoğrafını çıkartıp koydu masama... Utancımdan, üzüntümden tek kelime edemedim ve kaçtım yanından. O çıkıp gittikten hemen sonra da çay döktüm klavyeye.

Ne çok benziyor böyle şeyler birbirine, gibi bir şey söyledi Hatice.

Bilgisayarda bir sorun yok gibi gözüküyordu, yine de Zekiye onu aradı. Zekiye'nin bana iyilik etmeye çalıştığını düşündüm o zaman; kız kardeşinin gelişini bilsin istiyordu sanırım. İnsan durup dururken de çay dökebilir klavyeye, günün kaç saatini bilgisayarın karşısında geçiriyoruz. O güne has bir dalgınlık da değildi benimkisi. Son zamanlarda rakam hataları yapıyorum üst üste.

Bir kusur varsa ortada, o da sorumlu bundan, dedi Hatice. Duyguların tek taraflıysa, bilirdin bunu.

Durmadan içimi birilerine açtım durdum son günlerde. Sen ondan söz ettiğim dördüncü kişisin. Düşünsene, nasıl gülünç görünüyorumdur şimdi ona, saflığım yüzünden ki gerçekten dünyaya yabancı bir genç kıza dönüşüyordum onunla konuşurken.

Herkes yaşayabilir böyle şeyleri, daha kötülerini, daha fazla acı veren bağlanmaları yaşayabilir.

Böylesine, buna benzer bir acıyı sen duymuş olabilir misin sanki... Öyle utanıyorum ki...

Farklı bir açıdan da olsa katlanılması zor bir acıyı ben de duymuş olamaz mıyım? Bu yazlık eve niye kapandığımı sanıyorsun?..

Evin rengi değişmiş, rengi değil de düzeni. Her şey yolunda gitmiyor bu evde, sanki onun benden daha haklı bir kaçma nedeni var. Kısa cümlelerle anlatıyor: Yemek yapmıyor günlerdir. Bir şey pişirmeye kalkınca açık ocağın üzerinde unutuyor tencereleri. Çocuklarını kız kardeşine emanet etmiş. Niye böyle içine çekildiği üzerine kimseyle konuşmak istemiyor. Telefonları kapalı; açık olsa da konuşamaz kimseyle. Tatile çıkmış değil, insanların sorularından kaçıyor.

Utanması gerekmiyor yaşadıkları yüzünden, fakat bir süreliğine de olsa utancımı ve acımı bastırıyor açıklaması. Kocası bir kızla yaşıyor; herhangi bir kızla da değil, evine girip çıkan, çocuklarının yatağında yatan, sofrasına oturan, giysilerini ödünç verdiği bir kızla. İmam nikahı yaptırmışlar. Yüzü pençe pençe kızararak anlatmaya devam ediyor. Yaşadıklarını dile getirmek ağrına gidiyorsa da anlatıyor. O konuşurken yadırgıyorum kendimi: Bu süre içinde yaşadıklarını niye okuyamadım ki sesinden, gözlerinden, yürüyüşünden... Utancımı bana gereksiz gelen utancıyla bastırmak için, beni yüzümdeki kızarmalardan kurtarmak için abarttığını düşünüyor, yanına giderek sarılmak istiyorum. Dokunmamı istemiyor, geri çekiyor kendini; o denli kendi içine kapalı hâlâ. Yüzünü dizlerine gömüyor, yumuluyor yerinde, tortop oluyor. Sessizce yerime dönüyorum. Her şeyi yoluna koyan arkadaşım öylesine uzağımda ki...

Ama öyle değil, hayır değil, bunu fark ediyorum hemen. Bir şeyleri yoluna koydu işte, koyabildi; garip gelse de. Acısı öyle ağır ki utancımı unutturdu bana. Şimdi başka türlü utanıyorum: Bunca zaman boyunca o bu üzüntüyü yaşadı ve ben bir şey fark etmedim. Herhangi bir kız da değil bu ihaneti paylaşan, evinin kapısını açtığı, kardeşi yerine koyduğu, giysilerini ve yemeğini paylaştığı kimsesiz biri. Bir yetim.

Kimsesiz. Yetim. Korunmaya muhtaç. Bu koca şehirde bir başına bırakılamayacak kadar donanımsız bir taşralı.

Bir bakıma ona hâlâ acıyor. Kocasını tanıyor çünkü. Kız onun gözünde sadece genç bir beden, belki daha şimdiden solmaya yüz tutmuş bir beden.

O sadece bir beden, diye tekrarlıyor, gençliğini yitirmekte olan bir beden, o kadar!

Tek kelime edemiyorum. Acısı utancımı bastırmaya devam ediyor çünkü. Artık biraz da olsa eşitiz. Bir yerlerden toplamaya, toparlanmaya başlamak gerek. Sanki ben ona göre daha iyiyim; içini açarak beni iyileştirdi. Mutfağa yönelmek istediğimde, benden önce davrandı yine de. Utancımı bastırdı ya acısıyla, böylelikle yoluna koydu ya bir şeyleri, yüzündeki beni uzağına iten acılı ifade yumuşadı hatta. Beni bir koltuğa oturttu. Dinlenmeliyim biraz, bir ihtimal akşam sahilde yürüyüşe çıkabiliriz. Mutfağa geçti. En az beş dakika süren kap-kacak yerleştirme seslerini, çaydanlığı ateşe oturttuğunu anlatan sesler izledi. Biraz sonra kuşburnu çaylarıyla geldi. Mutfağa geri döndü, bir tepsi yumuşamaya yüz tutmuş domates getirdi yanında. Buzdolabında bunları bulabilmiş. Menemen pişirebiliriz akşama.

Benim için yorulma. Ya da gel birlikte yorulalım, çok zor bir şey yapalım, hatta sevmediğimiz bir şey. Mesela ütü yapalım. Dibi yanmış tencereleri temizleyebilirim ben. Yok, ikimizin birlikte severek yaptığı bir şey olsun. Satranç oynar mısın? Sonra da çocukları almaya gideriz.

Yıllar oldu satranç oynamayalı. Hiçbir hamlenin bir adım ötesini düşünecek durumda değil zihnim. Çocukları görmeyi de kaldırmıyor yüreğim.

Öyleyse sen şurada otur, ütülenecek bir şeyler varsa, ben ütüleyeyim.

O eskidendi, penye bluzları ütülediğim günler yani. Hava sıcak, ütüyle uğraşılmaz şimdi. Sessizce oturalım burada, kımıldamadan, konuşmadan.

İyi ya...

Sessizlik uzadı, uzadı, geniş serin bir tül gibi içine çekti ikimizi. Rutubetin ağırlaştırdığı sıcak havada, sessizliğin hamağında sallanıyorduk. Usul usul. Hiç önemi yoktu çay dökülmüş bir klavyenin. Herkesin başına gelebilirdi bu. İşe geri dönecektim. Birikmiş izinlerim vardı. Gün gelecek, masamda otururken önüme atılan fotoğrafı da unutacaktım. Sadece o mektup, o mektup-novella. Bende olması gerekirdi onun...

Sessizliğin hamağında usul usul sallanırken bunları geçiriyordum aklımdan.

İri bir siyah hamam böceği mutfaktan doğru geldi, geçti önümüzden. Kocamandı, ya da bana öyle görünüyordu. Korku ya da tiksinti duymadan izledim. Hatice hamam böceğinden korkmaz, fakat benim korktuğumu biliyordu. Yine de tepkisiz kaldı. Ben de aldırmadım. Geçen yıl yine bu evde, bir hamam böceği yüzünden kendime tül perdeyle cibinlik yaptığım geceyi hatırlattı. Gülmeye başladık ikimiz de, cibinlik yapma konusundaki beceriksizliğimi hatırladıkça yükseliyordu gülüşümüzün sesleri, ama tabii olmaktan uzaktı kahkahalarımız. Hamam böceği salına salına yürüdü, kayboldu holdeki ayakkabı kalabalığı arasında. Belki de gece dönüp benim yatacağım odaya girecek, diye düşündüm. Yerimden kıpırdamadım yine de.

Gece Oturması

Çorabının teki kanepenin altına kaçmıştı, biraz önce alma-
nı söyledim, hâlâ orada duruyor, al çorabını oradan, yanı sı-
ra görünen öteki şeyleri de, dediğimde, birazdan alırım diye
cevap verdin ya, birazdan almadın, ertesi gün de almadın.
Masanın üzerine öylesine konulmuş bir kağıt, diyelim ki bir
taksi durağı kartviziti; ben onu oradan almadığım sürece
sonsuzca orada kalacaktır. Bir kez söyledikten sonra ikinci
kez tekrarlamak aynı sözü, üst üste, üst üste olunca, daha
gün ortasındayken yorgun düşürüyor beni. O zaman da ikin-
ci kez tekrarlamaktansa yapman gerekeni, kendim topluyo-
rum döküntülerini, bu da bir bakıma senin sorumsuzluğu-
nun sürüp gitmesi ve benim bulunmadığım bir gün içinde
evin düzeninin karmakarışık olması anlamına geliyor.

Öyleyse kadın tut sen de, deyip nokta koyduğunu sanıyor-
sun tartışmamıza. Hayatımda bir kez kadın tuttum, yok, iki
kez. İlkinde kadınla birlikte çalıştım gün boyu, ona iş vermek-
ten utandım, yaşadığı gün ışığı görmeyen yolu olmayan suyu
akmayan izbeyle ilgili anlattıklarını kaldıramadığım için de er-
kenden yolculadım, o gittikten sonra ise baştan ele alıp temiz-
ledim, dibi köşeyi. Bir de genç bir kız gelmişti bir gün, onunla
da yapamamıştım. Gazete kağıdıyla sildiği camları ardından
üç kez daha silerek temizleyebilmiştim. Bir iş yapıp bitirdiğini

sanıyor, ardından cep telefonuyla konuşma molası veriyordu. Uyaramıyordum da... Küser, bir daha gelmezmiş.

Yalapşap yapıyorlar zaten, en azından bana gelenler öyleydi. Bir temizlik işçisini evine çağırdığında, bu yalapşap temizlik yanında başka bir gerçekle de yüzleşmeye zorunlu kalıyorsun: Seni kadın işçi çağırmaya mecbur eden sebeplere mahkum bir kadın, çağırdığın. Deterjanı soluyor. Diz kapaklarının kıkırdakları eriyor. Bel ağrısı müzminleşiyor. Gencecik olanları bile bolca deterjan sıvıyorlar halılara koltuklara; temizlik kokusu öylece oluşurmuş gibi. Ben temizlikçi eğitmeyi beceremiyorum. Çocuk eğitmeyi de beceremiyorum; yüzüm yumuşak. Öğretmen olamazdım sanırım, orta öğrenimim boyunca öğretmenliği en ideal meslek olarak görmüş olsam da. O bakışı yitireli de çok oldu, gürültüyü kaldırmıyor başım, bu yüzden peşinden gitmedim belediyenin beceri kurslarında hocalık yapma fırsatının. Ortalıkta dolaşıp döküntüleri toplayan kişisiyim evin; bu nedenle. Yanlış anlaşılmasın, toplumun yücelttiği başarı tanımını hiç mi hiç umursamıyorum, gerçekten. Düzenli bir işe girmenin düşüncesiyle bile bitkin düşüyorum, içimde olgunlaşamayan bir iş var, birçok iş, öylece bekliyorlar. Çünkü bir gün bile bu evden ayrıldığımda düzeni bozuluyor bu evin, ortalığı toz kaplıyor, toz ve muşambayla gazeteden, sidiyle çoraptan oluşan bir dağınıklık. Bana yardımcı olmalısın. Yardımcı olmalısınız, hepiniz! Hayır, kadın tutmak istemiyorum, gündemimde yok temizlik işçisi almak, buna güvenme sakın! Kirli işlerini başkalarına yaptırmamalısın, yoksul kadınlara yardımcı olmak istiyorsan, başka bir yolu da bulunur bunun. Sen biraz daha dikkatli olabilirsin, sen, kardeşin, baban... Herkes sorumluluğunu bilsin, üzerine düşeni yapsın. Neyim ben bu evde anlamıyorum, kurulu bir makine miyim, sabahtan akşama kadar ortalıkta dönüp duracak. Mutfağa giderken sehpaların üzerinden tabakları bardakları, yatak odalarına giderken tokaları fırçaları tarakları toparlıyorum. Bir gün bir gece evde değildim, en fazla bir gün bir gece; bir ev bir gün bir gece içinde nasıl bu kadar dağılabilir ki... Bak işte orada bir bardak, hem de uzun mu uzun, rafın en arka sıralarına yerleştirdiğim, ulu orta kullanılmaması gereken bir bardak. Değer verdiğim için değil, öyle değil; tersine, bu eve nasıl geldiğini anlayamadığım bardaklardan biri. Hediye getirilmiş olmalı. Yıkanması kolay değil, kullanmamalısın onlardan birini ikide birde ve zaten her su içtiğinde ayrı bir bardak kullanmak zorunda da değilsin

Sonra o şeffaf cam tabak... Meyve kabuklarıyla dolu olarak, mavi halının desenlerine karışmış. Üzerine basabilirdim. Niye mutfağa götürecek yerde orada bırakıyorsun? Mutfağa götürmekle kalmamalı, yıkamalısın da, o ayrı. Bir hizmetçisi mi var bu evin ki olsa bile, senin tabağını mutfağa taşımasını mı bekleyeceksin ondan... Hem neden oturduğun kanepenin üzerinde günün sonunda bir yığın kırıntı oluşuyor? Sınavlar bir bahane olamaz, sınavlardan söz etme! Gel benimle ve şu masanın üzerine bir bak. Gece oldu mu sana ait bir yığın eşyayla kaplı oluyor masa, her zaman.

Kol saati ve çalar saat.

Takvim.

Deodorant. Kullanmamanı istediğim deodorant.

Diş macunu.

Fotoğraf makinesi kılıfı.

Şarj aleti.

Fotokopiler.

Dergiler.

Boş bir ciklet kutusu; naneli.

Bir cüzdan.

Eski bir gözlük. Bitpazarından aldığın. Kocaman. Takacak değilsin. Fotoğraf çekerken obje olarak kullanacağın bir şey. Kaldır onu oradan. Bitpazarından alınmış her şey, bir ölüye aitmiş gibi geliyor bana.

İnceli kalınlı piller. Hangisinin işe yarayacağını, yeniden doldurulabilecek türdü olduğunu nereden bileceğim ben!

El feneri.

Saç tokaları.

Mumlar.

Dış kapıya yakın bir yerde bir kutu tasfiye edilmeyi bekleyen ders kitabı. Ne zamana kadar bekleyecekler...

Dış kapının hemen yanında giyilip çıkarılmış üç çift ayakkabı, aslında bir çifti çizme. Niye giymediklerini yerlerine koymazsın ki...

Tükenmez kalem kapağı bir de, her tarafta çıkıyorlar karşıma.

Ütülenmek üzere sandalyenin üzerine bırakılmış gömlekler, pantolonlar, başörtüler... Kaç gündür oradalar? Ütü masası salona getirilince de geriye götürülmek bilmeyecektir.. Bırak, tamam, ben yaparım ütüyü akşam bir ara. En sevmediğim iştir ütü; sabah saatlerinin enerjisini istiyor, tamamen. Peki ben sabahleyin alışverişe mi çıkayım, ütü mü yapayım... Ütüle kendi gömleklerini, sabah veya akşam ütüle, ne zaman istersen; babanın pantolonunu da ütüle arada. Ütü yapmanın düşüncesi bile enerjimi tüketiyor. Çift izleri teke indirgemek için uğraş dur.

Bu makasın kanepenin altına nasıl gittiğini anlatın bana, biriniz mutlaka biliyordur! Peki bu albüm kime aittir, niye ayak altında dolaşıyor... Cep telefonlarının, dizüstü bilgisayarların, fotoğraf makinelerinin şarj aletleri, aküleri, pilleri... Nasıl bir kirlilik bu, bilin, kavrayın istiyorum! Cep telefonu olmadan yaşayan insanlar var, ben de onlardan biriyim işte. Cep telefonuna ihtiyaç duyulmayan bir hayat sürdürmek imkansız değil, bir başkentte bile. Böyle yaşayan insanların olduğunu biliyorum. Mesela Türkan teyzeniz. Yıllardır görüşmüyoruz, fakat hayat felsefesini biliyorum onun; tahammülü yoktur evinin sağında solunda kabloların dolaşmasına. Türkan teyzeniz en iyi arkadaşımdı, yazık ki taşınmalar yüzünden koptuk birbirimizden. Klasik bir ev kadını sayılmazdı, evi sevmezdi, evde durmazdı, ama ev işlerini bir kadına yaptırmayı da utanç verici bulurdu. Şimdi bakıyorum da, ev kadınları çalışan kadınlara göre daha meşgul görünüyorlar. Diz üstünde bilgisayarlar. Kendini geliştirme kursları. Ev işlerini de kapıcının karısı yapsın. Bak kızım, efendi-köle şeklindeki bölünme, emeğin entelektüel ve fiziksel emek şeklinde bölünmesiyle birleştiği zaman ortaya çıkan bir bozulma halidir. Bu şarj aletlerini, kabloları ayak altında istemiyorum. Gördüğümü çöp kutusuna atacağım bundan böyle, bilesiniz.

Mendiller sonra, her köşede karşıma çıkan buruşuk kağıt mendiller. Ve terlikler... Çoraplar elbette, tek tek her yerden, en umulmadık köşelerden çıkıyorlar karşıma, toza bulanmış olarak. Banyoya terliklerinle girme dediğim halde, girmeyi sürdürüyor, sonra ıslak terliklerle çıkıp parkelerin üzerinde iz bırakıyorsun. Kahvaltını kendin hazırlasan bile büyük bir lütuf olur bu oğlum. Kaç kez soracağım, yumurta dışında bir şey istiyor musun diye... Bunu soruyorum, çünkü, yumurta yediğinde, yani yer gibi yaptığında ki ancak yarısını yediğini görüyorum hep, reçel tereyağı tabaklarına değdirmiyorsun çatalını. Aslında niye kahvaltını kendin hazırlamazsın, bilmem ki... En önemli öğünüdür kahvaltı günün, kahvaltı yapmadığın için öğlen yemeğini de erken istiyorsun, bu nedenle de iki ayağım bir pabuca giriyor. Öyle oluyor, çünkü, alışverişe çıkmadım daha. Buzdolabı bomboş, peynir kabını alırken görmüş olman gerekirdi.

Çoraplarına sahip çıktığın da yok. Gel bak, sepetteki tek çorapların çoğu sana ait. Bu konuyu açtığın iyi oldu, dediğin gibi, temiz çamaşır bulamıyorsun çekmecende; çünkü onları yerine yerleştirmek senin işin olmamalıymış gibi davranıyorsun. Topluyor, katlıyor, yatağının üzerine bırakıyorum temiz halleriyle. Bu durumda bile yerine yerleştirmen günler aldığı için, bazıları yeniden kirli sepetine dönüyor bir şekilde. Sonra, sağda solda bıraktığın açılmış meşrubat şişeleri! Bazen sonuna kadar içmemiş oluyorsun şişeyi ve devrildiğinde içinden akan sıvı yerde yapış yapış izler bırakıyor. Anında müdahale etmezsem, sabunlu sularla yerleri silmeye kalkmazsam yani, pis bir ıslaklıkla kirleniyor ev. Islak, kirli, sabunluktaki sabunları bile kirli bir eve dönüşmesi bu evin, bir gün içinde, sadece bir gün bir gece içinde bile o kadar kolay gerçekleşiyor ki... Bazen bir şişeyi alıp götürdüğün oluyor mutfağa nasılsa, ama benim şişeler veya kurtarılabilir çöpler için ayırdığım kutuya değil de ana çöp kutusunun içine atıyorsun. Bunun nasıl büyük bir hata olduğunu sana defalarca anlattım. Çıplak elleriyle çöp kutularını karıştıran gençleri düşün, içlerinden çoğu çocuk yaşta, senden bile küçükler. Belki de bir aile geçindiriyorlar yaptıkları o işle; aynı zamanda senin benim gibi insanların çöpe dönüştürdüğü eşyaları kurtarıyorlar.

Ben size laf anlatamıyorum, çünkü lafımın bir itibarı yok! Bu ev otel değil küçük hanım! Sınava gireceksin diye müsamaha gösterdim bütün sene, ama geçti o günler! İstediğin gibi, istediğin saatte girip çıkamazsın bu eve, muhafazakar bir aileyiz biz. Akşam yedide evde olacaksın dediyse baban, buna uyacaksın. Başka ailelerle kıyaslama bizi. Aylarca göz yumdum kaçamaklarına, şımarıklıklarına, ama ne oldu; işte, kazanamadın üniversite sınavını...

Başka ailelere benzememiz hiç gerekmiyor, her ailenin kendine özgü kuralları olabilir, olmalı. Tuhaf bir eleştiri! Aileye benzer bir yanımız mı varmış, her birimiz ayrı ayrı yiyormuşuz yemeklerimizi, apayrı bir şekilde geçiriyormuşuz gece saatlerini... Sofranın kurulduğu saatte sofrada olamadığınız için ayrı yeniyor yemekler ve siz gecikerek geldiğiniz için, iki saat kurulu bekliyor sofra. Elimden geleni yapıyorum ben, biraz kitap okuyabiliyorsam, akşam yemeğinin ardından, bulaşıkları yıkadıktan sonra mümkün olabiliyor... Peki, kaç aile tanıyorsun ki gece oturmalarına giden... Kimsenin gece oturmalarına gittiği yok artık.

II

Hani, *Akasya* apartmanında oturduğumuz yıllarda Türkan Teyzelere giderdik. "Giderdik" fiili yetersiz aslında, neredeyse iç içe yaşıyor gibiydik, öyle hatırlıyorum. Sonra onlar taşındı. Hayır, biz taşındık. Yeni evimize gelmediler. Ben çok severdim Türkan Teyze?yi. Bazen sen ona bırakırdın beni, bir yere giderken. Geciktiğinde akşam yemeği hazırlardı. Harfli şehriye çorbası yapmış olurdu hep, öyle hatırlıyorum. Tabağımdakini bitirdiğimde prenses tatlısı yemeyi hak etmiş olacağımı söylerdi. Sanki on dakika içinde hazırlardı prenses tatlısını. Masayı hazırlayışı, tabakları, sunuşu, bez peçeteleri... Pencereden baktığımda Beşiktaş stadı görünürdü. Duvarda bir tablo asılıydı. Yola çıkmaya hazırlanan bir arabanın içinde bir kadın, kapalı bir kapıya bakıyor. Çok gizemli gelirdi bana o tablo. Kapı kapalıydı ya... Arkasında neler olabilir, diye düşüncelere dalardım. Masallar... Oscar Wilde'ın bir masalını anlatıp dururmuş bize Türkan Teyze meğerse, sonraki yıllarda anladım: Mutlu Prens. Soğuk havada o anlatırken başka türlü etkilerdi masal beni. Kendimi şehrin yukarılarında uzun bir sütunun üzerine yerleştirilmiş, üzerine kar yağmakta olan Mutlu Prens'in yerine koyar, üşürdüm. Bir tabak çorba daha istesem de utandığım için söyleyemezdim.

Aslında... Ev işlerinden hoşlanan bir kadın değildi Türkan Teyzen...

Çok severdim harfli şehriye çorbasını, senin yaptığından farklı olurdu; senin harfli şehriye çorbası pişirdiğini de pek hatırlamıyorum ya... İçinde rendelenmiş havuç bulunurdu, çorba içinde havuç sevmediğim halde, severek yerdim. Türkan Teyzem bana o havuçların, vücudu sıcaktan erimiş bir kardan adama ait olduğunu anlatmıştı bir defasında, masal anlatır gibi. O masal da bana Mutlu Prens'i çağrıştırmıştı. Kardan adam ölürken, yani erirken, burnumu Akasya Apartmanı'nın en güzel en akıllı en terbiyeli iki kızı yesin diye vasiyet etmiş. Apartmanın en güzel en akıllı en terbiyeli iki kızı kimdi peki? Tabii ki bizdik, benimle Türkan Teyzemin kızı Esra.

Neler de kalmış aklında! Ben Akasya Apartmanı'nın üzerinde bulunduğu sokağın adını bile unuttum. O kadar istiyorsan bir akşam gidelim Türkan Teyzenlere; prenses tatlısının da tarifini alırız. Türkan'ı görmeyi ben de istiyorum.

Hoş bir şey daha yapalım sonra. Eve dönerken.

Ne yapalım?

Bilmiyorum, babamla sen düşünün, sürpriz olsun.

III

En az beş yıl geçmiş aradan Türkan'la görüşmeyeli, az değil. Yine de akşam yemeğinin ardından telefon açtığımda sesimi algılayamadığını fark edince, bozuldum. Fakat asıl o kırgınmış bana. Üç yıl önce annesi vefat etmiş, duymamam imkânsız, nasıl duymamış olabilirim ki... Gazetelerde ilânlar çıktı; sonra şeyy, ortak arkadaşlarımız... İyi de duymadım işte, duysam aramaz mıydım?... Şöyle oldu: Biz şehrin dışında bir kasabaya taşındık, ilk taşınmamızın ardından; sonra yine şehrin merkezine döndük, yani beş yıl içinde üç kez ev değiştirmiş olduk. Bu arada bir trafik kazası geçirdik. Sol bacağımda bir platin var şimdi. Buna da şükrediyorum, araba hurdaya dönmüştü neredeyse. O kazadan sonra şehre geri döndük işte. Trafik beni korkutuyor doğrusu. Biraz da o nedenle çocukların okula yürüyerek gidip gelebileceği şekilde bir ev aradık.

Çocukların ders durumu... Esra sosyoloji okuyor, kızının biri yurt dışında sürdürüyor tahsilini, oğlu daha lisede. Bizim kız bu sene de kursa gidecek. Sınavı kazanamadı değil de, ille de tıp okuyacağım, dediği için açıkta kaldı. Tıp okumak bizim zamanın modasıydı, bizden sonraki kuşaklar sosyal bilimlere yöneldiler. Oğlu babasının izini sürmüş; matematik okuyor. Kocası lisede matematik öğretmeniydi yanlış hatırlamıyorsam. Galiba kardeş torunu oluyorlar; daha ortaokul yıllarındayken aşık olmuşlar birbirlerine. Geçen yılların o aşkı öldürdüğünü çok açık ederdi Türkan. Aralarında gerilimli bir ilişki vardı. *Niye daha fazla şartlarını zorlamıyor bu adam? Arkadaşlarının kırk tarakta bezi var. Özel ders verebilir, bir kursta hocalık yapabilir. Şartlarını zorlasın, rahatını bozsun, bizim için mücadele ettiğini göreyim.* Böyle şeyler söylerdi.

Bunları söylerdi, çünkü, eşi Rafet Bey'in tembelliğe yatkın bir mizacı olduğu kanısındaydı. Hani, parada pulda gözü yoktu, ama çocukların tahsili konusunda kaygılanıp dururdu. Hangi okula gidecekler, nasıl bir eğitim görecekler... Alışverişten hoşlanan bir kadın sayılmazdı, eskiliğine aldırış etmezdi eşyalarının. Ütüsünü bile neredeyse eski zamanlardan kalma kömürlü ütülerle yapacak kadar uzak dururdu, elektronik araçlardan. Fakat alıngandı, bir sözü yanlış anlamaya çok yatkındı. Bazen beni zor duruma düşürecek bir cümleyi –bana ait olduğunu iddia ettiği bir cümleyi? karşıma çıkartarak, bir konuda beni suçlardı ve suçlandığım konu üzerine konuşmalarımızı ayrıntılı olarak hatırlayamadığım için, hafızamın kaydedemediği veya yanlış kaydettiği cümleler yüzünden hayıflanarak çaresizce savunurdum kendimi. Alınganlıkları nedeniyle sıklıkla kopardı ilişkimiz ve sonra, geçmişe bir sünger çekilerek yeniden başlatılırdı, birimiz tarafından. Neticede dürüst bir insan olduğunu düşünerek, onu sık sık bağışlardım.

Özlediğimi duydum; eşlerimiz salonda sohbet ederken kapandığımız yatak odalarında, mutfaklarda, balkonlarda akıp giden sohbetlerimize kaydı aklım. İyi arkadaş sayılırdık, niye koptuk ki birbirimizden... Bir ara iş arıyordu, bana üst üste telefonlar açmıştı. İş bulmasına yardımcı olmadığım için bana gücenmiş olabilir, fakat nasıl bir iş aradığını kendisi de bilmiyordu ki... Hiç olmazsa bilgisayar bilmiş olsaydın, daha kolay olurdu iş bulman, dediğim için bozulduğunu sezmiş, gönlünü almayı denemiştim. Sürdürdüğü hayatın akışını bir şekilde değiştirmenin biricik yolu sayıyordu iş güç sahibi olmayı, ama nasıl bir işte çalışabileceği üzerine pek fikri yoktu, öyle gelmişti bana. Ev işleriyle arası olmasa da, düzenli, tertipliydi; çocukları için pasta çörek yapmaya üşenmezdi. Çok nefis prenses tatlısı yaptığını bir kez daha hatırlattı kızım, arabada. *Keşke yine yapmış olsa! Yapmıştır, benim geleceğimi biliyor ya, mutlaka yapmıştır.* Elimizde çaylarımız, mutfağa kapanırdık. Çocuklar bitişikteki odada oynuyor olurlardı. O sigara içmek için pencereyi açardı. Günde en fazla üç sigara içtiğini, bu sayının yıllardır değişmediğini söylerdi. Eşinden yakınırdı: Gençlik günlerimizde bütün kızların hayranlığını çeken bir delikanlıydı. Bana anlaşılmaz gelen integral hesaplarını bir solukta yaparken hayranlıkla izlerdim onu. Sönük bir adam oldu, hayat sindirdi onu; bu devirde yağcı yaltakçı değilsen yükselemiyorsun. Üniversitede barınamadı, lise öğretmeni olmayı yeğledi, matematik alanında bir dahi sayılabileceği halde.

İş arama konusunda yardımcı olayım diye telefon ettiğinde de eşine getirmişti sözü: Benim çalışmamı istemedi Rafet, ben senin için de çalışacağım, sen ise gönlünün istediği işlerle meşgul olacaksın, para için çalışmana izin veremem, dedi. Öğleden sonraları çalışabilir, matematik öğretmenleri özel derslerle dünyanın parasını kazanıyorlar, ama bizim beyefendi kendini aristokrat sayıyor, kimseden bir şey istemeye tenezzül etmiyor. Çözümlü İntegral Problemleri kitabı hazırladı, liselerde yardımcı kitap olabilir diye. Fakat kitabı bir yerlerden geri çevrildi; içeriğini yetersiz bulduğu bir kitabı tercih etmişler. Kitabı hazırlaması için aracılık eden arkadaşına kızdı, tek bir girişimde bulunmadı; kitap öylece duruyor.

IV

Kapının açıldığı anda görmeye hazırlandığım neşeli karşılama yaşanmadığı için, bir an bocaladım eşikte. Bir tek Türkan, bizi kapıda karşılayan bir tek o. Sarıldık birbirimize, hal hatır sorduk. Hiç değişmemiş gibi geldi bana, biraz zayıflamış olması dışında. Şurada çıkarabilirsiniz ayakkabılarınızı, diye bir yer gösterdi. Sanki o da bizimle aynı anda eve girmiş gibi, sağda solda dağınık duran eşyalar için özür dileyerek, salona aldı bizi. İşten yeni dönmüş gerçekten de, çalışıyormuş. Bunu bilseydim hafta içinde akşam oturmasına gelmeyi düşünmeyeceğimi söyledim. Hiç önemli değil, dedi. Yabancı değilsiniz. Etraf dağınık, Gülşen, bizim yardımcı kadın yani, bugün gelmedi, babası hastaymış; kusura bakmayın.

Bilgisayar ve İngilizce kurslarına gitmiş görüşmediğimiz yıllar içinde, sonra kendine uygun bir iş aramış. İki buçuk yıldır bir ekonomi gazetesinde dizgi işi yapıyor. Önemli bir iş sayılmaz, pek sıradan bir iş, ama evden dışarı atabiliyor ya kendini... Kazandığının neredeyse yarısını Gülşen'e, yani "yardımcısı kadın"a veriyor. Gülşen haftada iki kez geliyor çünkü.

Maaşımdan geriye kalanla pek katkım olmuyor eve, dedi.Yine de çalışma hayatı iyi geldi bana. Boğulacak gibi olmuştum anneciğimin ölümünün ardından, evde duramıyordum. Hiç sevmezdim ev işi yapmayı zaten, hatırlarsan... Anneciğim gelir, çeker çevirirdi evi arada sırada.

Esra yok evde, oğlu da yok. Esra'dan küçük olan kızı Serra Eskişehir'de, üniversite tahsili için. Oğlu bahçede arkadaşlarıyla top oynamaya dalmış olmalı; birazdan dönecektir eve. Esra ise alışveriş yapacaktı, gelmek üzeredir o da.

Rafet Bey göründü odanın kapısında. O da işten yeni gelmiş gibi. Kilo almış. Daha doğrusu sadece göbeklenmiş. Eşimle karşılıklı takılıyorlar birbirlerine. O göbeklenmişse, eşimin de saçları dökülmüş. Selamlaşma, hal-hatır sorma faslından sonra, birkaç dakikalığına izin istedi ve koridorda kayboldu, Rafet Bey. Kızımın canı sıkılmaya başlamıştı bile... Balkona çıkması için yol gösterdi Türkan Teyzesi. Yarım bir ilgiyle baktı arkasından: Koca kız olmuş, sokakta görsem tanımazdım belki de... Topu topu üç ya da dört yıl oldu birbirimizden haber almayalı. Birkaç yıl içinde zemin kat dairelerini satarak deniz gören bu daireyi alabilmişler işte.

Hâlâ taksit ödüyoruz, dedi. Bu yüzden ek bir işte çalışıyor Rafet. Bir işi vardı internette. Şimdi gelir.

Televizyonu açtı. Eşim sıkılmasın da. Haberler. Başbakan'ın büyük bir medya kuruluşunun sahibiyle giriştiği tartışmalar alt üst etti piyasaları. Dolar yükseliyor. Türkan ekonomi gazetesinde çalışıyor. Ayrıntılı açıklamalara girişti, piyasadaki dalgalanmalar üzerine. Üç türlü kriz varmış: V, L ve U krizleri. V harfiyle tanınanı zararsızmış, yeniden otururmuş dengeler yerli yerine. L şeklinde ifade edileni de harfin gösterdiği gibi, alır başını gidermiş, geri dönüşsüz şekilde. U şeklinde olan, V halinin daha yumuşak şekli. Sanıyorum biz U şeklinde bir kriz yaşayacağız, diye noktaladı açıklamasını. Suskunlaştı sonra, ben de sustum. Özensiz bir kabûl bu, hafta içinde gelmiş olsak bile; böyle düşünüyordum. Değişmiş işte, belki o da benim değiştiğimi düşünüyordur. Birkaç yılı aşıp geriye dönemiyorduk. Oğlumu sordu. Sevmiyor akşam gezmelerini, yani alışık değil, pek çıkamıyoruz akşamları; bu gece sizi görmek için çıktık işte. Biz de çıkamıyoruz akşamları, dedi. Görüyorsun, çocukların her biri bir yerde.

Mutfağa gitmek için kalktı. Onu izledim. Ketılda kaynıyor su, su ketılda kaynıyor. Hiç hoşlanmazdı ketıldan Türkan. Değişmiş. Bu yüzden biraz kızıyorum ona sanki. Ben değişmemeye çalışıyorum; ama o değişmiş! Bilgisayar kursuna bile gitmiş. Aradan geçen yılları aşıp da kızımın bu mutfağın yarısı kadar büyüklükteki, Beşiktaş stadına bakan bir mutfakta harfli şehriye çorbası içtiği günlere dönemiyoruz. Hangi kaygılarla çalışma hayatına atıldığını anlatıyor yeniden: Ne zamana kadar sürdürebilirdim ki o iyi ev kadını rolünü? Öyle yaşayıp gitseydik, Rafet'le iyice yabancılaşacaktık birbirimize.

Sesi yorgun. Aklı başka yerlerde. Patronunun bir arkadaşı intihar etmiş; gazeteler de yazdı ya... Dolar fırlayınca, dolara endeksli iplik makineleri aldığı için ikiye katlanmış borcu. Kaldı ki ikinci iflasıymış adamın. Psikolojik tedavi görüyormuş. Otuz arkadaşına birden, cep telefonuyla mesaj atmış: Yokum ben artık sizin dünyanızda! Cesedinin yanında eşi, başarılı olamadığım bu hayata daha fazla katlanamayacağım, şeklinde bir not yazılı bir kağıt bulmuş.

"Başarı" kelimesi bir dağ gibi yükseldi aramızda. İnsanların büyük çoğunluğunun başarıyla ilişkilendirdiği ölçülerin çoğundan yoksunum; sanki Türkan sessizliğiyle öyle hissettirdi bana. O çalışan bir kadın, benimse bir işim yok. Denize nazır bir evde oturmuyorum. Kızım bu yıl da üniversite sınavlarını kazanamadı. Haftada iki gün gelip evimi çekip çevirecek bir Gülşen'im yok. O ise kızının birini tahsil için şehir dışına gönderebilmiş.

Bir süre suskun oturduk. Görüşmediğimiz yılların açtığı gediği dolduramıyordu hiçbir konu. Çocuklar, sahi... Esra gelmedi. Oğlu geldi galiba bir ara, içeri süzüldü holden, ama yanımıza çıkmadı. Saat neredeyse on buçuk olmuş. Salona döndük.

Rafet Bey de salona dönmüş. Mesajlarını bırakmış, oğlan yazsın. Q klavyeyi güçlükle kullanıyorum, dedi. Bir torba firmasının internet kanalıyla dağıtımı işini üstlenmiş. Evden ayrılan kızının odası torba paketleriyle dolu hali hazırda. Ağırlıklı olarak plastik torbalar, evet, alt tarafı plastik torba dersiniz, fakat sayısız türü var. Kendinden yapıştırmalı elbise torbaları, şeffaf ve renkli torbalar, taşıma torbaları, kartelalı (yani askılı) kend (ne demekse...). Yapışmalı. Kulplu poşet, shirink (?) rulo. Ağır hizmet torbası. Kilitli torba hatta.

Elden ele dolaşıyordu broşürler. Tasarımları Türkan'a aitmiş. İşi kocasına bulan da Türkan'dı. Gazeteye ilân almak için gittiği bir firmayla konuşmuştu ve...

Eskiden, iyi arkadaş olduğumuz yıllarda ikimizin de çantalarında kumaştan birer alışveriş torbası bulunurdu. Alışverişe çıktığımızda bize uzatılan plastik poşetleri geri çevirirdik: BİZ PLASTİK TORBA KULLANMIYORUZ! Plastik torba kirliliğiyle ilgili değildi artık Türkan. Küresel ısınmayı da umursamıyordu: Geri döndürülemez bir sürecin içindeyiz artık! Fakat Esra nerede kaldı, diyerek, değiştirdi sözü. Çay ot tadacak. Mutfağa yöneldi, ben de ardından gittim. Dalgınlığı yüzünden çayı bardaklara tabaklarına taşıra taşıra dolduruyordu.

Kuru çay, böyle olmadı ama...

Yemeği geç yemiştik zaten, dedim.

Kızımı balkondan çağırdım; çayı o ikram etsin. Tepsiyi götürürken bozulmuş görünüyordu: Mutfağın bir köşesinde prenses tatlısı, gecenin sürprizi olarak gizlenmiş olmalı değil miydi? Yüzündeki bozulduğunu anlatan ifadeyi koruyarak boş çay tepsisiyle döndü; çay içmeyeceğini söyleyerek, balkona çıktı. Biz ikimiz suskun, çaylarımızı içtik bir süre. Sessizlik uzayıp gidince işi üzerine sorular sordum. Aslında dizgiyle sınırlı değildi yaptığı iş, bazen gazete sayfalarını düzenlemesi de isteniyordu. Eleman sıkıntısı yaşanınca bir ilân alımıyla ilgili olarak şirketlere gönderildiği oluyordu. Bu alanda başarılı sayılmazdı, iş adamlarını veya onların temsilcilerini ilân konusunda ikna etmek o kadar da kolay değildi. Hayalindeki iş değildi yaptığı ya, meşgul olmasını sağlıyordu. Anneciğimin ölümünden sonra duramaz oldum o evde, her köşesinde ondan izler vardı; böylece yeni bir ev aramaya başladık, dedi, gözleri dolarak. Eski arkadaşıma benzediği bir andı. Anlatmaya devam etti: Son zamanlarda iyice kötüleşmişti. Giysilerini çıkarmaya, banyo yapmaya yanaşmıyordu. Bakıcı da istemiyordu. Ben de dışarıdan ne kadar idare edebilirdim ki... Yapamadım. Gönlümün istediği gibi özene bezene bakamadım anneciğime son günlerinde!

Hüngür hüngür ağlıyordu artık. Teselli etmeye çalıştım: Vakti, saati gelmiş demek ki... Hiç değilse fazla çekmemiş rahmetli... Sen de elinden geleni yapmışsındır, üzme kendini bu kadar...

Bu acı yaşanmayınca bilinmez, dedi. İnsan başka türlü hissediyor hayatı. Annemin ölümüyle ben de ölmeye başladığımı duydum. Çocuklarla, evle barkla ilgim kalmamıştı. Bir yıl, tam bir yıl bir kanepede ölü gibi yattım. Sonra, kendimi zorladım ve NLP kurslarına gittim. Çok hoşlanarak devam etmedim kurslara. Buna mecbur kaldım.

Gözleri dolu dolu, mendil aradı; bez peçeteyle kapattı yüzünü. Sonra içeri gitti. Kendi kendimi kınayarak oturdum mutfakta. Hiçbir şey bilmiyormuşum, neler yaşamış. Annesinin öldüğünü duymamış olmam bağışlanır gibi değil. Fakat o da bilmiyor bu geçen süre içinde benim neler yaşadığımı ve bir tek soru olsun sormuyor. İyi ki de sormuyor. Düşünmek istemiyorum başıma gelenleri... Trafik kazası geçirdik. Sol bacağımda bir platin var. Kızım üniversite sınavlarını kazanamıyor. Bu yıl da kazanamadı. Geçen yılın neredeyse tamamını uyuyarak geçirdi. Anksiyete. Aslında imtihan baskısı. Yüksek beklentilerin baskısını duyuyor, demişti doktor. İşte böyleyim ben, işte böyle. Kızımın bu ruh hali bozukluğunu benden almadığını da söyleyemem. Bütün gün yapılması gereken işler üzerine bağırıp çağırsam da başka türlü yürüyor evin düzeni veya düzensizliği. Bir gün olsun evi bırakıp gitmişsem, döndüğümde büyük bir karmaşa bekliyor beni. Kendimi tutamıyor, bağırıp çağırıyorum. Sonra da suçluluk duyuyorum. İyi bir eğitici değilim. Belki iyi bir anne değilim. Sorumluluklarını lâyıkıyla yerine getirmiş bir anne sayamıyorsan kendini, yerine koyabileceğin bir şey de bulamıyorsun.

Bunları Türkan'a anlatmak isterdim; biraz bekledim, gelmediğini görünce salona geçtim. Beyler devlet içinde çökertilen çetelerle ilgili yeni bulgulardan söz ediyorlardı.

Saat on bire geliyordu. Kalkabilirdik, hatta kalkmalıydık artık. Hâlâ görünmüyordu Türkan ama... Annesinin hastalığı konusunda yanlış bir şey mi söyledim ben?.. Geçen yıllar onu değiştirmiş. Sonuçta iş yorgunluğu da var üzerinde, yersiz bir ziyaret oldu bizimkisi. Temizlik için yardımcı kadın geliyordu evine, haftada iki kez. Haftada, olmazsa iki haftada bir kez olsun bir temizlik işçisi almalı mıydım eve, alabilir miydim... Ütü için sırf, kapı pencere sildirmek için. Bunu kabullenseydim zamanında, belediyenin sanat kurslarından birinde öğretmenlik yapmaya da vakit bulmuş olacaktım. Toplumun yücelttiği başarı tanımını umursamıyordum, gerçekten. Türkan da benim gibiydi eskiden, öyle sanıyordum. Esra hâlâ dönmedi eve. Tuhaf. Bizim geleceğimizi bilmiyor olamazdı. Saat on biri geçiyordu artık. Boşalmış çay bardaklarını tepsiye koyarak mutfağa gittim. Türkan bir sandalyeye oturmuş, cep telefonuyla konuşuyordu. Beni görünce konuşmasını tamamladı ve özür diledi içeri kaçtığı için. Biraz ağlayınca açılmıştı ya, Esra yüzünden yeniden daralmıştı içi. Doğrusu kızının sadece alışverişe çıkacağını sanıyordu, bu geceyi üniversiteden arkadaşlarının yaşadığı evde geçireceğini söylediğini hatırlamıyordu Esra'nın. Böyleydi işte, bir dalgınlık vardı üzerinde, bir unutkanlık. Çok özür diledi: Kızların bir araya gelmesini çok istiyordum, başka bir sefere inşallah. Öyle yoruluyorum ki, söylenenleri yanlış anlıyorum. Anneciğimin ölümünden sonra böyle oldu. Dikkatim çok dağınık. İş yerinde de hata yapmamak için aşırı dikkat sarf etmem gerekiyor. İlân gazetesinde çalışmak, dışarıdan öyle görünürse de kolay değildir. Bir numarayı veya rakamı, hatta bir harfi yanlış yazmaman bekleniyor. Aşırı dikkat göstermem gerekiyor, bilgisayar karşısında.

Kelimeler, şeyler, şehriye çorbaları, harfler... V, U ve L şeklinde kriz çeşitlerini hatırlayınca gülmekten kendimi alamadım. Hafif bir gülüştü, yine de Türkan soran gözlerle baktı. Kızımın küçükken mutfağında harfli şehriye çorbası eşliğinde dinlediği masalları ve ardından bir ödül gibi gelen prenses tatlısını hiç unutmadığını anlattım. V, U ve L harfleri bana o çorbayı çağrıştırmıştı işte.

Öyle ya, diye onayladı Türkan, mütebessim. Eskiden o şehriye çorbasından yapardım, çocuklar severdi. Bazen bir tarife takılır, defalarca yapardım onu. Annem öldüğünde bir yıl psikolojik tedavi gördüm. Doktor takıntılarımın hayattan kaçış kapıları olduğuna ikna etti beni. Dünyaya başka türlü bakmayı öğrendim.

Sonra ciddileşerek konuyu değiştirdi.

Annemin vefatını nasıl duymamış olabilirsin ki, onca ortak tanıdığımız varken?

Duymadım, gerçekten, dedim. Şehir dışına taşınmıştık. Ama seni telefonla aramayı sürdürdüm, asıl sen beni aramaz olmuştun.

Aramıştım. Son kez arayan bendim, çok iyi hatırlıyorum.

Ben aramış, yeni evimizin telefonunu vermiştim.

Hiç hatırlamıyorum sonuncu kez hangimizin aradığını. Eskiden telefonla konuşmayı sevmezdim o kadar. Ayrıca biraz kırgındım da sana. İş arıyordum. Bilgisayar bilmeden de bir iş bulabileceğimi düşünüyordum o sıralar. Bilgisayar bilmiyorsun, dil bilmiyorsun, ham hayal seninkisi, gibi bir şeyler söylemiştin. Moralim bozuktu, iyice bozulmuştu.

Hiç hatırlamıyorum, gerçekten. Hem, "ham hayal", pek kullandığım bir deyiş değildir benim.

Kutsal bildiğim her değer üzerine yemin ederim ki söylemiştin.

Söylemiştin. Söylememiştim. "Ham hayal", bana ait bir ifade değildi, bunu söylemiş olamazdım ben. Çocuk gibi iddialaşıyorduk. Seslerimizi yükseltmiş olmalıydık. Kızım balkondan gelmiş, şaşkınlıkla izliyordu bizi.

V

O konuda sen haklısın, dedi kızım arabada. "Ham hayalci" sana ait bir ifade değil. Ama başka konularda o kadar da haklı sayılmazsın. Bana güven duymuyor oluşun konusunda mesela... Türkan Teyze kızının gecenin o vaktinde nerede olduğunu bilmiyor bile, Rafet Amca?nın da tek soru sorduğu yok bu konuda, ama ben saat yediyi vurmadan evde olmalıyım ille de... Yazın, hava aydınlıkken bile, saat yedide... Sizin bu güvensizliğiniz yüzünden işte, tıp fakültesine girebileceğim puanı tutturamıyorum. Nerede olursam olayım, kursta, test çözümü için bir araya gelmiş bir arkadaş topluluğunda; her an bir kuşku içindeyim. Eve geciktim. Gecikiyorum. Eve gecikecek miyim yoksa... Ya eve gecikirsem...

Abartıyorsun, dedim. Bu bir güvensizlik meselesi değil. Bizim aile yapımız böyle, kurallarımız var.

Hep böyle söylüyorsun, ama bak, Türkan Teyze Esra'nın arkadaşlarıyla yurtta kalmasına izin veriyor.

Türkan değişmiş, dedim. Özelliksiz bir işte çalışmak için, kendini oyalamak için yani, haftada iki gün evine temizlik işçisi alıyor. Bense mutfağımın banyomun girdisinin çıktısının işlerini yabancı bir kadına yaptırma fikrini kabullendiremiyorum kendime. Aslında ailece değişmişler. Plastik torba kutularıyla dolu koca bir oda! Dakikalar alan cep telefonu konuşmaları... Esra'nın gecenin o vaktinde nerede olduğu konusundaki aldırışsızlığı Türkan'ın! Tuhaf ama... Geçmişin sahnelerini de istediği gibi kuruyor. Yanılan kişi ben miyim yoksa?

Şimdi sana kalırsa Türkan Teyze iyi bir anne değildir, diyerek, sözümü kesti kızım. Ama ben Türkan Teyze'yi hâlâ çok hoş sahnelerle hatırlıyorum. Sen işe gidiyordun o zamanlar ve bazen hasta olduğumda beni kreşe götürmez, Türkan Teyzelere bırakırdın. Onlara gideceğimizi anladığımda iyileştiğimi duyardım, fakat belli etmezdim sana, fikrini değiştirirsin diye. Bizimle oturur oynardı o, çocuksu bir yanı vardı, umursamazdı diğer büyüklerin önem verdiği ayrıntıları. Bak, nasıl geliştirmiş kendini, bilgisayar öğrenmiş. Odalara girer çıkar, çekmeceleri alt üst ederdik, karışmazdı. Hiç aldırmazdı Esra'yla birlikte ortalığı dağıtmamıza. Ha, bir de, sen bırakıp gittiğinde beni kucağına alır ve saçlarımı okşarken, bir vardı geceden, bir de düştü bacadan, derdi ve bu atasözü çok hoşuma giderdi benim. Saçlarını tutturduğu bir kalemi vardı, onu elime almayı çok isterdim. Bazen o kalemi çıkarıp bir şeyler yazardı elindeki deftere. Acıktınız mı çocuklar, diye sorardı ve mutfağa çağırırdı bizi. Harfler yüzüyor olurdu çorbanın üzerinde. Önce A'yı alırdım kaşığıma, sonra B'yi. Sırayla tek tek harfleri bulmaya çalıştığım için uzardı yemek. Bazen tabaklarımızı alıp oyun oynadığımız odaya dönerdik. Televizyonu açıp Susam Sokağı'nı izlememize izin verirdi. Bizi kendi halimize bırakır, bulmaca çözerdi. Sürekli bulmaca çözerdi. Bilmediği bazı kelimeleri bize sorardı. Bildiklerini de söylerdi. Aklımda o günlerden kalan kelimeler var. Mesela "ingin", mesela "fersude". "İngin" kelimesini sorduğunda, "Engin" sanmış, "eniştemin adı" demiştim. Ama "ingin"di sorduğu ve çevresine göre alçakta bulunan yer anlamına geliyordu. Bu kelimenin anlamı nasıl da kalmış aklımda! Daha ilkokula bile gitmiyordum. *Çocuklar, eskimiş, yıpranmış, aşınmış anlamına gelen bir kelime söyleyin hadi!* Kendisi de bilmiyordu, sözlüklerden arayıp bulmuş, bize de söylemişti. Fersude! Başka kelimeler de var aklıma gelen. Mesela bungun... Nedir bu kelimenin anlamı sence?..

Bence bu konu çok uzadı.

Niye kızıyorsun ki şimdi...

Kızmıyorum. Hoş bir şey yapacaktık dönüşte, o geldi aklıma. Bu saatten sonra ne yapılabilir ki... Lunaparka götürürdük sizi eskiden, geç saatlerde. İster misin?

Hayır! Lunaparka gitmek de hoş bir sürpriz sayılmaz benim için artık. Eve gitmek istiyorum, erken kalkacağım yarın.

VI

Salonu el süpürgesiyle temizlemeye çalışıyorum, elektrik süpürgesi bozuk olduğu için günlerdir süpürülmüyor ortalık. Akşam yemeğine misafir gelecek, misafir çağırdık yemeğe, anlatamadım mı bunu dünden bu yana? Bir çift çorap; birisi ters dönmüş, koltuk örtüsünün alt kıvrımları arasına gizlenerek. Bir çorap toplayıcısı gerek bizim oğlana ki ardında dolaşsın.

Babası, ortalıkta görünmeyen oğlunu savunmaya çalıştı: Ders çalışıyor, rahat bırak. Ev işlerini kaldıramıyorsan yardımcı kadın alalım. Türkan Hanım da alıyormuş, bak.

NLP kurslarına gider miyim ben sence?

NLP kurslarına mı gitmiş Türkan Hanım... Eee, gitmişse gitmiş. Hayatından memnun görünüyordu. Sana da bir iş aramalıyız belki de...

Bunca yıl ara verdikten sonra herhangi bir işte çalışamam ki...

İnsanların iş seçme gibi bir lüksü yok, çoğunlukla böyle.

Benim olabilirdi. Çocuklar küçüktü ama, biliyorsun.

Çocukların yanında olmayı seçmiştin sen.

Bir çözüm yolu bulamamıştım da ondan. Sen iş yolculuğuna çıkıyor, günlerce dönmüyordun.

Böyle tartışırken telefon çaldı. Eşim çıktı odadan, telefona koştum.

Kızım! Nerelerde kaldın? Misafir gelecek akşam, biliyorsun. Hayır, kalamazsın arkadaşının evinde. Ailesi seyahate çıkarken kızlarını düşünmeliydi. Öyle sapa bir yerdeki eve gidemezsin gece vakti, arkadaşın da gidemez. Onu da al, birlikte bizim eve gelin!

Telefonu kapattıktan sonra koltukları kenara çekerek altlarında bulunan kalemleri ve kalem kapaklarını, tokaları ve kağıt parçalarını toplamaya başladım. Elimdeki çöp yığınıyla mutfağa geçerken eşimi gördüm. Koridorda elektrik süpürgesiyle uğraşıyordu.

Bak süpürgeni tamir ediyorum, dedi beni görünce. Yepyeni olacak.

Niye benim süpürgem oluyor ki...

Canım lafın gelişi işte, niye bozuluyorsun...

Lafın gelişi değil de ondan, hiç öyle değil. Bu evin temizliği konusunda benden başka kimse kendini sorumlu hissetmiyor! Sehpanın üzerine nedense bırakılmış bir ataç, koridorun bir köşesine düşmüş bir kalem kapağı, ben almadığım takdirde yıl boyu orada kalabilir. Sehpanın üzerinde her biri ya çok önemli ya da önemsiz olabilecek kağıtlar düzensizce yığılmış; tek tek incelemeden kaldırılıp atılamazlar. Kanepenin üzerinde bir tırnak makası, biraz uzağında bir kutu aspirin. Eşofman üstleri, yelekler, atkılar, sandalyelerin üzerinde öylece kalıyor, günlerce! Mutfaktaki çamaşır askısını balkona çıkarması gerekirdi birinin çoktan, ayak altında olmasın diye. Türkan'ı niye yadırgıyorum ki plastik poşetler yüzünden, bizim evde de bir pet şişe kirliliği almış başını gidiyor.

Gel-Al 84

Birkaç kutu alıp çekmeceye atmıştım. Bavula koymak istiyordum iki kutuyu olsun; baktım, içleri boştu. Annemden kuşkulandım hemen: Evde gözüne fazla gelen her şeyi dağıtıyor. Dolaplar çekmeceler doluşu giysim var. Utanmalıyım. Utanıyorum anne. Yine de bir yere davet edildiğimde ya da bir yolculuğa çıkacaksam üzerime kıyafet uydurmakta zorlanıyorum. Dolaplarda çekmecelerde gözüne ilişen fazlalıkları kapıcı kadına veriyor annem. Çoraplarıma el sürmediğini söyledi önce, sonra bu konuda kafasının karışık olduğunu öne sürdü. Babamın vefatından sonra bir türlü toparlanamadı, üstüne gitmedim. Küserse ayak atmaz evime bir daha, bir keresinde yaşamıştık bunu ve şu sıralar, evi ve çocukları ona emanet edeceğim için özellikle, küsmesini istemem. Barışmak için uğraştırır insanı, çok uğraştırır. Fakat çorapsız kalmıştım işte, bir yolculuk arefesinde. Yolumun üzerindeki pasajda da bulamadım alışmış olduğum tonda ya da alışmış olduğum tona yakın bir çift çorap; uzun uzun arayamadım da, sabah erkenden yola çıkacağız. Aynı markanın çok farklı açıklıkta ya da koyulukta olanları bulunabiliyor, ama 84 numarası yok. Her çorap her kıyafete uymuyor. Gel-al 84, etek de giysem pantolon da, bütün kıyafetlerime uyuyor. Bir teki kullanılamayacak kadar kaçtığında, daha önce kaçmış olan bir diğer teki kullanabilirim.

Gel-al 84, sevdiğim giysilerin renkleriyle uyum içinde olur genellikle. Duman rengi mesela, seviyorum bu rengi. Bordoyu moru sarıyı da seviyorum.

Sanki çevremdeki herkes aynı çorabı giyiyordu, o sıralar. Gel-al 84'ü bana ilk tavsiye eden, Râ nâ'dır. Pek kirlenmiyor, yani kirlense de belli etmiyor, günlerce giyilebilir. Öyle demişti, gülerek. Su sıkıntısı çekiyorduk çünkü o yıllarda, sular ikide birde kesiliyordu. Bir domatesi hızlı hareketlerle tencereye rendeliyordu. Çorba yapacaktı. Tencereye bir de yumurta kırmış, el mikseriyle karıştırmaya başlamıştı çorbayı. Terbiye ediyormuş. Bir öğrenci eviydi. Bense anasının kuzusu bir misafir öğrenci. Neler de biliyor, diye düşünmüştüm onu izlerken. Ben de evden ayrılsam, işte böyle bir evde yaşasam; izin vermeyeceklerdir. Arpa şehriyeli pirinç pilavı bile pişirebiliyordu Râ nâ. Otobüste tanışmıştık. Bir toplantıya götürmüştü beni Okmeydanı'na; İlmihal okuyacağız. Yolda çorabımın kaçması canımı sıkmıştı. Çirkin görünüyordu, sandalet tipi ayakkabıyla. Sağ ayağımın küçük parmağı fazla uzun olduğu için kapalı ayakkabı giyemiyorum. Kışın içi muflon çizmelerle botlarla idare edebilsem de yazın sandalet tipi ayakkabılarla rahatlatıyorum ancak, uzunca parmağımı. Aslında sandalet tipi ayakkabıyla çorap giyilmezmiş ya... Kimin umurunda, kim koyuyordu ki bu kuralları...

Yeniden kuracağız dağı taşı ovayı, çağdaş uygarlık diye çarpan bu yürek bizim!.. Kendi kurallarımızı kendimiz koyacağız! Bir manifesto gibiydi Râ nâ'nın konuşması. Modanın gizemli kutsal bir kaynaktan neşet ediyormuş gibi öne sürülen, seneden seneye renk ve kesim değiştiren kurallarını uzun ve koyu renkte başörtülerle, giysilerimizin kıyısından köşesinden kendini belli eden bilinçli yoksullukla kuşatarak işlevsiz hale getirecektik. Yani mesela çuvala benzeyecekti çantalarımız ve dervişler gibi tahtadan kocaman taneleri olan tespihleri kolye gibi takabilecektik boynumuza. Boşu boşuna meydan okumuyordu Râ nâ dünyaya, hayat kavgasının içinden yükseliyordu sesi. Hem öğrenci olacak, hem de bir lokantada çalışacaksın! O zamanlar bulaşık makineleri yaygın olarak kullanılmazdı lokantalarda. Koskoca lokantanın bulaşığını bir diğer işçiyle birlikte yıkadıktan sonra dönüyordu öğrenci evine. Saatlerce ayakta iş yapıyorsan, ayakkabı da zor dayanır, çorap da. O da timbırlendlerin içine Gel-al 84 giyerek rahatlatıyordu ayaklarını. Abdest aldıktan sonra hemen giyse de Gel-al 84 parmak aralarında mantar oluşturmuyordu, fazlasıyla naylon karışık bir çorap olmadığı için.

Giydiğim çoraplar en fazla iki gün dayanıyor, sen nasıl başa çıkıyorsun, diye sormuştum da, Gel-al 84 giyiyorum, diye cevap vermişti. Ona da bir mağazada tezgahtar tavsiye etmiş. Kalın bir çoraptır, hafiftir yine de ve esnektir. Ayrıca bir çiftini aylarca giyebilirsin, öyle dayanıklıdır.

Dediğim gibi, alıştığım rengin biraz daha açık biraz daha koyusu olabilir giyeceğim çorap. Yine de dükkana girdiğimde gözüm Gel-al 84 arıyor, kaç yıl oldu. O uygun renk, duman ya da füme, beni bütünleyen, kılığımı kıyafetimi tamamlayan ton. Sanki geçen yıllar içinde edindiğim giysilerin her biri ancak o tona yakın bir çorapla uyum sağlayacak şekilde elenmiş, süzülmüş.

Şimdi ablacığım, bana uygun bulduğun bu incecik ve baklava desenli çoraplarla nasıl yola çıkarım ki ben... Hiç uymuyor kişiliğime böyle bir çorap; üstelik de kısa görünüyorlar. Giyim kuşam konusunda tedbirli biri sayarım kendimi, kaldı ki ayağımın normalden uzun sayılabilecek küçük parmağı yüzünden ayakkabı ve çorap alırken titiz davranırım, bilirsin. Selamoğlu Pasajı'nda bulunan bir tuhafiye dükkanından alıyorum çoraplarımı yıllardır. Daha doğrusu alıyordum. Onlar da satmaz olmuşlar. Kadıköy'de, Osmanağa Camii'nin ardında bir dükkan var, sanki 80'li yıllardan kalma; orada da bulunurdu büyük ihtimalle. Bir aşevi vardı dükkanın yanı başında, Rânâ işte oraya bulaşıkçı olarak girmişti; sonraları kasada oturmaya başladı. Giderdim, buharın insanı boğar gibi daralttığı alçak tavanlı bodrumda işini bitirmesini beklerdim. Onu bizim eve götüreceğim. Geç saatlere kadar öyle bir işte çalışmak sakıncalı değil mi kızım, diye sormuştu babaannem. Bir insan kendini bildikten sonra, demişti babam, nerede olursa olsun çıkarır ekmek parasını. Rânâ ile çalışan kadın işten ayrılmış. Fırsat kolluyordum bu soruyu sormak için: Öyleyse ben de girebilirim böyle bir işe, değil mi... Kesinlikle olmaz, dedi babam. Tahsilini sürdürürken çalışmana baban olarak izin veremem. Tahsilini tamamla, sonra ister çalış ister evde otur, senin bileceğin iş; fakat tahsilini tamamlayana kadar harçlığını temin etmek bana düşer. İyi de harçlık almak istemiyorum ondan; kaç senedir öğrencilik yapacağım diye dolaşıyorum şu şehirde, daha ne zamana kadar baba parası harcayacağım... Bulaşık işi kolay geliyor bana, hem Rânâ ile birlikte çalışmaya başladığımda, onun yaşadığı öğrenci evine taşınma tasarıma da bir yol açmış olacağım. Niçin bu denli yadırgıyorlar bulaşık yıkama işini sanki, bu türlü işlerin üstesinden gelinerek çekirdekten yetişme olunmuyor mu... İleride bir lokanta açabilirim, bunu isterim. Boşuna işletme okumaya çalışmıyoruz. Kıytırık bir bölüm gibi görünüyordu bizimkilere o yıllarda, işletme. Bir üniversite bitirmiş oluyorsun, tek iyiliği bu. Hafife almak istemiyorum ben yaptığım tahsili, çekirdekten yetişmek istiyorum. Yani hem mektepli hem alaylı olacağım. İşin doğrusu evden uzaklaşma ihtiyacını duyuyorum; ablamla aynı odayı daha ne zamana kadar paylaşacağız... Ben geç uyumak istiyorum, o ise tam bir tavuk. Ancak karanlıkta salgıladığı bir hormonu varmış vücudumuzun ve o hormon vücudun savunma sistemi açısından büyük önem taşıyormuş. Gecenin başka iyilikleri de yok mudur? Daktiloda bitirme tezleri yazıyorum, üç beş kuruş kazanacağım. Babam, harçlığımı artırmayı teklif ediyor. Geri çeviriyorum. Peki ben hayata nasıl atılacağım, nasıl içine gireceğim gerçek bir hayat mücadelesinin... İstersen patronla konuşurum, dedi Rânâ. Düşünüp taşınıp istemediğime karar verdim. Geceleri geç vakitte eve dönüyor olacağım ve bütün ev halkı benim dönüşüme kadar diken üstünde bekleyecek. Tanıyorum onları, gözlerine uyku girmez ben dönmeden. O zamanlar cep telefonu yoktu, normal yollarla telefonda konuşmak bile o kadar kolay olmazdı. Rânâ çalışmak zorundaydı ve bizimkiler ona pek acıyor, sık sık eve davet etmemi istiyorlardı. O da arada bir, gece yatısına evimize geliyordu. Babaannem onu görünce, hemen öğüt vermeye başlıyordu: Aman kızım, işin biter bitmez hemen çık lokantadan, oyalanma oralarda. Bodrumlarda falan, başına neler neler gelebilir, Allah korusun! Başka kadın çalışanları da var lokantanın, teyzeciğim. Olsun, sen yine de dikkat et. Boş minibüslere de bineyim deme!

Dikkat etmedi Rânâ, ya da bir bakıma dikkatini yitirdi. Lokantaya sık gelen ve genellikle de geç saatlerde geldiği için karşılaştığı, bazen minibüs kuyruğunda gördüğü, zaman içinde aynı gazeteyi okuduklarını fark ettiği ve okuduğu gazeteye de ara sırada yazı yazdığını keşfettiği bir öğrenciyle evlendi. Üç çocuğun ardından boşanmış; geçenlerde aradı. Bir gün polisler eve basmış, evi didik didik aradıktan sonra bir kenara ayırdıkları kitap ve gazetelerle birlikte kocasını da götürmüşler. Rânâ müdahale edince kızmış polisler. Sen *daha* aklı başında birine benziyorsun, demiş bir polis Rânâ'ya, belli ki kocanın ne haltlar karıştırdığından haberin yok. Söyle bize, aktivist misin, öğrenci mi? Otuz yaşına kadar uzayan bir öğrencilik; pasosu cebinde. İletişim fakültesinde öğrenciyim, aktivist değilim, demiş. Eşim ne haltlar karıştırıyormuş ki, diye de sormuş sonra da. O, benim kötü bildiğim hiçbir şey yapmaz. Ne söylerse söylesin fayda etmemiş; eşini alıp gitmişler. O günlerde bir öğretim üyesi öldürülmüştü, eşinin bu cinayeti düzenleyen bir örgüte mensup olduğu iddia ediliyordu. Hiçbir savunma yetmemişti kocasını aklamaya. Rânâ'ya tamamen gerçeküstü görünüyordu o aylarda mahkemelerde yaşadıkları. Üniversiteden ayrılmış, çocuklarını memlekete götürüp annesine teslim etmiş, zamanını masum olduğuna inandığı hapisteki eşiyle ilgilenmeye adamıştı. Masummuş da eşi, gelgelelim üç dört yıl hapiste yatmıştı yine de. Bu üç dört yılın ardından öğretim üyesinin katili olarak meczup gibi bir adam çıkmıştı ortaya da, eşi serbest bırakılmıştı. Gelgelelim eve dönmesinin ardından uzun zaman geçmeden eşinin, yazılarıyla hidayete erdiğini öne sürerek hapiste bulunduğu dönemde kendisine mektuplar yazan genç bir kızla dini nikah yaptırdığını öğrenmişti. Bu gizli nikahı öğrendiğinde, hemen boşanma davası açmıştı Rânâ. Karanlık bir yanı vardı adamın, daha doğrusu öyleymiş gibi görünmekten hoşlanıyordu. Yoksa terörist miydi, diye sormuştu halam, adamın bir eylem sırasında tutulup da hapse atıldığını duyduğunda. Sadece megaloman, demiştim. İkisi de bir, der gibi elini sallamıştı halam. Şaşkınlıkla bakakalmıştım halama ve bu yargıya niye vardığını sormuştum. O tür adamlar hırslarını karılarından çıkartırlar, diye kestirip atmıştı. Adam megalomandı ve evde terör estiriyordu gerçekten de... Çaydanlık kapaklarının oturuşu, marulların salata için doğranırken kazandığı biçim, yerinde bulunamayan bir kitap, öfkesinin patlaması için yeterliydi. Rânâ çalışıyor, o evde internet karşısında, sitesi için uzun yazılar yazıyordu. O dönemde çalıştığı lokantanın kasasında durmaya başlamıştı Rânâ.

Belgesel filmler için metinler yazarak geçiniyor şimdilerde; Osmanlı'dan kalan tarihi eserlerle ilgili bir belgeselin ön çalışmaları için Suriye'ye birlikte gitmemizi teklif etti. Mevsim yaz, Halep'te, Şam'da gündüzler sıcak geçse de geceler üşütür insanı eminim; bunu dikkate alarak hazırlıyorum bavulumu. Asistanı gibi olacağım Rânâ'nın, ama kendime göre bir program da yaptım. Suriye büyük 'kurban'ların kabristanı bir ülke: Emevi Camii'nde Hazreti Yahya ve Hazreti Hüseyin, sanki hâlâ can vermekteler. Bir köşeden Ali Şeriati, başka bir köşeden Hazreti Zeynep, öteki tarafta Hama'dan Ömer bin Abdülaziz sesleniyor olacaklar. Senin baklava dilimini andıran desenleri olan mor çizgili pembe çorabın çok kullanışsız olur böyle bir yolculuk için, dedim ablama. Çorap giyilmez ki sandalet altına, dedi ablam. Ben giymek zorundayım, biliyorsun. Parmağım... Abartırsın hep, dedi ablam. Parmağın birazcık uzun, uzun bir tırnak kadar uzun. Çorapsız sandalet giyemiyorum işte, acıyor ayağım, diye kestirip attım. Gel-al 84 hem rengi hem de kalınlığıyla ideal çorabımdı, ne var ki azıcık kaçmış olup da dikmek üzere bir kenara ayırdıklarımı da yerinde bulamadım. Az değillerdi hiç, en az üç dört kutu kullanılmamış çorap olmalıydı, fakat kutuların içi boşalmış. Biri boşaltmış. Annem kapıcı kadına vermiş olmalı, başka bir açıklaması yok bunun. Böyle bir huy edindi, evde fazla bulduğu ne varsa, başının gözünün sadakası olsun, alınan dualar da babamın ruhuna değsin diye gizlice dağıtıyor. En çok da pazar günü dışında her gün üç apartmanın merdivenlerini silerek çocuklarının karnını ancak doyurabilen kapıcı kadına veriyor, gözüne fazla görünen giysileri, kap kacağı. Tamam anne, ver, verme demiyorum, yalnız bana sormadan dağıtma eşyalarımı. Üzerine çok varamıyorum da: Babamın vefatından sonra ağlamak için bahane arıyor. Evinde duramıyor, bir ay bende kalıyor, bir ay ablamda. *Senin evinden de bir şeyleri dağıttığı oluyor mu?* Farkında değilim, dedi ablam. Dağıtıyordur belki de, fark etmedim hiç. Hazırlanmış, çıkıyordu. Tuhafiyecileri dolaşmak için yanına katıldım. İnsan değişikliklere açık olmalı, dedi ablam yokuşu inerken. Bazen tarzını değiştirmeli. Baklava dilimi pembe çoraplar mı giymeliyim yani... O daha açık renkleri tercih ediyor giysilerinde; çünkü o bir hava burcu, bense toprak. Başka renkler de denemelisin, diye ısrar etti ablam. Bir bakayım ne var ne yok tuhafiyecilerde, dedim, kararsızlık içinde. Selamoğlu Pasajı'nın önünden geçiyorduk. Son uğradığımda pasajdaki tuhafiyecinin tezgahtarı alıştığım küçük çorap kutusu yerine, yassı bir paket uzatmıştı. Şık bir paket. Açıp bakabilirmişim gerçi. Dikkatle açmıştım. İyi de, bu çorap benim istediğim çoraba hiç benzemiyor. Ben bir çorabı ikinci bir deri gibi hissedebilmeliyim...

Her ihtimale karşı yanımda bulunsun diye, yalnızca bir kere giyebileceğimi bildiğim çorabı paketiyle çantama atarken ben, sandaletle çorap giyilmesi uygun düşmez, diye araya girmişti, bir müşteri. Orta yaşlı, konuşkan bir kadın. Mağazanın vitrinindeki şalların çoğu onun eseriymiş. İkinci sıraya koyduğu açık mor şal fena değildi. Öyle bir şal çok işime yarar benim, sonbahar kış günlerinde. Kışın yün patik, eldiven de örüyormuş bu mağaza için. Konu patikten açılınca, inanmayacaksınız ama, yazın bile üşür ayaklarım benim, demiştim.

Çorapsız edemiyorsanız, bakmayın yaz olduğuna, kapalı ayakkabı giyinin çocuğum, demişti, müşterilerden yaşlı bir teyze. Kendisi kapalı ayakkabı giyermiş yaz-kış; onun da sürekli üşürmüş ayakları çünkü.

Yaşlı teyzenin tavsiyesine uyarak satın aldığım, örgücü kadının eseri olan kıştan kalma bir çift el örgüsü yün patiği çantama yerleştirdikten sonra, nereden çıkıyor bu kurallar, diye itiraz etmiştim, sandalet konusuna geri dönerek. Pekâlâ çorap giyebilirim sandalet içine, sandaletin rengine göre biraz daha açık bir tonu olur çorabın.

Örgücü kadın haklı, dedi ablam. Hoş durmuyor sandaletin içinde çorap. Ayağı ileri doğru kaydırıyor. O zaman da senin gizlemeye çalıştığın parmak daha bir göz önüne çıkacaktır.

Parmağımı gizlemeye çalışmıyorum ben, dedim. Kapalı ayakkabı giymede zaten zorluk yaşadığımı biliyorsun. Kışı muflonlu çizmelerle botlarla geçiştiriyorum ya, üç mevsim boyunca açık uçlu ayakkabılar, sandaletler giyiyorum. Sandaletle çorap giymediğimde ayaklarımda şişmeler, kızarmalar oluyor hem.

Ayaklarım rahat olmalı ki içim rahat olsun. Bir çalışma yolculuğu bu, incelemeler yapacak, notlar tutacak, çekimler yapacağız. Tepeleri tırmanacağız, eski binaları dolaşacağız, merdiven çıkıp ineceğiz. Bir yerlerde kayabilir insan, ayağın burkulacak gibi olur bir yerde. Ben yıllardır Gel-al 84 giyiyorum, birden bire değiştiremem ki alışkanlığımı... Hiç tuhaf değil, benim gibi hâlâ Gel-al 84 giyen arkadaşlarım var, Rânâ bile giymeye devam ediyor ki bu çorabı bana ilk tavsiye eden de oydu. Hatırlarsan, biz bir grup kız, yıllar önce, bir gecekondu evinde kitap okuma toplantıları yapardık; sen ortak okumalardan bir şey anlamadığını söyler, bize katılmak istemezdin. Yıl 1985. Gel-al 84 de aynı yıllarda piyasaya çıkarılmış olabilir. O kızlardan çoğu bu çorabın kahve ile duman rengi arasındaki tonunu giymeye devam etti. O kızlardan çoğunun burcu toprak grubundandı, bunu da söyleyebilirim. Toprak grubuna ait bir burçta doğan kişi kolay kolay vazgeçmez alışkanlıklarından. Sadıktır da; öyle, sadıktır. Tuhaf doğrusu, gerçekten böyle mi düşünüyorsun Rânâ hakkında! Giydiği çorabın markasına kocasından daha fazla bağlılık gösteren bir kadın değil Rânâ, yanılıyorsun. Aldatılmasaydı, bırakmayacaktı eşini. Adam hapisteydi ve Rânâ geçim telaşına düşmüştü. Adam hapisteyken masraflarını karşılayan da kimse değil, Rânâ oldu. Mat renkler giymeye mecbur ediyordu kendini ayrıca; kocası hapiste, kadın şen şakrak ortalıkta dolaşıyor demesinler diye. Bu tür konuşmalar gelmişti kulağına sanırım yine de, geçen görüşmemizde anlattı. Topuklu ayakkabılarla kuzeninin düğüne gitmiş ve dedikodu olmuş. Nasıl olur, nasıl yapar, kocası hapiste! Ayda bir gidebiliyordu görüşe, buna ancak güç yetirebiliyordu sanırım. Haklı olabilirsin; belki de bir şeyler çoktan değişmişti aralarında. Bu arada adam kendisine mektuplar yazıp duran bir kıza aşık olmuş.

Özensiz giyinmezdi Rânâ ablacığım, yanlış hatırlıyorsun sen. Mahmutpaşa'dan ucuza kumaş alır ve uzun tunikler, bol pantolonlar dikerdi. Seninle giyim tarzı konusunda fikirlerimiz bağdaşmıyor, mor menekşe çizgili pembe renkli baklava dilimi desenli çoraplarla çıkamam yolculuğa ben. Gel-al 84 bulunmaz hint kumaşı değil, ama güvenilir. Pasajda bir tuhafiyeci vardı, yıllardır ayak basmadım; minibüsle geçerken görüyorum, neredeyse hiç değişmiyor vitrini. Orada da yoksa istediğim gibi bir çorap, Rânâ'yı arayacağım eve döndüğümde; onda fazladan bir çift vardır eminim. Hâlâ Gel-al 84 kullanıyor. Evine son gidişlerimden birinde, çıkmak için giyinmeye başladığım sırada yanlışlıkla onun çorabını almışım elime. Aynı renk, aynı kalınlık. Benim çoraplarımdan birinin altında dikiş izi vardı, bu nedenle yanlış çorabı giydiğimi anladım.

Karanlık Köşe

Otellerde uyuyamam; bu kez de öyle oldu ama geçti işte, her şey gibi geçti; birkaç saat sonra buradan ayrılacağız. It was nice meeting you. Bütünüyle kazasız belasız bitmeyecek gibi geliyordu, bir şey olacaktı, sıkıcı sinir bozucu bir şey; buna yakınlaşıyor, uzaklaşıyordum ama işte, şimdilik her şey yolunda sayılır. Dünyanın acı çeken ve evlerinden uzaklaşmaya mecbur edilmiş insanları hatırına düzenlenen bir toplantı daha sona erdi, buna karşılık yeni bir söz yok, üzerinde tamamen uzlaşılmış bir cümle de yok; her zaman böyle olur. Uçağım gece on birde kalkacak, oysa odayı boşaltmamız istendi biraz önce; Necmiye gelinceye kadar lobide oyalanacağım. Bu kalabalık toplantıların en kötü yanı: Tanıdık yüzler, yeni tanışılanlar ve tanışılmış gibi olanlar birbirine karışıyor. Bir zamanlar gençliğinin heyecanıyla insanları miting meydanlarına çekerken kızların da gönlünü fetheden bir adamla birkaç dakika süren bir konuşma yaptım. Bu adam yirmi yılda nasıl böyle değişmiş, yaşlanmış... Asansörde yalnız kalmaktan yararlanarak aynada yüzümü inceliyorum: İnsan kendi yüzündeki çizgilere birdenbire yakalanmıyor, ben de en az onun kadar yaşlanmış olmalıyım. Uykusuzluğun yol açtığı gölgelerle değişti yüzüm, kısa konuşmaların, tanıştırılmaların ve hatırlamaların ya da hatırlayamamaların verdiği mahcubiyetlerin etkileriyle de değişti. Bir haftadır bu oteldeyim, belki bir daha asla adım atmayacağım bu mekanda, kısa süreli ayrılmaların dışında koca bir hafta geçirdim. Barın karanlık köşesindeki, kestirme şeklinde de olsa uykuyu çağıran geniş koltuk boş değilse, ortalıkta gezinerek vakit öldürüyorum. Ajandalara ve küçük kağıtlara adresimi ve telefonumu yazarak insanlara uzatıyorum. Bir kartvizit sahibi olmamanın bu yerlerde hiçbir derin anlama çekilmediğini göre göre... Çantamda sayısız kartvizit, fotoğraf makinemde görüntüler. Bunca günden sonra geriye acı tatlı birkaç cümle, birkaç fotoğraf, birkaç hatıra kalacak; az şey değil bunlar da aslında.

İletişim Hocası göz ucuyla beni izliyor olmalıydı. 'Kendinizi tanımlamakta kararsızsınız' diye seslendi. İnsanın içini okuduğuna dair bir iddiası var. Mesleki bir iddia bu.

Tarihi bir yapının restorana çevrilen bölümünde yemek yiyorduk. Daha yemek bitmeden sigara dumanından bir perde örülmüştü etrafımda. Kendi alemime dalmış, balık tabağının yanındaki üç bıçaktan hangisini kullanacağıma karar vermeye çalışıyordum; ucu tırtıklı bıçağı elime aldım nihayet. Çok geçmedi, ucu tırtıklı bıçağı unuttum, balığı çatalla yemeye devam ettim. Oysa bir kez olsun tabağımın yanındaki bütün bıçakları sırasıyla kullanmayı istemiştim. Sofra başında uzun uzadıya vakit geçirmek hoşuma gitmez, bir de uykusuzluğun etkisiyle sabırsızdım: Ne zaman bitecek bu yemek de odalarımıza döneceğiz ve bakalım bu gece uyuyabilecek miyim... Uykusuzluk duygu ve düşüncelerimi biçimsizleşmeye zorluyor. Uykuya dalıp da geri döndüğüm noktada bir saplantıya dönüşüyor, yeniden gelen uykuyu tam zamanında tutup da içine dalmayı başarmak.

Bütün gece, o uykuya dalma anının bir tekrarı halinde ilerliyor: Geliyor ve gidiyor, görünüyor, dokunuyor ve kaçıyor.

Barın en karanlık köşesindeki koltukta bir süreliğine uykuya dalmayı geçiriyorum aklımdan, öylesine dolaşıp dururken. Masamın yanından geçtiği sırada lacivert üniformalı kızdan kahve istemiştim, on beş dakikayı buldu getirmesi. Gecikmesinde bir eleştiri okudum: Bu kadar da çok çay kahve istenmez ki! Uykusuzluğa dayanmanın bir yolu, acı kahve, şekersiz çay. Kahveyi soğuk içemem, ilk yudumun ardından kenara ittim.

Kız yine yanımdan geçiyordu elinde tepsiyle, bu fırsatı değerlendirdim: Bu kadar geç getirildiği halde bir de soğumuş bir kahve, nasıl bir servis anlayışıyla mümkün oluyor...

Bu da soğuk, diye seslendi ardımdaki masadan biri. Kız duraksamadan geçti gitti. Başka bir köşeden biri koştu, yanımdaki koltuğa oturdu: İletişim Uzmanı. Onu daha yakından tanımamı gerekli kılan bir bilgisi varmış gibi konuşmaları; merak duymamı sağlamaya çalışıyor. ?Yazar olmaktan başka seçeneğin olmamış," diye söze başladı. "Bugünlerde daha yüksek saydığın şeyler yapmak istiyorsun, eski yaşantından kurtulmak, yeni bir hayata adım atmak gibi bir sıkıntın var. Yeni bir sayfa açmak istiyorsun geleceğe doğru, iyi de kişiliğindeki kör düğümleri çözmeden bunu nasıl yapacaksın ki...?

Yeni, daha doğru, daha anlamlı bir hayatın anahtarı sanki ellerinde. Biraz ilgilensem, neler neler anlatacak.

Beni çok iyi tanıyormuş gibi konuşuyor ya, bu, üçüncü karşılaşmamız. Önce tarihi mekandan uyarlanmış restoranda, ikinci olarak da vapur gezisi sırasında yanımdaki sandalyeye oturmuştu. Sigara tutunca afallamıştım; uzun yıllardan bu yana ilk kez başıma geliyordu böyle bir şey. ?Ben sigara içmem ki!? diye sıçradım yerimden. Sigara içmem, sigara içilen mekanlarda uzun uzun oturamam. Bir keresinde Hakkari'ye kadar uzanan bir otobüs yolculuğu yapmıştım; yol boyunca otobüsün içinde göz gözü görmüyordu, sigara dumanı yüzünden. Sonra, Doğu Beyazıt'ta, otobüsten iner inmez karşımda beliren elleri sigaralı işsiz, erkenden yaşlanmaya hazır esmer yüzler... İletişim Uzmanı Kürt kökenini vurgulayarak sözümü kesti. Ana diliyle konuşmakta sıkıntı çekmeyen biri olarak anlayamazmışım, insanların sigarayı niye süte öncelediğini... İyi de niye o denli ön yargılı benimle ilgili olarak, herkes istediği dilde okusun yazsın, kendi ana dilime mecbur edemem kimseyi. Sonra, aynı dilde konuşuyor olmak birbirini iyi anlamayı kolaylaştırmıyor ki her zaman... Daha evrensel ve okunaklı olan vücut dilidir ve o bir iletişimci olarak bu dili çok iyi bildiğini iddia ediyor. Mesela ben şimdi neden birdenbire oturuş pozisyonumu değiştirerek ayaklarımı içe doğru bükmüşüm ki...

Bilmem. Bir anlamı yok bunun. Bazen ancak böyle rahat ediyorum. Koltukların ayakları kısa, denge sağlamaya çalışıyor da olabilirim.

İçine kapanık olmaya eğilimlisiniz.

Siz de her şeyden anlam çıkarıyorsunuz...

Kızmayın canım, kızacak bir şey yok ki bunda...

Kızmıyorum ki.

Göstergebilim filan. Sıkılıyorum. Sıkıntıma da bir anlam biçiyor: Bir sürü şey yazmış olsam da kendimi saklamayı sağlayacak şekilde yazıyormuşum. Nasıl emin olabilir ki, yazdığım kitaplardan birini bile okumamış. Kadın yazarlarla ilgili genel yargısından hareket etmesi de, çok fazla vurguladığı mesleki ustalığına gölge düşürmüyor mu... Kalkmaya hazırlandığımı görünce, restoranda yarıda bıraktığımız tartışmaya geri döndü: Hangi yemek hangi bıçakla, hangi çatalla yenecek, bu soruyu nereye kadar önemsiyorum ben... Milletvekilinin biri, büyük bir tespitte bulunuyormuş gibi, ülkenin bir kadına 'sizi dansa davet edebilir miyim?' diye soramayacak denli tutucu erkeklerle yönetildiğini söyledikten sonra, türlü dansların ve nezaket kurallarının öğretildiği kurs ilanlarıyla kaplandı gazeteler. İç içe konulmuş bıçakları kuralına göre kullanmaya çalışmaya dikkat etmeye çalıştığımı gördü İletişim Uzmanı, nihayet balığı sırf çatalla yemeye devam ettiğimi de. Bütün bunlardan anlamlar çıkarmadan edemiyor: Ya aldırma sen o manşetlere, rahat davran, istediğin gibi ye, elini kullan istersen, ister balık bıçağı yerine meyve bıçağı kullan, kayısıyı bıçakla kesmeden ye, kim karışır!

Yorum yapmamaya çalışarak dinliyorum onu; laf lafı açmasın diye. Necmiye'yi, gözüme kestirdiğim geniş koltuklardan birinde beklemek istiyorum; halihazırda hepsi dolu. Uykusuzluğun getirdiği gerginliğin etkisiyle, yanımdan geçtiği sırada Barmen Kız'ı kahvenin yüzeyindeki köpüklü çöküntüyü görmeye çağırdım; bu, soğukluğu nedeniyle içemediğim ikinci fincan kahve. Bir kaşını inanmazlıkla kaldırdı kız, ama bana inanmazlık gibi görünen meydan okuma da olabilir; üstelemedi gerçi, yüzünün asık ifadesini hiç bozmadan fincanımı tepsisine yerleştirdi. Şaakkk. İletişim Uzmanı benim adıma çıkıştı kıza: Müşteri her zaman haklıdır diye öğretmemişler mi ona... Tamam tamam, diye araya girdim, burada beklerken soğumuştur kahve. Kız birden değiştirdi yüz ifadesini, ağladı ağlayacak. İşte yenisin galiba, diye, bu kez babacan bir ses tonuyla sordu İletişim Uzmanı. Hoş beş etmeye başladılar; kız o kadar da yeni değil işinde anlaşılan ama katıldığımız programın otel ayağının yoğunluğu nedeniyle fazlasıyla yorgun düşmüş. O tepsiyi alıp uzaklaşırken yeniden uykuya çekildiğimi duydum. Köşedeki geniş koltuk boşalsa, çekilsem oraya, gözlerimi kapatsam bir iki saatliğine, çarpıldığını hissettiğim yüz çizgilerim yerli yerine otursa... Bütünüyle kendime yoğunlaşmama izin vermiyor ki İletişim Uzmanı, yüzümdeki çizgilerdeki çarpılmanın da farkında değil; bir kez daha ayaklarımı içeriye doğru kıvırarak oturuşumu çözümlemeye çalışıyor. Laf lafı açmasın diye bir dikkat içinde olsam da bunu söylemeden yapamadım: İçe kapalı gözükmesem de ilk bakışta, içe kapalılığa meyyalim; bir bir otelden ayrılan katılımcıların ancak onda biriyle iletişim kurabildim. Şurada şöylece oturuşum, uykuya direnişim hatta içe dönüklüğe yatkınlığımla savaşımın bir parçası.

Her şey yine çocukluğa dönüyor. Bastırılmış bir çocukluk yaşamışsınız.

Tam olarak doğru sayılmaz bu...

Aileniz dindar mıydı?

Beş vakit namazını kılan bir babaannem vardı. Duaları, sureleri bana öğreten odur. Birlikte uyurduk. Bana masallar, evliyalardan menkıbeler anlatırdı.

Dini kıssaları çok önemsiyorum ben, en azından bir kısmını, dedi. Beyazıt-ı Bestami'nin Miraç yolculuğunu ele alalım. Miraç'a yükseldi büyük veli, ama yararlanamadı o yolculuktan, neden... Önüne çıkan ilk çeşmeden doya doya içmeye kalktı da ondan. Fakat Peygamberimiz beşinci çeşmeye kadar gitti, her çeşme önünde gerektiği kadar kalarak.

Kıssadan hisse: Yeni bir şey yapmak istiyorsanız yeni bir yolculuğa çıkmalısınız, ama yolculuk da tek başına yetmez, tazelenmeye. Hangi çeşmeden ne kadar su içmeniz gerektiğini de bileceksiniz. Ve İletişim Uzmanı benim çeşmelerin sırasını, sayısını karıştırdığım kanısında. Gereksiz ayrıntılara takılırken amaçlar konusunda yanılgıya düşüyor olabilirim.

Yine balık bıçağı konusu... Toplumun dayattığı kurallara göre yaşayarak kendimde gerçekleştirmeyi istediğim büyük değişim ona olanaklı gözükmüyor. Sinir oldum, kalkmaya davrandım, ama bar tarafındaki gürültü dikkatimi dağıttı. Şangır şungur. Başlar aynı anda bara çevrildi. Kız bir bardak kırmış. Öğleden sonra içinde yaşanan ikinci kırık vakası bu, ilki ben kahve istemeden önceydi; kahve soğuktu, kız her zamankinden daha fazla kabaydı ve ben sinir olduğum halde hareketlerine, yenisini getirsin diye ısrar etmemiştim. Azarlana azarlana yüzsüzleşmiş bir kız diye geçmişti aklımdan ilk günlerde onun için; karanlık köşedeki koltukta uyumaya çalıştığım saatlerde karşılaştığı muameleleri gözlemledikçe, görüşüm değişmeye başladı. Bu kız sanki sınırsız isteklerin reva görüldüğü 'barda çalışan kız' kalıbının içine girmemeye direniyor, bu nedenle de yürüyüşünü bile bile kabalaştırıyor. Bardakları fincanları pattt diye koyuyor masalara, bile bile unutuyor şekeri süttozunu, bile isteye soğutuyor çayları kahveleri. Kıza görmeden ya da sadece kafalarındaki barmen kızı görerek bakıyor ve çay kahve kola soda bira söylüyor otelin konukları. Sürekli istiyor, içiyor, yine içmek istiyor, sabırsızlanıyor ve beğenmiyorlar. Bazıları bana, hiç çektirmedikleri, ama şimdi içine girmek için bir fırsat buldukları, Holywood filmlerinden koparılma bir bar resmine dahil olmalarını kolaylaştırmadığı için kıza hınçlanıyorlarmış gibi görünüyorlar. Televizyon ve sinemadan koparılmış, ama bir nedenle içine girilmemiş bir resim bu, uzaklığı oranında benliklerde yer tutmuş. Alkolden nefret edenler, günah olduğu için alkollü içkilerden uzak duranlar soda isteyebilirler ya da alkolsüz bira. Ama kız sanki inceden inceye düşünülmüş bir kararlılıkla dizi filmlerden fırlamış bir barmen kızdan beklenebilecek davranışlardan kaçınıyor. Sert adımlarla yaklaşıyor ve pattt diye koyuyor fincanları masalara. En az on kez bana da çay ve kahve getirmiştir, ama kendim alabilseydim çayı kahveyi bardan, bunu yeğlerdim. Bütün günlerimiz otelde geçmedi; tarihi mekanlarda dolaştırıldık, konserler izledik, vapur gezisine çıkarıldık. Vapurda yemekteyken, masalardan birinde farkına varmadan İletişim Uzmanı'na yakalandım. Hava sisliydi. Kulaklarım uğuldamaya başlamıştı. Uykusuz bir gece daha geçirmiştim. O ana dili tartışmasını beden diline kaydırdığında, katılacağım paneldeki müzakereci arkadaşlardan biriyle sunum sürelerinin uzatılması konusunu konuşmak için masadan ayrılmak üzereydim. Aslında nereye gidersem gideyim adım adım Olacak Olan Bir Şey'e, tatsız bir duruma yaklaşıyordum. Uykusuzluğun yol açtığı bu karamsar his içime, Mustafa Akkad'ın Ürdün'deki bombalamalarda öldüğünü duyduğumda çengelini attı. Zaman nasıl akıp gidiyor Yarabbim, zaman nasıl da akıp gidiyor: Tam bir hafta her gün Kadıköy Marmara'ya *Çağrı* filmini seyretmeye gitmiştim. Konuşmaya altı müzakereci ilave edildiğini söyledi arkadaşım; vakit ise topu topu iki saat. Hızlanan zaman tarafından sürükleniyordum, bundan sonra daha kötüsü olamazdı; böyle hissediyordum o ara, ama kendimi en kötüsüne hazırladığım için, bir de tanıdık yüzlerin çokluğu nedeniyle, ikinci bodrum katta bulunduğumu, yeryüzüne çıkmak için iki dar döner merdiveni tırmanmam gerektiğini unuttum konuşmaya başladığımda. Yine de daha iyisi olabilirdi, biliyordum, cümlelerim o denli yarım kalmazdı; uykumu almış olsaydım, Akkad'ın ölümünü o sırada duymasaydım, salon ikinci bodrum katta bulunmasaydı ve ikinci bodrum kata merdivenlerle değil de asansörle inebilmiş olsaydım. Gereksiz yere ikinci kez söz aldığımda ise geri dönemedim yarım bıraktığım konuşmaya; uzattıkça uzattım cümleleri, Akkad üzerine, *Çağrı* filmi üzerine biraz daha konuşayım derken zamanı iyi kullanamadığım için, soru işaretlerini ünlemlerle karıştırdım. İkinci kez söz almamalıydım, hayır; nasılsa vaktin kalmaması iyi bir mazeretti, tamamlanamayan bütün cümleler için. Üstelik saunaya gitmişti aklım ister istemez, verilen bütün sözlere karşılık yüzümü yalayan yakıcı bir sıcak hava dalgası nedeniyle ve zaten döner merdivenle ikinci bodrum kata inerken saunanın önünden geçerken de kızgın buharın yüzümü yaladığı-

nı duymuştum. Bu, istenmediği halde yaklaşan şeye ya da an'a
ait işaretlerden biriydi ve öncesi de vardı: Konferans metni üze-
rinde çalışıyordum evde, ortaokula giden oğlum karne aldığını
söylediğinde okuldan döner dönmez, duymuş, ama algılama-
mış, dolayısıyla beklediği ilgiyi göstermemiştim. Bunu bağışla-
madı: Sen hep böylesin böyle, her zaman böylesin, insanı din-
ler gibi yapar, ama dinlemezsin.

Bak oğlum, istersen bir yere gitmem.

Hayır ya git, beni bahane etme.

Bahane edebilirdim oysa, çocuklar bahaneden de öte sahici
sebeplerdir ertelemeler, geciktirmeler, iptaller konusunda. Ote-
le geldiğim ilk saatlerde telefon etmişti Necmiye, kızlarını bıra-
kacak bir yer bulabilirse, beni dinlemeye gelecekti. Konuşma
mekanı olarak ikinci bodrum katı dışında bir seçeneğim olma-
dığını öğrendiğim dakikalarda geldi. Lobide, uzak bir köşeden
bana el sallayan sıska kadını yaklaştığımda tanıdım. Geçen yıl
kocasından ayrı yaşamaya başladığı günlerde evine gitmiştim:
Eşyaları ilgisizlikten dökülüyordu ve düzgün olan hiçbir şey
görünmüyordu ortalıkta, ama asıl insanı rahatsız eden, arala-
rında sadece bir yaş bulunduğu için ikiz gibi görünen iki küçük
kızın ilişkisiydi. Abla küçük kardeşini fazlasıyla korkutan ma-
sallar anlatıyordu; korkunç uzunlukta sivri dişleri olan ve ge-
celeri evde yalnız bırakılmış küçük kızların göz bebekleriyle
beslenen robotların cinayetlerini konu alan hikayelerdi bunlar.
Vampirlerin yaşadığı mağaralara küçük kız çocuklarını taşı-
yordu bu robotlar. Bu mağaralarda sayısı belirsiz çoklukta göz-
bebeklerini yitirmiş küçük kız bulunuyordu. Bu 'masal'ın etki-
si altındaki küçük kız korku içinde iki koltuğun arasına sığın-
mış, üzerine de koltuklardan birinin üzerindeki örtüyü çekmiş-
ti; biz içeri girdiğimizde. Abla, korkutucu masallarına karşılık
büyüklüğünü biliyordu, dönerli sandviç almıştı kız kardeşine,
iki sokak yukarıda bulunan ana caddedeki dönerciden, kapının
önünde karşılaşmıştık. Birlikte yukarı çıktığımızda, evin kapı-
sının ağzına kadar açık olduğunu görerek Necmiye'nin sorum-
suzluğuna şaşırmıştım. İş arıyordu, dalgındı, daha doğrusu pa-
nik içindeydi; kendini böyle savunmuştu. Sorumsuz bir anne

gibi konuşmuyordu hiç, iyi kötü bir iş bulmuş, aklı kızlarında: Üzerlerine kapıyı kilitleyip de çıkamam, peki ne yapacağım?.. Aklım oğlumda: Akşama kalmadan buruş buruş ettiği pantolonunun hiç olmazsa diz kısmını her sabah ütülemek gerekir, okula gitmeden. Bu böyle yürümeyecek, bu sene de okulundan şikayetçi. Diyebilirim ki hemen her yıl onun hatırına, o daha farklı bir okula gitmek istiyor diye, ev değiştiriyoruz. Bodrum katlarını sevmem, çatı katlarını da, ama aralardaki katlar da her zaman kusursuz olmuyor. İkinci bodrum katındaki salonda yapılan bir önceki oturumda bulunanlar sıcaktan bunalarak programın yarısında kendilerini dışarı atmışlardı. İnsan kendini dışarı atmak istediği her seferinde asansörü hazır bulamayabilir. Giriş katında bir süre asansör beklemiş, sonra merdivenlere yürüyen kalabalığa katılmıştık. Merdiven dar olduğu için inerken daha belirgin olarak hissetmiştim yeryüzünden gitgide koptuğumu. Üstelik saunanın altındaymış salon, diye hayretini dile getirmişti Necmiye. Herhalde unutamazdım saunanın altında bir yerde konuştuğumu, yani buhardan gözün gözü görmediği bir bodrum katı daha varken yukarıda, nefes darlığı çekmeye başlayabilirdim. Şu saatten sonra değiştirilemezmiş salon ya, daha ferah hale getirilebilirmiş; öyle söylüyordu görevliler. Kafenin en karanlık köşesine yakın büyük bir masanın etrafında sıkış tıkış oturuyorduk; emperyalizmin yeni yüzleri üzerine başlayan bir tartışmayla sürüklenerek. Masanın üzerinde bir sürü boş fincan ve bardak vardı, çaylar çoğunlukla içilmemişti. Servis çok kötü, dedi biri, Türk kahvesi istiyorsun kapuçino geliyor, espresso istiyorsun neskafe. Barmen kızın sakar olduğu ölçüde küstah olduğunu söyledi bir diğeri. Sanki kız duydu hakkındaki sözleri de, yüzünü biraz daha astı. Ne kadar emin görünse de kaba davranışları konusunda, bardakları toplarken ayağı takılarak bir sandalyeye çarptı. Tepsiyi düşürmemeyi başarsa da gözyaşlarını engelleyemedi. Açıkça hüngür hüngür ağlayarak kendini barın arka odasına attı.

Sakarlığıyla, kırıp dökmeleriyle kendini bir şeylerden korumaya çalışıyor olabilir bu kız, diye düşünmeye devam ettim, onu izlerken ve "Bir kız çocuğu herhalde büyüdüğünde barmen kız olmayı düşlemez," diye bir görüş attım ileriye, konuş-

maktan sakındığım halde. Kahveci Güzeli olmayı düşlemişiz-
dir çocukken ya da buna benzer bir masal kahramanına özen-
mişizdir. Necmiye'nin büyük kızının kız kardeşine anlattığı tü-
re karşılık gelecek masallar anlatmazdı, babaannem bana. Ka-
dın entrikaları, yanlış anlamalar, gurur yüzünden alıp başını
gitmeler, gurbet elde çekilen çilelerle elde edilen olgunlaşma...
Hatırlamakta zorlanıyorum, sabır taşının bile dayanamadığı
ağır sıkıntılara katlanan masal kahramanı, Kahveci Güzeli miy-
di... Çocukluğumun masallarının hiçbirini başından sonuna
kadar hatırlamıyorum, masalların sonunu beklemeden uykuya
dalıyor olmalıydım. Bana çekici gelen masalın içeriğinden çok
babaannemin mırıl mırıl akıp giderken beni uykuya gönderen
anlatımıydı. Babaannemin masallarını aradan geçen yıllar için-
de pek az hatırladığımı düşünürken yine saunaya gitti aklım;
birazdan saunanın altındaki sıcak salona inmem gerekecek.
Necmiye göründü, on dakikalığına olsun uzanmak için odama
çıkalım istedi; asıl istediği ayrıldığı kocasından yakınmak. Ge-
ri çevirdim isteğini, üzüntü getiren bir konuşmaya açık hisset-
miyordum kendimi.

Kırılmış gibi görünmüyordu ya, konuşma bittikten sonra
aynı yerde bir araya gelmeye karar verdiğimiz halde, saatler-
ce görünmedi. Birileri geldi gitti bara, çoğunu tanımadığını
fark ettim; otelin kanı değişiyor.

Çinli bir grup gelmiş biraz önce, bavulla doluydu lobinin
girişi. Masalarda boş yer bulamayınca, bankoya yapışık tabu-
relerden birine tüner gibi oturdum. İyi oldu bu, hakkındaki iz-
lenimlerimi neredeye kadar doğrulayabilir bakalım diye, 'Bar-
men Kız' olmaya gönülsüz kızla dereden tepeden konuşmak
istiyordum. Yeni müşteri dalgası, içilecek şeyler üzerinde de
etkisini gösterdi; yanımdaki adam içkisine buz istemişti, kız
buz kalmadığını söyledi. Kızla üç beş kelime edip kalkacak-
tım, içki kokusunu hiç sevmem. Tepsiyle gitti geldi kız birkaç
kez, asık yüzüyle; nihayet yakınımda bir yerde duraklayarak,
cebinde taşıdığı küçük not defterine bir şeyler karalamaya baş-
ladı. Nerede olduğunu unutmuş gibi yazıyor, yazıyordu; ne
yazdığını sorabileceğimi düşündüm o anda, ama telefonum
çaldı. Necmiye; kızlarını komşusundan almış, bir arkadaşına

götürüyormuş, ben otelden ayrılıncaya kadar yanımda kalabileceği vakti bulabilsin diye.

Kırılmamış bana demek ki, diye ferahlamış olarak, Barmen Kız'a döndüm. Yerine geçmiş, yazmaya devam ediyordu. Ne yazıyor, neler yazıyor olabilir ki? Uykusuzluğun artırdığı o duygu: Necmiye kırılmamış bana neyse ki, ama açık ki bu kıza haksızlık ettim, bir değil iki kez, soğuk çaylarından yakınarak.

Bir şeye canınız sıkılmışa benziyor sizin, dedim, neler yazdığını sormaya geçmekte bir başlangıç olarak.

O kadar mı belli?..

Epeyce.

Hakkınız var, dedi. Buraya gelen insanlar, yani çoğu... Şimdi de şu köşedeki masa... Bu çay ot tadıyor diye tutturdu kadın. Espresso istiyor, ardından neskafe istediğini iddia ediyor. İçkisini alırken bana el şakası yapabileceğini sanıyor.

Bu gece ayrılıyorum ben. Kabalık ettiysem size, hakkınızı helal edin.

Böyle söylemeniz yeter, helal olsun, dedi kız, yüzünde bir yumuşamayla. Sonra, dahası da var, diye ekledi.

Dahası ne olabilir? Öğrenmek istesem de üstelemedim, meraklı görünmemek için. Anlatacaksa anlatır. Sonra da barmen kıza içki söyleyen kahramana ilişkin film sahnesinin içine yerleşmek isteyen figüranlar araya girdi. Buraya da bakar mısınız, bize üç çay, biri açık, biri orta, öteki bardakla olsun. Geçen hafta en fazla kahve içildi, diyerek bana döndü kız. Sütlü kahve, sıcak sütlü kahve, çok sert kahve, kremalı kahve, sert sade kahve, Viyana usulü kapuçino, şekersiz sütsüz siyah kahve, kremalı siyah kahve, espressonun çok sert olmayanı, küçük bir bardak romla birlikte sunulan kremalı sert sade kahve hatta yumurta sarısı ve brendi ile servis edilen sade kahve ve daha bir sürü barda bulunmayan türde içecek istiyorlardı. İstenilenlerin sadece üçte birini hazırlayabiliyordu, elinde bulunan malzemelerle.

Otelin yeni konukları hafif içkiler almak istiyorlardı şu saatlerde; anlaşılan dünyanın acı çeken insanları için bu otele toplananlar alkollü içki içmiyorlarmış ve şimdi otelin kanı değişiyor. Kokusundan tanıdığım tek içki, rakı. Çocukluğum boyunca her gece rakı içerdi sofrada babam ve çabuk sarhoş olurdu, sonra kusardı, kusmuk kokusuyla dolardı oda. Çarşafları, lavaboyu ve kusmuk bulaşmış her yeri sabunlu sularla temizlerken pencereyi açardı annem, buz gibi bir soğuk dolardı odaya. Kız viski şişesi olması gereken bir şişeyi açtı, kokuyu aldım; rakı gibi. Her yer rakı kokuyormuş gibi geldi bana o anda; boş köşedeki koltuğun boşaldığı anı kaçırmayarak yerimden fırladım ya, İletişim Uzmanı önümü kesti. Midem iyi değil, dedi ve biraz zorlanarak yanımdaki tabureye oturdu. Loş köşedeki koltuğun kapılışını izlerken, kolunun birini güçlükle oynattığını fark ettim adamın, ardından da belki zaman zaman nükseden, ya da kolunu zorladığı zaman ortaya çıkan tiklerini... Sanki konuşması da değişmiş: Ummp ummp diye bir girişle başlıyor söze. Beni yakaladığı için memnun: Yani anlamak istiyor, bendeki şu karanlık köşelere çekilme merakının nedenini... Laf lafı açsın istemediğim için kısaca anlattım: Birkaç dakikalığına olsun uyuyabilirim, karanlık köşelerde.

İletişim Uzmanı sigarasının dumanını uzaklara savururken sözümü kesti: O kadar da basit bir açıklaması olamaz, karanlık köşelere çekilme temayülünün; ne kadar çok şey yazarsam yazayım, bütün istediğim kendimi gizlemek. Laf öbekleri, uzun ve karışık cümleler, bunların hepsi, gizlenmek istenenin örtüleri. Tamam da uykusuzum ben; gece ancak yarım saat kadar deliksiz uyumuşumdur. Karanlık köşedeki koltukta istediğim gibi uyuma denemeleri yapabilirim, hatta derin derin uyuyabilirim, öyle hissediyorum ve işte şimdi koltuk boş görünüyor; müsaadenizle. Daha iki adım atmadan yanıldığımı anlıyorum, koltuk boş filan değil, pencerenin yanında ise bir bağırış çağırış. Kız yanlış anladı, diye bir savunma. Adamın biri yeşil çay istemiş, yanında da ille de esmer şeker. Bunun ardından 'fincana parmağınızı batırsanız da olur' diye bir fısıltı duyduğunu iddia ediyor kız, ama şefi bu tür şikayetler getirmesinden hoşlanmıyor. Aşağılık herifler, dedi İletişim Uzmanı, ummp umpp diye giriş yapmadan, canla başla. Angutlar ayılar. Barda bir kız, ne söylesek olur, ne yapsak revadır, dememek lazım.

Neyse ki Çinliler gelmeye devam ediyorlar. Çinliler kibardır.

Dünya küçük bir köye dönüştü, her yerde karşımıza çıkan Çinliler, bunun göstergeleri.

Dünya hiçbir zaman büyük bir köyden ibaret kalacak kadar küçülemez ve sahiden, sigara kokusu araba tutması etkisi yapıyor üzerimde.

Özür dilerim, dedi ve sigarayı söndürdü. Sigaraya çok genç yaşta başlamış, bunu anlatmaya başladı. Delikanlıyken, babası birdenbire girdiğinde odaya, sigara içtiğini anlamasın diye cebine koyarmış söndürmeye fırsat bulamadığı sigarayı, bu nedenle de ceket cepleri hep yanık olurmuş. Yamayan onaran olmadığı için de –annesi üveymiş ve neredeyse masallardaki üvey anneler kadar zalimmiş? daima yırtık pırtık olurmuş ceketlerinin pantolonlarının ceplerinin etrafı. Nitelikli bir ilgiyle bile azalmıyor sitemleri oğlumun, dedim. Her fırsatta varlığınla yokluğun bir, diyen bir oğlum var, ama haksız bir suçlama bu. Bak oğlum, demiştim, istersen bir yere gitmem. Hayır ya git, beni bahane etme. Bunu söyledi, ama ertesi gün başka bir problemle daldı eve. Matematik imtihanı sırasında altı sorunun sadece üçünü yapabilmiş, tam on dakika boyunca, ilk on dakikada yani, öylece bakıp durmuş kağıda. Hangi sebeple öyle durduğunu da anlatamazmış açıkçası, sorular çok zor değilmiş ya, bir ara nasıl çözeceğim ben bunları bu kadarcık süre içinde, asla çözemem, ben bunu yapamam, diye geçmiş aklından. Gerçi hakiki bir imtihan değilmiş girdiği, yine de öğretmenin kanaatinin şekillenmesi açısından o kadar önemsiz sayılmazmış. Hiç mantıklı bir açıklaması yok: Olacak şey mi, normal olarak kolaylıkla çözebileceği soruların karşısında öylece on dakika oturmuş! Bunu açıkça dile getirmese bile söylemek istediği, o yitirilen on dakikaya ilişkin tek açıklamanın benim dalgınlığımla, yazı işlerine yoğunlaştığımda kapıldığım sağırlıkla alakası. Ben dalgınım, o da dalgınlaşıyor. Benim dalgınlığım, onu dalgınlaşmaya zorluyor.

Anlatmazsan anlatma, dediğinde İletişim Uzmanı, bir geçiş boşluğu oluşuyor düşüncelerimde; sanki bir süreliğine uyumuşum da uyanmışım gibi, sıçrıyorum yerimde. Peki neden siz'den sen'e geçti bu beyefendi benimle konuşurken, peki benim anlatmaktan kaçındığım, kelime öbekleriyle örtbas edip durduğum şey ne? Çocukluğum, evet, çocukluğumdan söz etmeyi sevmiyorum; çocukluğumun mekanlarını ve hadiselerini, babaannemin masallarını dinlediğim ortamın dışında, rakı sofrasından yayılan kusmuk kokusu eşliğinde hatırlıyorum. Masalların dünyasını onca çekici buluyorken, babaannemin anlattığı masalların hiçbirisini başından sonuna kadar hatırlamayışım tuhaf değil mi...

Kahveci Güzeli diye bir masal. Birkaç ayrıntı dışında bir şey hatırladığım yok, ne başını hatırlıyorum ne sonunu.

Çok bilinen bir masaldır, bir ara anlatırım dinlerseniz. Gerçi ben de bazı kısımlarını unutmuş olabilirim.

Kendi hayatı da dinlemek istersem, yazmaya değer bulacağım bir roman. Masallardaki üvey anneler kadar zalim bir üvey anne. Baba baskısı. Dolaba kilitlenen yiyecekler. İlkokulda Türkçeyi düzgün konuşamadığı için, şivesi nedeniyle duyduğu tarifi zor eziklik. İdare lambaları altında çalışılan dersler. Soğuk pansiyonlar sonra... Bunların hepsinin üzerine kötü bir evlilik. Öyle ki neticede felç geçirmiş, erken denilebilecek bir yaşta.

Çünkü bir konuşmayı sürdüremiyorduk, diye devam etti, bir anlık duraksamanın ardından. İşte bu bölümü hiç dinlemek istemedim, merak etsem de. Birlikte bir yastığa baş konulan, çocuklarının annesi olması gerçeği değiştirilemez bir kadın, kimseye 'o kadın' diye anlatılmamalı. Niye bu noktaya geldik, sanki niye 'siz' diyorken 'sen' demeye başladı bu adam bana... Onu dinlemeye devam edersem Bir Şey Olacak, Kötü Bir Şey, Şey... Ürdünlü sosyolog Aişe'nin, bavuluyla birlikte çıkış kapısına yürüdüğünü gördüm yüksek taburenin üzerinde, bunu fırsat bildim, koşar adımlarla lobiye yürüdüm. Kucaklaştık Aişe'yle.

See you again, inşallah.

İnşallah. It was nice meeting you.

Bir taksiye binerek uzaklaşıyor Aişe, yağmur karanlığında. Dünyanın acı çeken insanları için düzenlenmiş bir toplantı daha sona erdi ve ben lobide oyalanmadan bara döndüm, Aişe'ye doğru giderken boşaldığını gördüğüm köşedeki koltuğa koşmaktı niyetim. Koltuğa gömülecek ve Olacak ya da Olmakta Olan Şey'i uzağıma atacağım, uykuyla uyanıklık arasında. Yarı yolda duraklamaya mecbur kaldım: Koltuk bu kez bir Çinli tarafından kapılmış. İletişim Uzmanı ise bankoda bıraktığım gibi değil de daha bir içine gömülmüş, aynı zamanda da felçli yanına doğru kaykılmış durumda oturuyor. Üstelik yeniden sigara yakmış. Yanına gitmeye zorluyor beni içimdeki marazi duygu, dinlemeli ve makul şeyler söylemeliyim; çünkü mesela, Kahveci Güzeli masalını bildiğini iddia ediyor, buna inanmak geliyor içimden. Fakat herhalde masalı anlatmak için önce karısıyla ilişkilerindeki yozlaşmanın hikayesini dinlememi bekleyecek; bense o hikayeyi dinlemeyi hiç istemiyorum.

Neyse ki Necmiye gelecek ve anlatacak; o anlatacak ve ben tek tük kelimelerle konuşmakla yetineceğim. Otelin girişini görebilecek şekilde oturacak bir yer ararken, bir masadan çığlıklar yükseliyor, sanki Kaçınılmaz Olan Şey'e ilişkin çığlıklar. Çay tepsisi devrilmiş, birilerinin üzerine sıcak hatta kaynar bir içecek ya da içecekler dökülmüş olmalı. Sakar şey, diye bağırıyor bir kadın ve bir adam üstünü başını silkeleyerek bara yürüyor. Barmen Kız Olamayan Kız hiçbir şey umurunda değilmiş gibi bir ağırlıkla kırık fincanları topluyor. Kargaşa giderek büyüyor, Çinliler bile lafa söze karışıyorlar. Kıza yaklaşmak için birkaç adım atayım derken kalabalık bir uğurlamanın arasına düşüyorum. Kartvizitler veriliyor, isteniyor. Kartvizit kullanmıyorum ki, yani nasıl anlatsam, bu bir kimlik algılaması meselesi. Yine de gerçekten, it was nice meeting you! Mutlaka haberleşelim! İyi ama orada bir şeyler oldu, oluyor. İşte görüyorum: Barmen Kız yeni bir tepsi hazırlarken can kulağıyla İletişim Uzmanı'nı dinliyor. Yüzlerinde birbirlerine dönük bir açma, bir anlama anlatma bir dinleme dinletme telaşı... Karşılıklı akan cümlelerle gevşemekte yüzlerindeki çizgiler ya daha çok adam konuşuyor. Karısı üzerine konuşuyor olmalı, annesiz çocukluğu, annesiz bırakmak istemediği çocukları üzerine de konuşacak, eminim. Can kulağıyla dinlememeli kız onu, ama dinliyor işte, kimseye göstermediği bir dikkatle dinliyor... Neler konuştuklarını duymak isterdim, yine de uzaklarında durmaya devam ettim. Lobide birileriyle vedalaştım, birilerine adresler yazdım; geçen birkaç gün içinde hiç olmadığım kadar uyanık ve girişkendim bu süre içinde. Yine de karanlık köşedeki koltuktaydı gözüm, koltuğun boşaldığını görür gibi olduğum bir sırada, çantamı kaparak yola koyulmuşken Necmiye göründü kapıda. Kızlarını ablasına bırakmış arkadaşı yerine, o nedenle gecikmiş; fakat böylelikle iç huzuruyla geç saatlere kadar oturabilecek benimle. Bir daha bu fırsatı bulamayabiliriz.

İki saat vaktimiz var. Ah, o kadar konuşmak istiyordum ki seninle! Bara gidelim mi...

Bar çok kalabalık, çok da havasız. Dışarı çıksak...

Dışarıda hava bir felaket. Kar yağıyor.

Ne yapalım peki...

Oraya gidelim, bak, işte şu köşeye, dedi Necmiye, karanlık köşeyi işaret ederek.